GUIDE DES OISEAUX D'EUROPE

Karel Hudec

GUIDE DES OISEAUX D'EUROPE

Adaptation française par
Véra et Antoine Dedenon

541 illustrations et photographies

LISTE DES PHOTOGRAPHES

Les numéros entre parenthèses renvoient aux pages

J. ANDERLE (131, 266)
F. BALÁT (32, 33, 86, 114, 115, 117)
J. BOHDAL (30, 65, 84, 112, 182, 214, 224)
G. CAGNUCCI, Panda photo (99, 211, 231)
J. FORMÁNEK (151, 168, 171, 177, 247, 271, 283)
Š. HARVANČÍK (78, 92, 136, 181, 190, 206, 239, 242, 245)
L. HAUSER (48, 49, 58, 59, 109, 134, 222, 237, 262)
J. HLÁSEK (34, 75, 76, 79, 80, 83, 105, 107, 122, 123, 159, 175, 198, 202, 217, 223, 234, 254, 267, 272, 273)
L. HLÁSEK (35, 50, 54, 60, 64, 72, 82, 85, 87, 89, 90, 100, 130, 132, 135, 143, 150, 156, 157, 158, 176, 185, 187, 192, 193, 199, 200, 201, 208, 212, 225, 230, 235, 246, 249, 261, 265, 278, 279)
P. MACHÁČEK (27, 28, 31, 36, 38, 42, 44, 45, 46, 47, 77, 88, 93, 95, 96, 98, 101, 103, 106, 111, 113, 126, 152, 160, 170, 186, 189, 197, 203, 210, 213, 215, 226, 270, 274, 277)
P. PAVLÍK (40, 62, 63, 66, 67, 69, 70, 74, 110, 124, 128, 129, 133, 137, 139, 140, 141, 142, 144, 145, 146, 147, 153, 154, 155, 162, 163, 164, 165, 166, 167, 169, 172, 173, 174, 178, 180, 184, 188, 191, 195, 196, 204, 205, 207, 209, 216, 219, 220, 227, 228, 229, 232, 233, 236, 238, 240, 241, 243, 244, 248, 256, 257, 258, 260, 268, 269, 276, 280, 281, 282)
A. PETRETTI, Panda photo (104, 116)
P. PODPĚRA (108, 194, 164)
T. PODPĚRA (138)
H. SCHEUFLER (81, 91)
E. STUDNIČKA (52, 55, 56, 68, 94, 120, 127, 218, 253, 255)
J. ŠEVČÍK (26, 39, 41, 57, 61, 71, 97, 102)
M. ZELINKA (179)
J. ZUMR (73, 252, 259)

Texte de Karel Hudec
Photographies (voir liste ci-dessus)
Illustrations de Jan Dungel, Miloš Váňa
Cartes de Zdeněk Hedánek
Maquette de Pavel Helísek

Dépôt légal : n° 10537, juin 1990
ISBN : 2.218.02478.0
3/07/19/53-01

Table des matières

Comment reconnaître les oiseaux dans la nature?

Il peut paraître bien vain d'éditer régulièrement de nouveaux guides et ouvrages sur les oiseaux européens. Toutefois ce genre de livre trouve toujours acquéreur et les meilleurs ouvrages ornithologiques ne cessent d'être réédités. Ce phénomène prouve l'intérêt permanent des lecteurs pour ce type de littérature. Les illustrations jouent un rôle déterminant, car elles captent l'attention et répondent à l'intérêt esthétique que les hommes portent aux oiseaux. Néanmoins la valeur et l'intérêt de tels ouvrages résident surtout dans le texte. Dans la littérature ornithologique, on a fait, jusqu'à présent, peu de place à l'écologie et à l'identification des espèces. Les informations dans ce domaine sont très incomplètes, voire même inaccessibles. Nous avons voulu remédier à cet état de choses, au moins partiellement. Aussi avons-nous joint aux données plus ou moins conventionnelles des informations qui permettent de préciser le moment et la manière de trouver les différentes espèces d'oiseaux dans la nature. Ces questions sont d'une importance primordiale pour les amoureux de la nature et les ornithologues débutants, même si les recherches systématiques en ce domaine sont de plus en plus courantes, surtout en ce qui concerne l'établissement des cartes géographiques localisant les espèces. L'expérience aidant, tout ornithologue averti sait que l'identification des espèces n'est pas chose facile. En effet, si certaines espèces sont facilement identifiables à tout moment de l'année, d'autres ne le sont qu'en période de nidification ou en dehors de cette période. Pour certaines espèces, la localisation est même tout à fait imprévisible. Il sait aussi que les données utiles à la recherche d'un nid ou d'un oiseau en Europe centrale ne sont pas valables en d'autres lieux.

Pour identifier rapidement et sûrement un oiseau, il faut tenir compte du choix des signes distinctifs et du degré de leur importance. Les deux peuvent naturellement changer en cours d'année. La voix par exemple est un signe d'identification décisif pour certaines espèces durant toute l'année, chez d'autres uniquement au moment de la nidification. Il en va de même pour la coloration du corps, totale ou partielle. Les signes morphologiques peuvent eux aussi changer (par exemple la présence ou la taille de la huppe), bien que ceux-ci soient les plus constants. Il va de soi que le choix et l'ordre des signes d'identification dépendent des connaissances et de l'expérience de l'observateur. Au fur et à mesure que l'on acquiert de l'expérience, le choix devient plus simple et on doit prendre en compte deux autres signes souvent décisifs : le milieu et l'époque de la présence de l'oiseau. Quand on observe un oiseau, c'est la situation géographique qui détermine avant tout sa présence, mais il faut, de façon systématique, considérer l'endroit où il se trouve, car ce dernier limite très fortement le choix des espèces qui peuvent être observées.

La taille

La taille absolue de chaque espèce est déterminée, habituellement, par la longueur du corps, en centimètres, et également par l'envergure des ailes pour d'autres espèces. Ce sont des valeurs moyennes. Il faut tenir compte de la différence entre les cas individuels, entre les mâles et les femelles, entre les oiseaux adultes et jeunes. Ces différences sont généralement sans grande importance pour l'identification des oiseaux dans la nature.

Quand on évalue la taille de l'oiseau sur le terrain, les mesures relatives d'un oiseau comparé à la taille d'une espèce précise et connue sont souvent plus utiles que les valeurs absolues.

Types de tailles des espèces courantes (de haut en bas): moineau (14,5 cm), étourneau (21,5 cm), merle (25 cm), pigeon (33 cm), corbeau (46 cm), oie (85 cm).

La morphologie

Pour déterminer l'espèce d'un oiseau, il faut considérer ses caractères morphologiques, c'est-à-dire la forme des différentes parties du corps ainsi que la taille, qui doit être aussi évaluée proportionnellement aux autres parties du corps. Mais d'ordinaire, quand il s'agit de l'identification d'une espèce ou d'un groupe plus restreint (Canard, Rapace, etc.), l'aspect général suffit.

Les caractères morphologiques à considérer sont les suivants : la forme et la taille du bec, et parfois aussi son emplacement par rapport aux plumes du front, ce qui est bien visible de profil ; la longueur et la forme de l'extrémité de la queue — échancrée, droite, arrondie, cunéiforme, étagée (les plumes deviennent plus courtes du centre à l'extrémité) — ; pour certaines espèces, la forme des plumes principales, surtout celles des contours comme par exemple les longues plumes de l'Hirondelle ou les plumes en forme de lyre chez le Tétras lyre. C'est surtout pendant le vol qu'on distingue bien les plumes. Il faut prendre en compte la longueur, la largeur et la forme de l'extrémité de l'aile (pointue, arrondie), parfois même l'emplacement de l'aile sur le corps (position médiane, postérieure, antérieure). En ce qui concerne les pattes, ce qu'on remarque bien dans la nature, c'est avant tout leur longueur relative. Parfois les pattes dépassent la queue pendant le vol. Le plumage a lui aussi son importance : certaines espèces présentent des pattes toutes recouvertes de plumes, d'autres en revanche des pattes toutes nues, chez d'autres le plumage forme une culotte. Certaines espèces ont un plumage à formation particulière : huppe, petites cornes sur la tête, couvertures plus longues, etc. Chez d'autres oiseaux, certaines parties du corps sont totalement nues, le plus souvent recouvertes d'une peau plus épaisse ou d'une excroissance cornée.

Les caractères morphologiques peuvent varier entre les mâles et les femelles (dimorphisme sexuel), entre les oiseaux adultes et jeunes. Certains changent même pendant l'année ; par exemple le tubercule situé à la racine de la mandibule supérieure du bec du Cygne domestique mâle devient plus saillant pendant la période de la nidification et celle qui la précède. En dehors de ces périodes, il est bien moins visible. Pour déterminer avec exactitude certaines espèces difficiles à distinguer dans la nature, il faut capturer l'oiseau et examiner ce que l'on appelle la formule de l'aile. Il s'agit de la longueur proportionnelle des rémiges primaires à laquelle on ajoute l'emplacement de l'entaille sur les vexilles de certaines rémiges. Les images jointes aux chapitres consacrés aux Pouillots donnent une très bonne idée de ce que représente cette formule de l'aile.

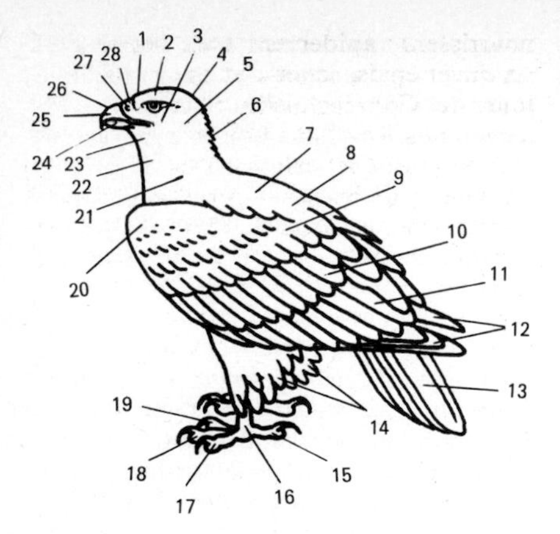

Topographie du corps du rapace : 1—front, 2—sommet de la tête, 3—joue, 4—occiput, 5—région auriculaire, 6—nuque, 7—scapulaires, 8—dos, 9—couvertures moyennes, 10—grandes couvertures, 11—rémiges primaires, 12—rémiges secondaires, 13—rectrices, 14—culotte, 15—doigt postérieur ou premier doigt (pouce), 16—tarse, 17—doigt extérieur ou quatrième doigt, 18—doigt médian ou troisième doigt, 19—doigt interne ou deuxième doigt, 20—poignet de l'aile, 21—cou, 22—gorge, 23—menton, 24—mandibule inférieure, 25—mandibule supérieure, 26—culmen, 27—narines, 28—lorum

La coloration

La coloration du corps des oiseaux varie d'un oiseau à l'autre et rares sont les espèces dont les individus présentent le même aspect extérieur. Il arrive souvent qu'une partie du corps, en particulier chez les mâles, soit fortement colorée ; ainsi par exemple la calotte au sommet de la tête, le menton, la moustache, les sourcils. Un caractère de coloration peut être commun à toutes les espèces d'un groupe déterminé, comme par exemple le miroir de couleur sur les ailes des Canards de surface ; un autre n'est spécifique qu'aux individus d'une espèce déterminée, par exemple les rayures sur les ailes du Jaseur boréal. Très souvent, on rencontre chez les oiseaux une bi-coloration sexuelle (dichroïsme) — la coloration de la femelle est généralement plus simple que celle du mâle.

Indépendamment de l'existence ou de l'absence du dichroïsme sexuel, la coloration des oiseaux change régulièrement au cours de leur vie. Elle a pour base l'usure et le renouvellement des plumes : les vieilles plumes, poussées par l'arrivée des nouvelles, tombent. L'oiseau mue. La mue peut être totale ou partielle (seule une partie du plumage change). Le plus souvent, les oiseaux muent deux fois par an : après la nidification et dans la période précédant la nidification suivante. Le changement de coloration n'est pas forcément le résultat de l'échange des plumes : il arrive parfois que les pointes colorées des plumes s'usent progressive-

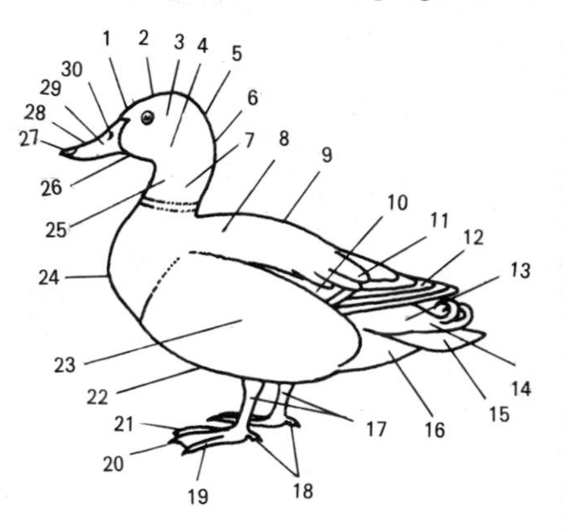

Topographie du corps du canard : 1—front, 2—sommet de la tête, 3—région auriculaire, 4—joues, 5—occiput, 6—nuque, 7—cou, 8—scapulaires, 9—dos, 10—rémiges secondaires, 11—épaule, 12—rémiges primaires, 13—croupion, 14—rémiges sus-caudales, 15—rectrices, 16—rémiges sous-caudales, 17—tarse, 18—pouce, 19—doigt externe, 20—doigt médian, 21—doigt interne, 22—ventre, 23—flanc, 24—poitrine, 25—gorge, 26—menton, 27—ongle, 28—culmen, 29—mandibule supérieure, 30—narines.

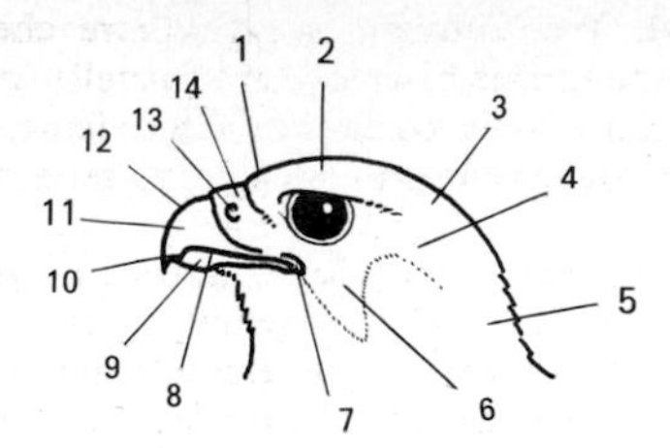

Détails de la tête du rapace : 1—front, 2—sommet de la tête, 3—occiput, 4—région auriculaire, 5—nuque, 6—joue, 7—lorum, 8—menton du bec, 9—mandibule inférieure, 10—dent, 11—mandibule supérieure, 12—culmen, 13—narines, 14—lorum.

ment et qu'apparaissent alors les parties inférieures des plumes qui sont de couleur différente. Le noircissement de la tête du Pinson du Nord ou la disparition des mouchetures de l'Etourneau en sont l'illustration. Le plumage des oiseaux ou leur livrée varient au cours de leur vie, dans un ordre déterminé. Dans la mesure où les livrées sont bien différentes, elles portent aussi différents noms et se succèdent dans l'ordre qui suit.

La livrée poudreuse *(pullus)* recouvre les jeunes oisillons dès l'éclosion. Chez certains ce n'est qu'un très léger duvet, chez d'autres (en général nidifuges, qui se

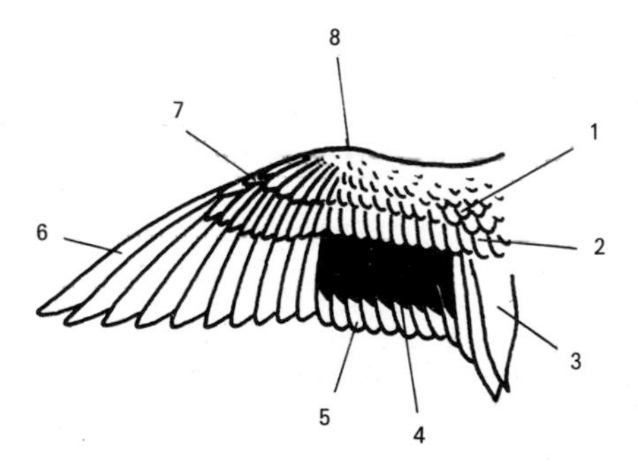

Détails de l'aile du canard : 1—couvertures moyennes, 2—grandes couvertures, 3—épaule, 4—miroir, 5—rémiges secondaires, 6—rémiges primaires, 7—aileron, 8—poignet de l'aile.

nourrissent rapidement tout seuls) c'est un duvet épais, soyeux et qui rappelle la fourrure. Certains oisillons éclosent totalement nus. La plume poudreuse *(plumae)* est une plume au calamus très court avec une touffe de barbes. De par sa fonction et sa forme, il rappelle plutôt le poil et possède d'excellentes qualités d'isolation. Il pousse serré contre la peau. Chez les oisillons des Plongeons, des Hiboux, des Oiseaux des Tempêtes, du Gibier d'eau, apparaissent deux générations de livrée poudreuse qui peuvent être différentes ou non. La livrée poudreuse peut être spécifique à chaque espèce, elle peut aussi être identique chez différentes espèces et groupes (par exemple le duvet blanc). Dans la plupart des cas, elle est la même chez les oisillons des deux sexes. Sa durée est limitée à une courte période et cet ouvrage n'aborde pas cette question. La livrée des jeunes oiseaux *(juvenilis)* est le premier plumage complet et qui dure habituellement jusqu'au premier hiver ou au-delà. La couleur de cette livrée est simple et rappelle la livrée des femelles et ne varie en fonction du sexe que chez un petit nombre d'espèces. Cette livrée laisse place chez les oiseaux de petite taille (qui arrivent à maturité déjà dans leur deuxième année) à la livrée adulte. Pour les espèces plus grandes qui arrivent à maturité au bout de quelques années (les Cygnes et les Aigles par exemple, à qui il faut quatre années pour parvenir à maturité) la livrée des jeunes oiseaux ressemble après chaque mue un peu plus à la livrée adulte. On désigne souvent la livrée des jeunes oiseaux par le terme *immaturus* ou *subadultus.*

La livrée adulte *(adultus)* a une coloration spécifique à l'espèce même si celle-ci peut évoluer tout au long de la vie de l'oiseau (par exemple la couleur grise devient blanche au moment de la vieillesse). On compte deux livrées adultes dans une année. Certains oiseaux (par exemple les Canards) revêtent la livrée nuptiale (ou de nidification) dans la période qui précède la nidification, de l'automne au printemps. D'autres (certaines espèces d'oiseaux chanteurs) ne la revêtent qu'à l'arrivée sur l'aire de nidification ou juste avant. C'est une livrée typique de l'espèce, la plus bariolée de toutes, qu'on voit surtout chez les mâles, et qui provient de la mue partielle. Après la nidification, l'oiseau continue à muer et finit par porter une livrée simple — la livrée d'hiver — qui ressemble à la livrée des femelles ou des jeunes oiseaux. Cette livrée simple rend difficile et parfois impossible l'identification du sexe et même de l'âge des oiseaux dans la nature.

Entre les deux mues essentielles se glisse parfois une autre mue ; ainsi, compte tenu des colorations intermédiaires, des différences dues à l'âge et au sexe, la coloration d'une espèce peut être très diverse (par exemple la Harelde de Miquelon). Quelques rares espèces (la Buse variable, les mâles du Chevalier combattant) présentent une grande variété de coloration individuelle et certaines espèces créent même différents morphismes de couleur ou phases, en général gris et marron, ou clairs et foncés (par exemple le Coucou gris, la Chouette hulotte, l'Aigle botté) ; on peut y ajouter de rares aberrations chromatiques (noire — mélanisme, blanche — albinisme, et autres) qu'elles soient totales (albinos total) ou partielles (oiseau de coloration normale avec des taches blanches).

La majorité des espèces forment dans les différentes parties de leur territoire des sous-espèces —*subspecies*— qui diffèrent entre elles. On les désigne par une troisième appellation, par exemple *Aegithalos caudatus europaeus*. Certaines espèces n'ont qu'un petit nombre de sous-espèces, par exemple le Canard colvert en a sept, le Canard pilet seulement deux, d'autres espèces en ont un grand nombre, c'est le cas du Cochevis huppé qui en a trente. Les sous-espèces se distinguent entre elles par la taille et la coloration, les différences sont parfois grandes, parfois minimes et impossibles à saisir si l'on ne compare pas un assez grand nombre d'oiseaux entre eux. Dans quelques cas, l'espèce se divise en deux ou plusieurs groupes de sous-espèces ; la différence entre les groupes peut être importante, les sous-espèces du même groupe se ressemblent. Les différences entre les groupes sont visibles même dans la nature, c'est le cas des Corneilles mantelées et des Corneilles noires. Ces cas sont mentionnés dans le présent ouvrage et, pour caractériser le groupe, on se réfère au type de base. On désigne le groupe à tête blanche des sous-espèces de la Mésange à longue queue comme type «caudatus», car s'y rapportent les sous-espèces *Aegithalos caudatus caudatus* et autres, le groupe à raie foncée sur la tête comme type «europaeus», car s'y rapportent les sous-espèces *Aegithalos caudatus europaeus.*

L'existence des espèces doubles —sibling species— pose un problème pour l'identification. Ce sont des espèces parfaitement identiques sur le plan morphologique et elles ne diffèrent entre elles que par certains détails. Pour certains individus il est difficile de décider à quelle espèce ils appartiennent. Parmi les oiseaux européens on trouve les couples suivants : le Grimpereau familier et le Grimpereau des jardins ou la Rousserolle effarvatte et la Rousserolle verderolle. Il est cependant plus facile d'identifier ces espèces par une observation sur le terrain que d'après les caractères morphologiques, car leur comportement et surtout leurs manifestations vocales permettent de les distinguer.

Les manifestations vocales

Les manifestations vocales sont importantes lors d'une identification sur le terrain, voire capitales et même décisives. Ce qui vaut surtout pour le chant des oiseaux appartenant à l'ordre le plus riche, celui des Oiseaux chanteurs. Le chant accompagne la préparation à la nidification et il doit surtout signaler l'occupation du territoire, ce qui fait qu'on l'entend essentiellement au cours de la nidification et de la période qui la précède, de février à juillet. Certaines espèces chantent toute l'année, même en période d'hivernage. Il y a aussi d'autres manifestations sonores qui caractérisent certains oiseaux : le hululement des Hiboux, les claquements de bec de la Cigogne blanche, le cri d'alerte des Hérons, certains sons mécaniques comme le sifflement des ailes du Garrot à œil d'or en vol, ou le claquement des plumes de la queue de la Bécassine ordinaire.

Il est difficile de capter, de décrire ou d'exprimer la voix des oiseaux. Pour plus d'objectivité, on utilise généralement les sonogrammes, c'est-à-dire l'analyse des enregistrements faits au magnétophone. Cette approche demande cependant une expérience d'interprétation. Il est donc plus utile d'avoir recours à une expression verbale simple. Les enregistrements des voix de tous les oiseaux européens sont aujourd'hui disponibles et peuvent servir à une étude approfondie. Pour mémoriser les différentes voix, il est toutefois utile de bien observer l'oiseau qui émet le son inconnu.

Types de vol et formations des oiseaux qui se déplacent :
1—vol battu, 2—vol plané, 3—vol vibré, 4—formation en V des oies, 5—vol en formation irrégulière des canards, 6—rang d'eiders.

Les déplacements

Le vol est la qualité première de l'oiseau et, seuls quelques groupes l'ont perdu (les Manchots par exemple). Les types de vol sont très variés, actifs ou passifs. Parmi les types actifs, le vol battu est très courant. L'oiseau agite les ailes dans un rythme régulier. Ce type de vol se fait en ligne droite, chez certaines espèces en zigzag; parfois, l'oiseau vole en se balançant d'un côté à l'autre. En vol plané, il y a alternance entre des coups d'ailes réguliers et des moments où l'oiseau plane en restant immobile. Le vol «en vague» des Grimpeurs constitue le cas extrême de ce type de vol : grâce à quelques coups d'ailes, l'oiseau remonte un peu, puis, dans une phase de glisse, descend en décrivant une ellipse. Un type de vol particulier est le vol vibré : l'oiseau reste suspendu sur place grâce aux battements tourbillonnants des ailes, ce qui lui permet de guetter une proie qui évolue sous lui. Le tourbillonnement est souvent interrompu par une rapide descente vers le sol. En ce qui concerne le vol passif, c'est un vol qui se fait sans un mouvement, les ailes déployées : on l'appelle le vol à voile. Les ailes sont tendues, la direction et la hauteur du vol sont réglées par l'orientation des rémiges, de l'aileron ou de la queue. Pour prendre de la hauteur, les oiseaux utilisent les courants d'air ascendants et, éventuellement, ils exploitent les changements de direction ou de vitesse du vent.

Certains oiseaux volent en solitaire, d'autres — le plus souvent en dehors de la période de nidification — en grand nombre, et parfois même en groupes très importants. Ils peuvent adopter une formation relâchée, voler en groupes en maintenant une assez grande distance entre les individus, ou en volées de différents types. Les volées peuvent être irrégulières : elles peuvent présenter des changements caractéristiques de densité ou des changements subits et synchronisés de sens (Etourneaux). Les oiseaux adoptent également des formations diverses dont les plus typiques sont les formations en rangs ou en V (Oies, Grues).

Pour certaines espèces, des vols tout à fait caractéristiques font partie de la parade nuptiale. Par exemple, les Limicoles survolent en cercle le territoire du nid, tout en poussant des cris retentissants. Parfois, ils font des volte-face étonnantes, réduisent brutalement la hauteur du vol, ce qui donne l'impression d'une chute, et foncent à pic vers le bas. Certaines espèces de Rousserolles, de Fauvettes et de Pipits survolent le territoire en chantant, et redescendent. Le Serin cini ou le Verdier chantent en exécutant le vol caractéristique à «la chauve-souris» pendant lequel, les ailes largement déployées, ils changent de direction en se balançant.

En ce qui concerne le déplacement sur la terre ferme, les aptitudes des oiseaux sont très diverses. Certains oiseaux se déplacent avec beaucoup de maladresse et de difficultés (Plongeons par exemple), d'autres avec souplesse et habileté que ce soit en marchant au pas, en courant ou en sautillant. Certaines espèces peuvent pratiquer ces trois sortes de déplacements, d'autres n'utilisent que la marche au pas et la course, d'autres enfin ne connaissent qu'un mode de déplacement. La manière de se déplacer peut varier chez des types très voisins : ainsi le Moineau domestique sautille et le Moineau soulcie marche.

Pour les oiseaux aquatiques, le déplacement dans l'eau est primordial. La nage à la surface de l'eau avec battement alterné de pattes est la plus courante. Dans les cas exceptionnels, par exemple quand le Cygne domestique mâle veut parader, l'oiseau rame simultanément avec ses deux pattes. Il avance alors par saccades. La course à la surface de l'eau avec battement d'ailes permet habituellement à l'oiseau de prendre son envol. Elle est typique pour la Foulque macroule. La plongée et la nage sous l'eau, parfois prolongée, à grande distance, sont fréquentes. Les Cygnes, les Canards de surface ou même la Foulque font «le beau» lorsqu'ils recherchent leur nourriture : l'oiseau plonge la partie antérieure du corps dans l'eau et laisse pointer la partie postérieure à la verticale au-dessus de l'eau.

Dans certains milieux, les oiseaux doivent évoluer d'une manière spécifique. Les arboricoles sautent d'une branche à l'autre, se suspendent aux petites branches et aux pommes de pins, grimpent sur les branches ou les troncs d'arbres, parfois la tête ou le dos tourné vers le bas. Certaines espèces (Grimperaux, Grimpeurs) ne grimpent que de bas en haut, d'autres peuvent même aller dans le sens opposé (Sittelle torchepot). Les oiseaux peuvent même grimper dans les roseaux ou dans toute végétation dense semblable : ils se déplacent habilement le long d'une tige (Rousserolles) ou, plus rarement, le long de deux tiges, en posant une patte sur chacune d'elles (Mésange à moustache).

Pour identifier une espèce, on peut également prendre en compte la manière dont l'oiseau se tient en position de repos : le maintien du corps (vertical, horizontal), la position des pattes ou de la queue. Les silhouettes des oiseaux perchés sur les poteaux ou les fils électriques le long des routes permettent de déterminer, à distance, de quelle espèce il s'agit. Ainsi on reconnaît les Hérons à leur silhouette, les différentes espèces de Cigognes en vol, de loin, à la manière dont elles tiennent leur cou (dans l'axe du corps ou en dessous de l'axe), les Aigles au profil des ailes vues de face (droit, cintré).

La nidification

La période de nidification est une période très importante dans la vie des oiseaux. Les ornithologues y portent la plus grande attention. On considère comme territoire de l'espèce la seule aire où l'espèce se reproduit. Aussi porte-t-on un intérêt tout à fait particulier à l'aire de nidification. Etant donné que de nombreux oiseaux fréquentent le biotope en période de nidification sans y nicher, il faut, pour être sûr de la nidification, découvrir le nid ou les oisillons, car ceux-ci ne peuvent pas venir d'ailleurs. Il faut être très prudent pour ne pas gêner la nidification en cours et ne pas détruire le nid!

La nidification s'accompagne de toute une série de manifestations qui permettent de découvrir et d'identifier les oiseaux. En revanche, la prudence des oiseaux lors de la nidification peut rendre les investigations très difficiles. Un grand nombre d'espèces revêtent en période de pré-nidification une livrée nuptiale voyante ; la formation des couples et le déroulement du début de la nidification s'accompagne souvent d'une parade remarquable. La construction des nids est généralement facile à observer. La plupart des espèces nichent en choisissant un territoire : les oiseaux délimitent un certain espace autour du nid (*teritorium*) qu'ils marquent par un comportement bien caractéristique, essentiellement par des manifestations vocales, et ils le défendent contre les individus de la même espèce. Le territoire se limite parfois à l'environnement du nid. Dans les colonies des Fous et des Mouettes, par exemple, il est à la portée du bec de la femelle qui couve. Les oiseaux restent liés au nid depuis le début de la nidification jusqu'au moment où les oisillons sont conduits hors du nid ; les aires de nidification des colonies sont alors bien visibles. Chez de nombreuses espèces, les oisillons sont nourris durant toute la journée, à plusieurs reprises, et ils entretiennent avec leurs parents des contacts par la voix. Et cette relation se poursuit parfois au-delà de leur indépendance.

Pour certaines espèces, la période de nidification est caractéristique. Les grands Rapaces ou le Grand Corbeau nichent tout au début du printemps, mais un grand nombre d'espèces ne commencent à nicher que bien plus tard, en fonction de leur arrivée sur l'aire de nidification. Le début de la nidification est en rapport étroit avec le nombre de nidifications par an qui peuvent être multiples chez les oiseaux de petite taille : le Moineau domestique peut nicher jusqu'à cinq fois par an. En général, seuls certains couples nichent plusieurs fois par an. Chez les espèces qui ne vivent pas en couples solides, l'un des partenaires peut couver alors que l'autre recommence à nicher avec un autre. La nidification multiple ne doit pas être confondue avec la nidification de remplacement lorsque la première tentative n'a pas eu de succès et que le couple niche à nouveau. Ce type de nidification a lieu souvent même chez les espèces qui ne nichent normalement qu'une fois par an. Toutefois certaines espèces ne nichent pas une seconde fois après un échec, d'autres ne nichent que lorsque la première nidification a été interrompue dans une phase précoce, par exemple lors de la ponte des œufs.

Néanmoins chez les oiseaux de la même espèce, le début de la nidification et leur nombre sont liés à la latitude géographique et à l'altitude de l'endroit : dans les régions montagneuses et situées plus au nord, les oiseaux nichent plus tardivement et moins souvent.

L'emplacement du nid est caractéristique pour certaines espèces : les Hirondelles creusent des tunnels dans les talus de terre abruptes, la Cigogne blanche installe son nid au sommet des poteaux électriques, des cheminées, des arbres solitaires ou sur les toits. La taille, la forme et les matériaux de construction du nid sont également spécifiques à chaque espèce. On ne repère la présence des Mésanges rémiz que lorsque leurs nids apparaissent dans les arbres après la chute des feuilles. Néanmoins certaines espèces (les Merles par exemple) construisent des nids semblables et les placent dans un terrain similaire, ce qui empêche une identification précise. Ainsi, lorsqu'on trouve de tels nids, il faut bien observer les oiseaux qui y nichent pour ne pas se tromper.

Certains nids servent à plusieurs nidifications : c'est le cas notamment des grands oiseaux comme les Cigognes ou les grands Rapaces. Parfois, seules les aires de nidification sont permanentes.

mais les nids changent de place chaque année. Ceci concerne aussi bien les grands territoires (falaises, forêts) que les petits (chaque année, la Mésange rémiz construit un nouveau nid sur le même arbre).

La forme, la taille et la coloration des œufs caractérisent la majorité des espèces. L'identification précise des œufs de nombreuses espèces exige cependant une comparaison avec des œufs semblables, ce qui n'est généralement pas possible sur le terrain. De plus, les œufs de beaucoup d'espèces peuvent présenter une coloration assez variée, que ce soit dans la coloration de base, dans la couleur et la taille des taches ou dans l'étendue de ces dernières. La taille des œufs peut varier également, et ceci pour toutes les espèces. Si l'on ne peut donc identifier avec certitude le nid et sa ponte, il est nécessaire d'attendre le retour au nid des oiseaux adultes ; la même démarche est à suivre lorsqu'on a effarouché un oiseau en train de couver. Il faut d'abord identifier l'oiseau qui s'envole, puis observer son nid.

La ponte intégrale, c'est-à-dire le nombre d'œufs pondus, est un bon élément d'identification. Elle est, chez certaines espèces, quasiment constante : les Pingouins pondent régulièrement un seul œuf, les Pigeons deux, les Mouettes trois, les Limicoles quatre. Pour de nombreuses espèces, le nombre d'œufs est variable. Par ailleurs, les œufs trouvés dans un nid peuvent ne pas être au complet ou, lorsque le nombre d'œufs est très élevé, il peut représenter la ponte de plusieurs femelles dans le même nid : c'est le cas des Canards. Les pontes mixtes représentent une autre complication. Hormis la manière parasitaire des Coucous de pondre dans un nid étranger, d'autres espèces pondent parfois dans les nids des autres. Ce phénomène est assez courant sur les aires de nidification des Canards et de tous les oiseaux aquatiques : les espaces propices à la nidification sont limités aux îlots et aux étroites bandes de végétation côtière.

La durée de la couvaison (incubation) varie d'un oiseau à l'autre : elle va de 10 à 60 jours, suivant la taille de l'oiseau. Certaines espèces commencent à couver dès la ponte du premier œuf ou pendant la ponte, d'autres ne le font qu'une fois la ponte terminée. Par conséquent, l'éclosion a lieu en même temps ou bien elle se fait progressivement. L'éclosion simultanée est habituelle pour les oiseaux nidifuges ou partiellement nidifuges dont les petits, une fois séchés, quittent le nid en compagnie de leurs parents. Parfois, ces oisillons vivent à proximité du nid et y reviennent de temps à autre (oisillons de la Foulque) ou les parents les conduisent définitivement hors du nid, dans les environs immédiats ou plus éloignés (oisons, canetons). Les oisillons nidicoles, entièrement dépendants des parents les premiers jours, restent en général au nid jusqu'au moment où ils sont capables de voler. Certains quittent le nid sans savoir voler mais restent à proximité du nid et les parents se chargent de les nourrir (les Rapaces par exemple). Le départ précoce peut être causé par quelque dérangement. Néanmoins, chez de nombreuses espèces, les oisillons, déjà capables de voler, restent à la charge des parents quelque temps et ne s'émancipent que progressivement.

Les soins parentaux sont variés. Chez les oiseaux vivant en couples, les deux partenaires prennent soin de leur progéniture. La plupart du temps, ils participent aussi bien à la couvaison qu'à l'éducation des petits. Le partage des soins n'est toutefois pas égal. Dans certains cas, seule la femelle couve et se nourrit seule, ou bien le mâle lui apporte sa nourriture. Dans d'autres cas, les oiseaux se relayent pour couver, à intervalles plus ou moins espacés. Chez certains Rapaces, le mâle chasse, apporte la nourriture et la femelle la partage à ses petits. Lorsqu'il y a deux nidifications, la femelle peut couver la deuxième ponte, le mâle prenant en charge les soins des petits de la première couvaison (par exemple chez les Râles). Les oisillons plus âgés peuvent aider les parents dans le soin des oisillons plus jeunes (la Mésange à moustache par exemple). Chez les Phalaropes, le rôle des sexes est inversé : seul le mâle couve et s'occupe des petits et sa coloration est également plus simple. Pour de nombreuses espèces, généralement nidifuges, un seul oiseau s'occupe de la ponte et des petits. Chez les Canards par exemple, la nidification une fois commencée, les mâles quittent carrément l'aire de nidification. Chez les Oies, seule la femelle couve, mais le mâle reste à proximité et rejoint la famille après l'éclosion des petits. Les familles vivent quelquefois tout à fait à découvert (par exemple les Cygnes et les Canards plongeurs), mais le plus souvent, elles se cachent et il est donc difficile de les approcher.

La nourriture

La nourriture présente peu d'intérêt pour l'identification des oiseaux. Elle est cependant intéressante sur le plan du comportement des oiseaux ; elle conditionne grand nombre d'adaptations morphologiques et demeure l'indicateur principal de chaque espèce quant à l'environnement dans lequel on peut la rechercher par la suite. Chez les oiseaux arboricoles, c'est par exemple la manière de rechercher la nourriture sur les branches d'arbres (la Mésange charbonnière sur les plus grandes, la Mésange bleue sur les plus minces, la Mésange noire sur les branches du bas), sur les pommes de pin (le Tarin des aulnes, le Sizerin), dans l'écorce de l'arbre et dans la couche de bois sous-jacente (les Grimpereaux, la Sittelle), dans le bois à l'intérieur du tronc (les Grimpeurs), sur terre en dessous des arbres (les Merles). Les oiseaux aquatiques recherchent leur nourriture en plongeant (les Plongeons et les Canards plongeurs), en faisant «le beau» (les Cygnes et les Canards de surface), en volant bas au ras de l'eau (le Chevalier), en se déplaçant entre les roseaux (les Râles), en recherchant leur nourriture sur la terre ferme (les Pluviers), en donnant des coups de bec dans la vase (les Chevaliers), en paissant sur l'herbe (les Oies), en chassant leur proie sur place (les Hérons), etc. Ces manifestations sont spécifiques à chaque espèce ou à différents groupes ; elles sont d'une importance capitale pour l'identification des oiseaux.

L'activité diurne

L'activité diurne d'une espèce peut être un facteur décisif pour l'identification des espèces ou des familles d'oiseaux. La plupart des oiseaux sont actifs à la lumière du jour, l'activité maximale se déroulant tôt le matin ou tard dans l'après-midi ; la nuit, ils se reposent, à la mi-journée, ils ont une activité réduite. On constate que ce rythme est pratiquement le même pour les oiseaux qui connaissent les longues journées typiques à l'Europe du Nord. Certaines espèces vivent essentiellement la nuit (les Chouettes et les Hiboux), période pendant laquelle ces oiseaux ont un rythme d'activité comparable à celui des oiseaux diurnes. L'activité varie en cours d'année, en fonction de la période des migrations. Les oiseaux insectivores de petite taille, très actifs de jour, entreprennent leur migration la nuit, ainsi que les Limicoles qui, le soir, avant le départ, se font bien entendre sur leurs aires de rassemblement diurnes. Les oiseaux diurnes peuvent être actifs même pendant la nuit, en période de nidification ou pendant celle qui la précède, ceci surtout lorsqu'ils chantent (les Rossignols, les Rousserolles, les Locustelles), ou bien leur activité peut se prolonger tard dans la soirée. Certains phénomènes naturels peuvent avoir une influence négative sur l'organisme des oiseaux et donc freiner l'activité diurne : le froid, la pluie, le vent, un temps couvert et humide. L'activité diurne a des conséquences sur les grandes manifestations de groupes, surtout en ce qui concerne les lieux de rassemblement pour la nuit : on voit les oiseaux s'y rendre progressivement, venant souvent de très loin (les Etourneaux, les Corbeaux). Chez certaines espèces (les Moineaux, les

connaissance des espèces fondamentales, de leurs modes de vie et des conditions locales moyennes, avec leurs variations annuelles.

Il faut, par la suite, rechercher les localités connues sur le plan ornithologique pour la concentration de différentes espèces. Là, il est souhaitable de travailler avec un collaborateur. Dans la mesure où l'observation des oiseaux n'est plus un simple «hobby», nous conseillons aux amateurs d'entrer en contact avec une société ornithologique et de participer par la suite à des actions de recherches locales ou régionales. Des études régulières sur la présence des oiseaux permettront non seulement une meilleure connaissance du terrain mais faciliteront aussi la connaissance de la majorité des espèces locales. Grâce aux renseignements obtenus, on se fera une meilleure idée de la fréquentation des oiseaux dans une localité donnée et on sera ainsi à même de mieux protéger la nature. Les actions les plus importantes dans ce domaine sont les actions pratiquées à grande échelle comme l'élaboration d'une carte européenne de toutes les aires de nidification et de toutes les aires d'hivernage, ainsi que diverses recherches quantitatives. Il n'est pas difficile, par la suite, de trouver un sujet de recherches personnelles qui nécessite une bonne connaissance des oiseaux et un savoir-faire particulier dans l'art de l'identification. Pour approfondir ses connaissances, il est surtout utile de participer à l'élaboration des cartes des aires de nidification qui se font dans la grande majorité des pays européens. Chaque pays est divisé en secteurs dans lesquels on étudie en détail la représentation de chaque espèce ainsi que le mode de séjour de la population avicole. Les chercheurs qualifiés ont à leur disposition la documentation concernant cet espace quadrillé avec toutes les directives sur la démarche à suivre pour vérifier le phénomène de la nidification, depuis la simple observation d'une espèce en période de nidification jusqu'à la découverte du nid et des oisillons déjà conduits hors du nid. Lorsqu'on établit la carte des aires de nidification, il faut non seulement vérifier la présence des oiseaux en période de nidification, mais aussi fournir les preuves de la nidification, en trouvant le nid ou en découvrant les oiseaux immatures. Pour ce faire, il faut d'abord prendre connaissance du terrain étudié : savoir quel est le type de milieu et quelle population avicole s'y trouve : type de végétation, étendue et caractère des forêts, type agricole (pâturages, champs, prés), localités humaines et leur importance, eaux, existence d'éléments particuliers comme les falaises, les carrières, les briqueteries. Il faut avoir à sa disposition des cartes géo-botaniques spécialisées. Les responsables des sociétés ornithologiques possèdent des listes d'espèces d'oiseaux qui servent à relever la présence de l'espèce et les différents indices d'une nidification. Un observateur plus averti peut y noter par avance les espèces attendues et planifier par conséquent le déroulement et l'étendue de ses travaux sur le terrain.

Pour une connaissance optimale de la population avicole à l'intérieur d'un espace donné, il faut envisager une dizaine de sorties, de la fin de l'hiver à la fin de l'été (II.—IX.), avec un nombre plus important en période de nidification principale (IV.—VI.). Il faut consacrer au moins deux sorties aux oiseaux nocturnes.

Le moment d'observation le plus propice va de l'aube à la mi-journée. C'est dans cette partie du jour que la plupart des oiseaux sont très actifs et se font essentiellement entendre. Il faut évidemment observer les espèces nocturnes durant la nuit. Pendant l'observation nocturne, il est recommandé de prendre note des manifestations des espèces diurnes qui sont généralement plus discrètes le jour, tels le chant nocturne du Rossignol qu'on entend à plusieurs kilomètres, le chant des Locustelles ou la voix de l'Œdicnème. En dehors de la période de nidification il faut aussi observer les oiseaux à la tombée de la nuit, au moment où ils arrivent sur les lieux de rassemblement pour le repos nocturne et où ils se font tout particulièrement entendre.

L'étude de la présence des oiseaux doit se faire sur une période assez longue, même dans le cas où on ne recherche que des espèces qui nichent. La majorité des manifestations liées à la nidification comme le chant, les vols au-dessus du territoire, la parade nuptiale, ont lieu aussitôt après l'arrivée des oiseaux ou au début de la nidification car, pendant la nidification, les oiseaux se conduisent de manière plus discrète. Il faut savoir que certaines espèces nichent très tôt au printemps : aussi les manifestations vocales des Chouettes et les vols des Rapaces sont à observer dès la fin de l'hiver. Fait moins courant, d'autres espèces d'oiseaux nichent à l'automne et même en hiver (par exemple les Becs croisés pendant la période des pommes de pin), c'est-à-dire tout à fait en dehors de la période principale de nidification des autres espèces. En revanche, certaines espèces arrivent sur l'aire de nidification très tard. Cette arrivée tardive est normale ou bien elle est due à une première nidification qui n'a pas eu de succès. L'observation des oisillons conduits hors du nid est généralement plus facile à la fin de la saison des nids, au moment où ceux-ci commencent à survoler le territoire et à avoir des échanges vocaux avec leurs parents.

Toutes ces considérations sont le résultat d'une observation de la population avicole sur de nombreuses années. Elles n'épuisent pas toute la problématique du travail sur le terrain, mais peuvent constituer une aide intéressante pour tout ornithologue débutant qui pourra y trouver des règles lui permettant de commencer ses recherches, de les organiser et de les faire aboutir.

L'importance et la protection des oiseaux

Les oiseaux ont toujours fait partie intégrante de l'environnement de l'homme et celui-ci a manifesté et manifeste encore envers eux des attitudes très variées. Au début de son histoire, l'homme voyait dans les oiseaux une source de nourriture et, de nos jours, on continue encore à exploiter économiquement certaines espèces ou leurs produits. Mais à l'inverse, les oiseaux sont aussi facteurs de dommages économiques ; ainsi certains oiseaux causent de graves dégâts dans certains secteurs de l'activité humaine. D'une manière générale, le nombre d'espèces rentables sur le plan économique est limité. En outre, l'homme de notre époque se tourne de plus en plus vers les oiseaux pour leur valeur esthétique. En effet, l'homme admire l'oiseau pour sa beauté et pour sa voix. L'intérêt premier que manifestent de nombreux amateurs pour les oiseaux se transforme en passion scientifique, et le plaisir aboutit à un travail de recherche très sérieux. C'est pourquoi l'ornithologie est devenue une partie intégrante de la biologie, surtout en ce qui concerne les branches écologiques et éthologiques.

Les résultats de ces recherches sont aujourd'hui largement utilisés en bio-indication : on évalue les conséquences que peuvent avoir sur les organismes vivants les changements susceptibles d'intervenir dans un paysage et on étudie les réactions de ces organismes face à ces changements. Les études sur les oiseaux d'un territoire donné, en rapport avec les indicateurs quantitatifs, sont actuellement utilisées pour évaluer le degré de déséquilibre du milieu naturel ainsi que l'importance de certains endroits du point de vue de la conservation de tous les organismes vivants.

On sait parfaitement bien que la détérioration du milieu naturel sur la terre entraîne également une dégradation des conditions de vie de nombreuses espèces d'oiseaux. L'Union Internationale pour la Conservation de la Nature et des Ressources naturelles (I.U.C.N.R.) a, dans ce but, établi un Livre rouge de tous les organismes en danger, y compris les oiseaux. Dans ce livre, on s'est servi de la classification des ornithologues anglais Parlow et Everett de 1981 qui distinguent 3 catégories d'oiseaux selon le degré de leur vulnérabilité. Il y a l'espèce en danger : c'est l'espèce menacée d'extinction sur le territoire européen, et dont la survie est impossible sans un changement radical des conditions de vie actuellement défavorables. Il y a l'espèce vulnérable : c'est l'espèce qui risque de rejoindre la première catégorie sans un changement radical des conditions de vie actuellement défavorables. Il y a enfin l'espèce rare : c'est une espèce de faible importance, souvent très limitée à certains endroits, et pour laquelle il est à craindre, dans un avenir plus ou moins proche, qu'elle devienne une espèce en danger ou vulnérable. (Nous citons ci-dessous, par souci d'exactitude, le texte anglais)

«Endangered species — species in danger of extinction in Europe and whose survival is unlikely if the causal factors continue to operate. Vulnerable species — species which are likely to move into the endangered category if the causal factors continue to operate. Rare species — species with small, often very localised populations, possibly at risk, but not at present considered endangered or vulnerable.»

Pour les territoires de taille limitée, on élabore progressivement des listes rouges et des livres rouges : les listes rouges ne sont qu'une simple énumération d'espèces en danger alors que les livres rouges présentent des indications plus détaillées concernant la protection de ces espèces. En dehors de ces publications, la protection et la gestion cynégétique sont régies par les Lois de la Chasse et divers arrêtés pris par chaque pays. Réfléchir aux conditions et aux moyens de protéger les espèces en danger, exploiter les connaissances acquises dans le but de pratiquer des interventions efficaces, voilà qui constitue une des tâches primordiales de l'ornithologie actuelle. Les possibilités individuelles sont extrêmement limitées dans ce domaine (construction et placement des nichoirs, approvisionnement alimentaire des oiseaux en période hivernale, actions de sensibilisation au problème). Une protection efficace des sites naturels relève partiellement ou totalement des organismes publics ou privés dont l'activité doit être encouragée par tous les moyens possibles. Les sections nationales du Conseil international pour la protection des oiseaux (I.C.B.P.) tient à la disposition des intéressés toutes les informations utiles relatives à l'existence de ces organismes.

Avant d'entreprendre ce genre d'activités que constituent la préparation des nichoirs et l'approvisionnement alimentaire des oiseaux en période hivernale, il est nécessaire de bien évaluer le but et les conséquences de telles mesures. Il n'est pas utile de protéger outre mesure les espèces dont le nombre est en progression naturelle et qui, lorsqu'elles sont nombreuses, causent un certain nombre de problèmes (comme par exemple les Pigeons dans les villes). C'est pourquoi, dans l'intérêt même des oiseaux, la protection du territoire et les efforts publics déployés pour l'amélioration du milieu naturel (la création de zones vertes en milieu urbain par exemple), doivent reposer sur des bases écologiques solides.

Comment se servir de l'ouvrage?

Les indications contenues dans les quatre grandes parties de notre ouvrage aideront le lecteur à chercher et à identifier les oiseaux qui vivent dans toute l'Europe : de l'Islande au nord, à l'Oural et à la mer Caspienne à l'est, jusqu'à l'Asie centrale et l'Afrique du Nord au sud. Conçues et ordonnées de manière aussi précise et claire que possible, ces indications seront un outil efficace et sûr sur le terrain. Ces chapitres contiennent des indications détaillées concernant 241 espèces d'oiseaux, accompagnées de photographies en couleur et de petites illustrations. Dans la première partie, figurent les oiseaux liés par leur mode de vie à l'eau, dans la deuxième les oiseaux chasseurs à bec et à serres recourbés, les Rapaces et les Chouettes. La troisième partie est consacrée aux Oiseaux chanteurs, oiseaux de petite et moyenne taille qui ont leur organe de la voix formé de façon identique. La quatrième partie comprend les oiseaux à morphologie spécifiquement adaptée à la vie dans les falaises, les forêts et les steppes.

Les différents groupes d'oiseaux sont, au début de chaque partie, brièvement caractérisés et illustrés par une espèce bien connue. Celle-ci incarne par son aspect, son comportement et son mode de vie, le type d'oiseau du groupe donné. Les informations concernant chaque espèce sont classées dans un ordre thématique et, pour plus de clarté, chaque thème est introduit par un symbole qui simplifie l'orientation dans le texte.

Sous l'en-tête de «détermination», comme le dit le mot lui-même, sont regroupées les indications d'après lesquelles on peut déterminer l'espèce, l'âge et le sexe de l'oiseau observé. Les différents signes de détermination sont classés dans un ordre décroissant selon leur importance, le plus important étant le premier. Le milieu n'est mentionné que lorsqu'il est vraiment spécifique et que l'espèce ne peut pratiquement pas être repérée ailleurs. La premier signe de détermination fondamental (*) est la taille. Elle est évaluée, dans l'absolu, par la longueur du corps en centimètres, éventuellement aussi par l'envergure des ailes et, de manière relative, par la comparaison avec une espèce courante et bien connue ou tout simplement par le qualificatif : «petit», «grand», «moyen». La différence entre le mâle et la femelle n'est mentionnée que lorsqu'elle est bien marquée. Les indications concernant l'apparence et la coloration se limitent à l'aspect général, aux signes visibles en vol et aux signes distinctifs les plus importants des différentes livrées. Les mois des différentes livrées sont indiqués entre parenthèses. Lorsque la différence n'est pas indiquée, la description concerne les oiseaux des deux sexes. En éthologie (✦) on ne signale que les manifestations les plus importantes, les plus typiques et les plus fréquentes. Dans la partie consacrée aux manifestations vocales (⊙), on mentionne les voix caractéristiques et les plus courantes. Les voix sont transcrites par certaines syllabes sonores ; parfois elles sont comparées à des sons qui nous sont familiers. Il faut être particulièrement attentif à la ressemblance (ᘓ) d'une espèce précise avec une autre.

Les informations écologiques et bionomiques complètent d'une part les signes de détermination, d'autre part apportent des compléments d'information sur la localisation des oiseaux, c'est-à-dire sur l'endroit et la période du séjour. La rubrique consacrée à l'écologie est d'une importance capitale, car elle résume l'essentiel de tout ce qui touche au milieu de vie des différentes espèces. Elle donne des indications sur la démarche à suivre sur le terrain pour le repérage des oiseaux. Sous la dénomination habitat (◆), nous avons décrit le lieu de séjour des oiseaux aussi bien en période de nidification qu'en dehors de cette période. Le milieu dans lequel vivent les oiseaux se divise en plusieurs zones selon l'altitude et le type de terrain avec sa végétation propre : la plaine (jusqu'à 200 m), les plateaux (de 200 m à 600 m), la petite montagne (de 600 m à la forêt de montagne), la forêt de montagne (végétation alpestre et sub-alpestre), la haute montagne (les rochers au-delà de la forêt), le sommet (neiges éternelles et glace). Il est indispensable de prendre ce milieu comme point de départ lorsqu'on cherche à repérer et à identifier les oiseaux adultes, le nid ou les oisillons sortis du nid. Il faut suivre alors les conseils regroupés sous le symbole repérage (∞).

La rubrique Vie et mœurs regroupe toutes les indications concernant le mode de vie des différentes espèces. Pour la migration (↔), nous indiquons la catégorie à laquelle appartient l'oiseau, s'il est sédentaire, migrateur ou erratique et le moment où il est possible de le trouver sur les aires de nidification. Les sites d'hivernage sont très faciles à repérer sur les cartes, étant délimités par un trait fin. Certains sites d'hivernage n'apparaissent pas sur la carte, car ils sont souvent situés assez loin, généralement au sud, et il arrive également que l'aire de nidification elle-même se trouve à l'extérieur des limites de la carte. Dans ces deux cas, nous nous sommes servis de flèches pour indiquer cette localisation. Nous avons représenté l'aire de nidification des espèces par la couleur noire. Sous le symbole (ꝏ) nidification, nous avons regroupé toute une série d'informations sur le nid (emplacement, forme, taille, matériaux de construction utilisés), sur la ponte (nombre d'œufs, taille, coloration), sur la période et la fréquence des nidifications, sur l'oiseau qui couve ainsi que sur la durée de la couvaison. Lorsqu'un seul parent couve, nous le mentionnons, dans le cas contraire il va de soi que les deux partenaires couvent à tour de rôle. Nous avons aussi apporté des précisions sur l'éducation des oisillons, en insistant sur la manière, la durée et le moment de leur émancipation. Le lecteur pourra s'orienter dans ses recherches personnelles grâce à toutes ces données, largement variables. En ce qui concerne la nourriture (◉), nous n'avons relevé que les composantes essentielles de l'alimentation de l'oiseau et la manière dont il se les procure.

Le dernier point d'étude aborde, quand il y a nécessité, le problème de la protection des espèces, et signale les menaces qui pèsent sur elles ou au contraire indiquent les possibilités de leur exploitation économique.

ABRÉVIATIONS UTILISÉES

✳	— caractéristiques
✦	— comportement
⊙	— voix
♋	— espèces semblables
⬖	— habitat
∞	— repérage
↔	— migration
⊗	— nidification
◉	— nourriture
ad.	— adulte
juv.	— jeune
♂	— mâle
♀	— femelle
ssp.	— sous-espèce
>	— est plus grand que . . .
<	— est plus petit que . . .
III, IX	— mois de l'année

1
4
2
5
3

Les oiseaux aquatiques

Le milieu aquatique est très varié et très riche. Il abrite un grand nombre d'oiseaux dont la morphologie, adaptée au milieu, permet l'exploitation des sources de nourriture qui s'y trouvent. Le Plongeon arctique est le type même de ces oiseaux qui cherchent leur nourriture en plongeant (1). Ces oiseaux nagent à la surface de l'eau, le corps bien enfoncé dans les flots. Ils peuvent rester longtemps sous l'eau et réapparaître loin de l'endroit même de l'immersion. Le Canard colvert est l'exemple type des oiseaux qui cherchent leur nourriture en nageant (2). On les voit à la surface de l'eau où ils trouvent leur nourriture en nageant ou en faisant «le beau». Certaines espèces peuvent même plonger. De nombreux oiseaux recherchent leur nourriture en volant : c'est le cas de la Mouette rieuse (3). Ce type d'oiseau descend lentement à la surface de l'eau pour y prendre sa nourriture, ou il fonce dans l'eau la tête la première. L'Aigrette garzette est l'exemple type des oiseaux qui cherchent leur nourriture en faisant le guet ou en inspectant les eaux peu profondes (4). Ils sont en général assez grands. Leurs pattes, leur cou et leur bec sont longs. Ils fréquentent des endroits découverts et sont donc faciles à repérer. Certaines espèces se tiennent près des roseaux ou se dissimulent dans les buissons. Les oiseaux qui cherchent leur nourriture sur les rives marécageuses appartiennent au type du Chevalier aboyeur (5). Ils se promènent ou ils courent à petits pas dans la boue ou dans les bas-fonds. Ils restent habituellement en groupes et se déplacent souvent en volant. Les espèces qui n'évoluent que sur la terre ferme ont des pattes et un bec courts. Ils fréquentent la plupart du temps les rives découvertes et on les voit de loin. Ils se dissimulent plus rarement dans les roseaux (Râles).

1

Plongeon arctique
Gavia arctica

Détermination
✳ Le Plongeon arctique est plus grand que le Canard colvert (65 cm). Lorsqu'il nage, son corps allongé est bien enfoncé dans l'eau. Il a un cou long, une tête petite, un bec effilé et droit (3). Les oiseaux adultes en livrée nuptiale (III.—VII.) ont le cou et le haut du corps noirs avec des taches et des rayures blanches ; ♂ = ♀. Les oiseaux juv. et ad. en livrée simple (VII.—III.) sont gris dans l'ensemble, blancs sur le ventre. La livrée intermédiaire est représentée sur l'image 1. ✦ Il se trouve généralement sur l'eau, il nage en effectuant de longues plongées. Lorsqu'il s'envole, il prend son élan à la surface de l'eau. Son vol est rapide et droit (2). ⊙ En dehors de son aire de nidification, il fait entendre parfois sa voix grave et gémissante. Pendant la parade nuptiale, il ajoute des sons qui rappellent le rire et l'aboiement. ∞ Il ressemble surtout au Plongeon catmarin (*G. stellata* — 5) qui niche d'habitude en Europe du Nord et hiverne en Europe occidentale, centrale ou méridionale. Le Plongeon imbrin ou glacial (*G. immer* — 4) est rare. Il hiverne au nord de l'Europe. Le Plongeon à bec jaune (*G. adamsi*) hiverne exceptionnellement dans les parties les plus septentrionales de l'Europe.
Ecologie ◈ Il séjourne sur les lacs profonds et solitaires. En dehors des périodes de nidification, on le voit sur les rivages marins, plus rarement sur les eaux à l'intérieur du continent. ∞ Il faut observer la surface de l'eau. Sur les aires de nidification, il se trahit par sa voix. La présence des oiseaux qui couvent permet de repérer les nids, ou bien il faut inspecter les rivages. Les oisillons sont conduits et nourris sur l'eau.
Vie et mœurs ↔ C'est un oiseau migrateur. On peut le voir sur les aires de nidification en IV.—IX. En dehors de la période de nidification, il vit seul ou en petits groupes libres. ⊛ Le nid se trouve sur la berge, près de l'eau, le plus souvent sur des îlots. Il est fait de feuilles et d'herbes négligemment entassées. La femelle pond deux œufs marron, parsemés de quelques taches brun-noir (84,2×51,6 mm), en IV.—VI. Il niche 1× l'an, séparément, et couve durant 28 jours. Les oisillons quittent tôt le nid. Les deux parents les conduisent sur l'eau. Ils sont capables de voler dès le 60ème jour. ◐ Il se nourrit essentiellement de petits poissons pêchés sous l'eau.
Protection Le Plongeon arctique n'est pas directement menacé. Son nombre est élevé.

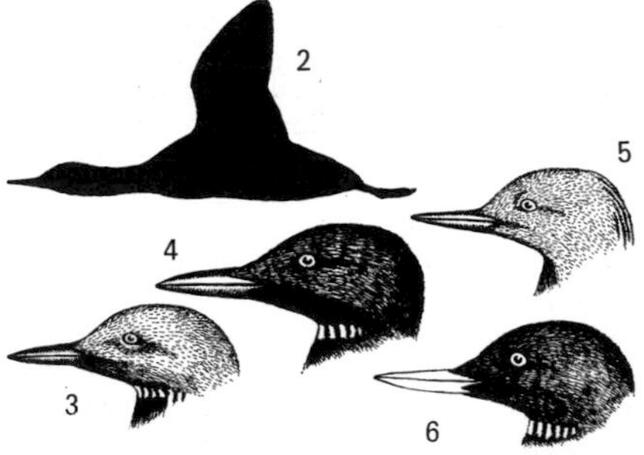

1

Grèbe castagneux
Tachybaptus ruficollis

Détermination
✳ Le Grèbe castagneux est le plus petit des Grèbes (27 cm). Il a un corps arrondi, un cou étroit, une tête petite. En livrée nuptiale (III.—IX.), il a un plumage brun-noir foncé. La tête rouge-brun porte une tache jaune-vert à la racine du bec (1). ♂ = ♀. La livrée simple et juvénile (VI.—III.) est gris-blanc, le dos est gris-brun foncé. ✦ Il nage à la surface de l'eau, fait de fréquentes plongées et vit souvent caché dans une épaisse végétation. Il ne vole que rarement. ⊙ Il fait entendre, sur les aires de nidification, des «bibibibi» particulièrement perçants. ♋ En livrée simple, il ressemble quelque peu au Grèbe à cou noir (2), lequel est cependant plus grand avec un cou plus long et une coloration plus contrastée.
Ecologie ◈ Il vit dans des régions de faible altitude, sur des eaux de diférents types, y compris les petits plans d'eau qu'on trouve dans les parcs. ∞ C'est sa voix qui nous guide sur les aires de nidification (IV.—VIII.). Il faut observer la surface de l'eau où les Grèbes nourrissent leurs oisillons (V.—VIII.). En hiver, on le trouve sur des cours d'eau qui ne gèlent pas. On peut trouver son nid en inspectant la végétation des aires de nidification (il faut faire attention au nid du Grèbe à cou noir : ses œufs sont de dimension supérieure).
Vie et mœurs ↔ C'est un oiseau partiellement migrateur. On peut le rencontrer sur les aires de nidification en III.—X. En dehors de la période de nidification, il vit seul ou en groupes libres. ⊗ Son nid se trouve dans la végétation qui borde les eaux. C'est une construction en forme de cône, flottante et faite de plantes, de végétaux en décomposition ; un petit creux est aménagé en son centre. La femelle pond 4 à 6 œufs blancs qui brunissent progressivement (37,1×25,9 mm) en IV.—VIII. Il niche 1 à 3 fois l'an et couve, séparément, durant 19 jours. Les deux parents s'occupent des petits qui sont capables de nager tout de suite. Ces derniers peuvent voler dès le 56ème jour. ◉ Le Grèbe castagneux se nourrit d'insectes aquatiques et de larves pêchés sous l'eau.
Protection Il se raréfie par endroits, mais ne nécessite pas de protection particulière.

2

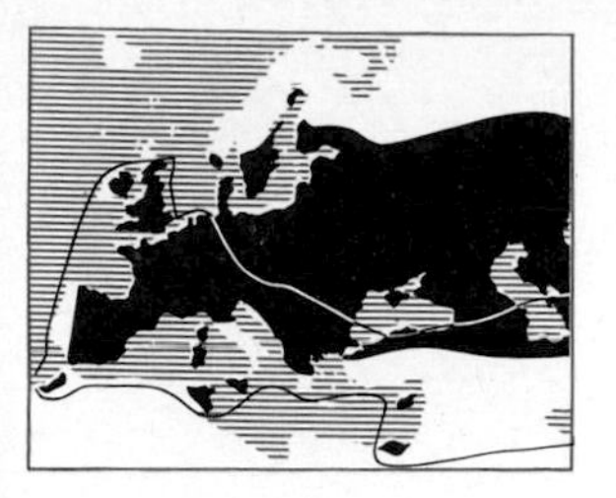

Grèbe huppé
Podiceps cristatus

Détermination
* Le Grèbe huppé est le plus grand des Grèbes (48 cm, envergure des ailes 88 cm). En livrée nuptiale (1), sa tête porte deux houppettes pointues, ses joues présentent un dessin blanc-rouge-brun et noir bien visible. En livrée simple, les houppettes ne sont qu'ébauchées, la tête est gris-blanc. Les oiseaux adultes ont le dos brun-gris et leur ventre est d'un blanc lumineux. ♀ < ♂, sa coloration est plus mate. Les oisillons en livrée poudreuse ont un dessin bien contrasté sur la tête (3 — Grèbe huppé, 4 — Grèbe à cou noir, 5 — Grèbe jougris, 6 — Grèbe castagneux). Les oiseaux juv. (V.—X.) portent des rayures longitudinales gris-brun sur les joues et les deux côtés du cou. ✦ Le Grèbe huppé nage habituellement à la surface de l'eau et pratique de fréquentes plongées. Lorsqu'il nage, son corps est bien enfoncé dans l'eau et le cou est tendu vers l'avant. En vol, il a le corps très allongé et les ailes pointues (2). Il dort sur l'eau, la tête posée sur le dos et pointée vers l'avant. Il ne vole que rarement, sans prendre de hauteur, en donnant des coups d'ailes rapides et réguliers. ⊙ Sur les aires de nidification, on entend souvent, même la nuit, son cri de trompette sonore «eurrr-keurr-arr», pendant la parade nuptiale le «keuk-keuk» . . . Pendant la becquée, les oisillons poussent des piaillements sonores et quasi ininterrompus. ♋ Le Grèbe jougris a les mêmes dimensions mais son cou est plus court et plus fort. Le cou et la poitrine sont plus foncés dans chacune de ses livrées.

Ecologie ◈ Il vit dans des eaux peu profondes à végétation marécageuse, sur les rivières et les rivages marins en dehors de la période de nidification. ∞ Il faut observer la surface des eaux. Au moment de la nidification, on peut le repérer grâce à sa voix. On peut trouver le nid en inspectant la végétation sur l'aire de nidification. Le nid évolue parfois librement à la surface de l'eau. Les oisillons sont nourris sur l'eau et ne cessent de faire entendre leur voix.

Vie et mœurs ↔ C'est un oiseau généralement migrateur. Il demeure sur les aires de nidification en II.—X. En dehors de la période de nidification, il vit seul ou en groupes. ◡ Son nid se trouve habituellement en bordure de la végétation à proximité de l'eau. C'est un amas de débris végétaux en décomposition au milieu duquel est aménagé un petit creux. La femelle pond 3 à 6 œufs blancs qui brunissent progressivement et sont enduits de calcaire (55,3×37,3 mm) en IV.—VIII. Il niche 1 à 2 fois l'an, séparément, et parfois en couples nombreux à l'intérieur de colonies libres. Il couve durant 27 jours. Les oisillons sont capables de nager tout de suite. Les deux parents s'occupent des petits. Pendant 6 semaines, ils les portent même sur le dos. Ceux-ci sont capables de voler dès le 70ème jour. ◉ Le Grèbe huppé se nourrit de petits poissons, d'insectes aquatiques et de larves qu'il pêche sous l'eau.

Protection Il peut faire des dégâts dans les étangs d'élevage. Il ne nécessite aucune protection particulière. C'est une espèce prospère dont le nombre augmente par endroits.

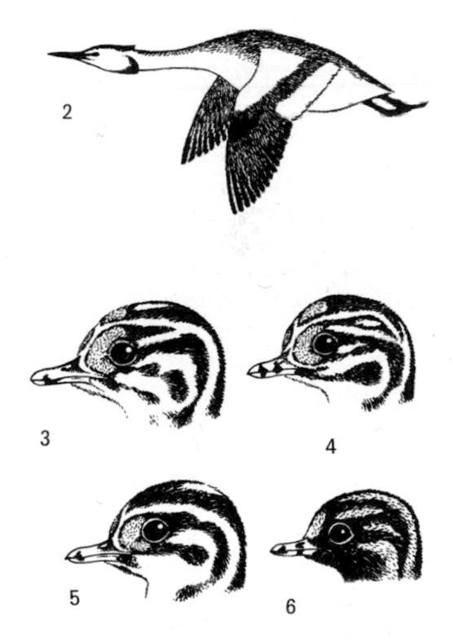

1

Grèbe jougris
Podiceps grisegena

Détermination
✳ Il est de la taille du Grèbe huppé (48 cm). Sa tête est grosse. Il a une toute petite huppe, un cou court et fort. En livrée nuptiale (1) (III.—IX.) ses joues sont blanches et sa poitrine est rouge-brun. En livrée simple, sa poitrine est claire. ♂ = ♀. En livrée juv. (VI.—X.) sa poitrine est rouge pâle. Sur les côtés de la tête, il porte des rayures rouge-brun. La racine du bec est jaune. ✦ Il nage habituellement à la surface de l'eau, fait de fréquentes plongées. Il vole rarement en ligne droite. Son vol est brusque, le battement de ses ailes rapide. ⊙ En période de nidification, il fait souvent entendre un sonore «eueueu» qui rappelle le rire. Les oisillons émettent un «bibibi» aigu et constant . . . ♋ Le Grèbe huppé a un cou plus long, plus fin, la racine du bec est rouge et la poitrine d'un blanc lumineux.
Ecologie ◈ Il séjourne dans des eaux peu profondes à végétation dense. En dehors de la période de nidification, on le trouve sur les grandes rivières et les rivages marins. ∞ Il faut observer la surface de l'eau, en période de nidification (V.—VII.), on peut le repérer grâce à sa voix. Les oisillons sont nourris sur l'eau et ne cessent de faire entendre leurs cris. Il faut être vigilant : les oisillons encore dépourvus de coloration s'envolent au-delà de l'aire de nidification (à partir de VII.). Par conséquent, leur présence n'indique pas forcément l'endroit de leur nidification. Pour trouver le nid, il faut inspecter la végétation sur l'aire de nidification.
Vie et mœurs ↔ C'est un oiseau migrateur. Il séjourne sur les aires de nidification en III.—IX. En dehors de la période de nidification, il vit généralement seul. ◡ Son nid se trouve dans la végétation à proximité de l'eau. C'est un amas de débris végétaux avec un léger creux aménagé en son centre. La femelle pond 4 à 5 œufs blancs qui brunissent progressivement (51,0×34,2 mm) en V.—VI. Il niche 1 (—2) l'an, séparément, et couve durant 22 jours. Les deux parents s'occupent de leur progéniture. Les oisillons nagent tout de suite, les parents les portent sur leur dos et les nourrissent durant 60 jours. ◉ Le Grèbe jougris se nourrit de petits poissons, d'insectes assez gros et de larves, pêchés sous l'eau.
Protection C'est une espèce qui connaît une diminution numérique. Les raisons de cette situation ainsi que les possibilités de protéger l'espèce ne sont pas connues. Il faut absolument protéger les nids.

1

Grèbe à cou noir
Podiceps nigricollis

Détermination
✳ C'est un Grèbe de petite taille (31 cm). Sa tête est grosse. Il a deux petites houppettes, un assez long cou, un corps court et arrondi. En livrée nuptiale (1) (III.—IX.), le Grèbe à cou noir a un dos quasiment noir, un ventre blanc, des plumes en forme d'éventails couleur or à l'arrière des yeux, des yeux rouges ; ♂ = ♀. En livrée simple et juvénile, le dos est noir-brun, le ventre ainsi que la gorge blancs. ✦ On le voit souvent nager sur l'eau ; il fait de fréquents plongeons, ses mouvements sont très rapides et saccadés. Il vole très rarement, en ligne droite. Son vol est rapide. ⊙ Il émet, assez peut souvent, un piaillement discret. ♋ Lui ressemble essentiellement le Grèbe esclavon (*Podiceps auritus*) (image 2, en livrée simple), qui niche en Europe du Nord et hiverne en Europe occidentale et méridionale. Son nombre n'est pas très élevé.
Ecologie ◈ Il vit sur des étendues d'eau peu profondes à végétation marécageuse. En dehors de la période de nidification, il fréquente même des eaux sans végétation et les rivages marins. ∞ Il faut observer la surface de l'eau bordée de végétation. En dehors de la période de nidification on peut le rencontrer même ailleurs. On trouve son nid dans la végétation au bord de l'eau. On peut voir le Grèbe à cou noir conduire et nourrir ses petits sur la surface de l'eau non loin de l'aire de nidification.
Vie et mœurs ↔ C'est un oiseau migrateur. On peut le trouver sur les aires de nidification en IV.—VIII. En dehors de la période de nidification, il vit généralement en groupes. ◡ Il niche habituellement en colonies, plus rarement seul. Le nid est un amas de débris végétaux, flottant, en forme de cône qu'on trouve souvent dans les colonies de la Mouette rieuse. La femelle pond 3 à 5 œufs blancs qui brunissent progressivement (43,7×30,0 mm) en IV.—VII. Il niche 1× et même 2× l'an, il couve durant 21 jours. Les oisillons sont capables de nager tout de suite. Les deux parents s'occupent de leurs petits et les promènent souvent sur leur dos. Les oisillons sont capables de voler, selon toute vraisemblance, dès le 21ème jour. ◑ Il se nourrit de petits invertébrés aquatiques.
Protection Actuellement son nombre diminue. On ne connaît aucun moyen de protéger l'espèce si ce n'est la protection des nids.

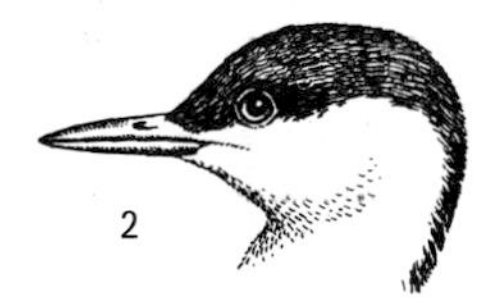

2

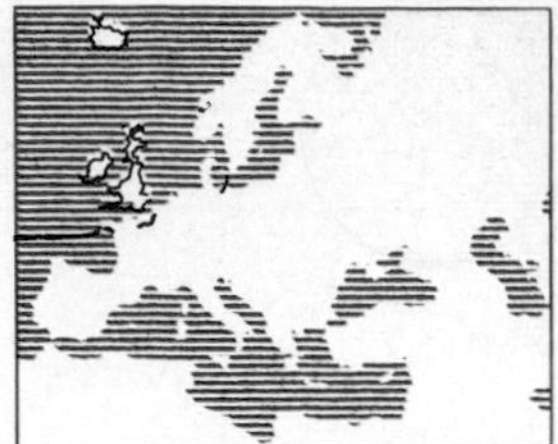

1

Pétrel fulmar
Fulmarus glacialis

Détermination
∗Le Pétrel fulmar est un peu plus grand que la Mouette rieuse (46 cm, envergure des ailes 1,1 m). Il a un corps assez petit, un bec fort et court, un cou vigoureux, une queue courte et droite. Ses ailes sont larges et longues, placées au milieu du corps. Le Pétrel fulmar à nuance claire, plus fréquent (1,2), est blanc, il a le dos et le dessus des ailes brun-clair. Le Pétrel fulmar à nuance foncée a la tête et le corps entièrement gris. ♂ = ♀ = juv. ✦ Lorsqu'il nage, son corps est simplement posé sur l'eau. C'est un excellent voilier qui évolue sans battre des ailes, près de la surface de l'eau. Il suit souvent les navires. Au moment de la nidification, il rejoint la terre ferme. ⊙ En groupes, il émet souvent un fréquent et rude «eug eug eug orr», un «kraou» ou «kar» étouffé. ⚭ Lui ressemblent les grands Albatros qu'on voit rarement sur les rivages européens, essentiellement l'Albatros à sourcils noirs (*Diomedea melanophris*). D'autres espèces courantes de Pétrel sont foncées, surtout sur la partie supérieure du corps (Puffin des Anglais — *Puffinus puffinus* — par exemple —3).
Ecologie ◈ Il vit en haute mer. Les aires de nidification se trouvent sur de petites îles et sur les falaises côtières. ∞ Il faut étudier la concentration des oiseaux en mer près des aires de nidification, scruter les falaises et en dehors de la période de nidification, observer l'espace situé au-dessus de l'eau.
Vie et mœurs ↔ En dehors de la période de nidification, le Pétrel fulmar se disperse à travers l'océan Atlantique. Il évolue sur les aires de nidification en V.—IX. ⌣ Il établit son nid à même la falaise. La femelle pond 1 à 2 œufs blancs qui deviennent par la suite jaunâtres ou tachetés (74,0×50,5 mm) en V.—VI. Il niche 1× l'an, en colonies parfois très importantes. Il couve durant 50 jours. Les deux parents prennent soin des petits qui restent au nid pendant 55 jours. ◉ Il se nourrit de petits animaux marins et de détritus qu'il ramasse à la surface de l'eau en volant ou en nageant.
Protection Il suffit de ne pas importuner l'espèce sur les aires de nidification. Son nombre augmente et son territoire s'agrandit.

1

Pétrel tempête
Hydrobates pelagicus

Détermination
∗ Le Pétrel tempête est un oiseau de très petite taille (15 cm, envergure des ailes 35 cm). Il a une tête ronde, un bec mince, des ailes fines, brisées en vol, une queue carrée et courte. L'oiseau ad. (1) est brun-noir sur tout le corps, une bande blanche médiane est située sur la partie intérieure de l'aile. Le croupion est blanc, les pattes sont noires. ♂ = ♀. L'oiseau juv. se distingue par ses plumes, claires à leurs extrémités. ✦ Lorsqu'il nage, son corps est posé sur l'eau, la tête est droite, les ailes dépassent la queue. Il vole en battant rapidement des ailes juste au-dessus de l'eau, et ses pattes en position verticale donnent l'impression qu'il marche sur l'eau (2). En haute mer, il suit les navires. ⊙ En mer, il est silencieux ; sur les aires de nidification, il émet des sons qui rappellent le ronronnement du chat et qui se terminent par un «hikaf» expressif. ♋ Lui ressemblent d'autres Pétrels, à coloration semblable mais de taille plus grande, par exemple le Pétrel cul-blanc *(Oceanodroma leucorhoa)* que l'on peut voir régulièrement en Europe tout au long de l'année et le Pétrel océanite *(Oceanites oceanicus)* qu'on ne voit qu'exceptionnellement en VIII.—XII.
Ecologie ◈ Il vit en haute mer, et en période de nidification, sur des îles et des rivages marins. ∞ On peut le repérer en observant la mer ; l'aire de nidification se reconnaît à l'activité nocturne (les oiseaux y arrivent la nuit et font entendre des cris retentissants).
Vie et mœurs ↔ En dehors de la période de nidification, il se disperse en haute mer. On le rencontre sur les aires de nidification en V.—VIII. ⌣ Il installe son nid dans les fissures des rochers ou dans les terriers abandonnés. La femelle pond un œuf blanc caractérisé par des taches brun foncé en forme de couronne (27,7×21,3 mm) en V.—VII. Il niche 1× l'an, en colonies, et il couve durant 38 jours. Les deux parents prennent soin des petits qui restent au nid pendant 60 jours. ◕ Il se nourrit de petits animaux marins qu'il prend à la surface de l'eau pendant le vol.
Protection Il n'y a pas de mesures de protection particulières à prendre. Il suffit de protéger les aires de nidification.

2

1

Fou de Bassan
Sula bassana

Détermination
✳ Le Fou de Bassan est de la taille de l'Oie cendrée (91 cm, envergure des ailes 1,7 m). Il a une tête assez grosse, dotée d'un bec puissant, long et conique. La forme du corps est allongée, la queue assez courte, cunéiforme. Les ailes sont longues et pointues, les pattes courtes. Le Fou de Bassan adulte (1) est blanc, sa tête et son cou sont jaunâtres, l'extrémité des ailes est noire, ♂ = ♀. L'oiseau juv. (dès VI.) est brun foncé, il blanchit progressivement (2ᵉ—3ᵉ année). ✦ Lorsqu'il nage, il tient la tête et la queue relevées. C'est un bon plongeur. Il vole assez bas (2), bat lentement des ailes et pratique de temps en temps le vol à voile. Lorsqu'il part à la recherche de la nourriture, on le voit parfois foncer la tête la première dans l'eau, les ailes serrées contre le corps, le bec dirigé vers le bas (3). Il pêche seul, bien qu'on voit un grand nombre d'oiseaux sur les lieux. ⊙ Sur les aires de nidification on entend souvent son aboiement et son grognement «arrah, kirra kirra». ♋ On ne peut le confondre avec une autre espèce.
Ecologie ◆ Il vit en haute mer, niche en colonies sur les rivages rocheux et plus particulièrement sur de petites îles désertes. Il arrive que le Fou de Bassan s'égare à l'intérieur des terres, on le voit alors sur d'autres eaux. ∞ Il faut observer l'espace au-dessus de l'eau. Les aires de nidification sont à examiner depuis la mer. Elles sont repérables grâce à la présence et aux déplacements réguliers de nombreux oiseaux sur les lieux.
Vie et mœurs ↔ Il hiverne en haute mer, souvent dans l'océan Atlantique, parfois en Méditerranée. On le voit sur les aires de nidification en III.—VII. ⊗ Il construit son nid sur les parties saillantes des roches abruptes. La femelle pond 1 (—2) œufs bleuâtres enduits de calcaire (78,5×49,8 mm) en III.—V. Il niche 1× l'an et couve durant 44 jours. Les deux parents prennent soin des petits qui restent au nid pendant 56 jours. ◉ Il se nourrit de poissons de mer qu'il pêche en plongeant.
Protection Jusqu'à une période assez récente l'espèce était en diminution. Actuellement son nombre augmente. La protection des aires de nidification semble donner des résultats satisfaisants.

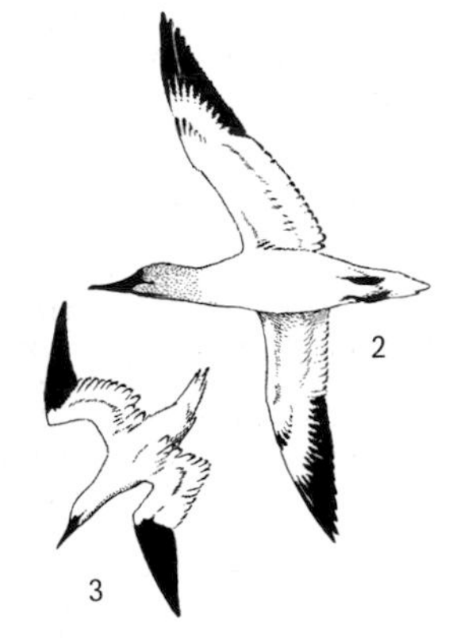

1

Pélican blanc
Pelecanus onocrotalus

Détermination
✳ Le Pélican blanc est l'un des plus grands oiseaux européens (160 cm, envergure des ailes 3,5 m). Il a un énorme bec, muni d'une poche de cuir, un long cou, un corps ramassé, une queue et des pattes courtes. Le plumage du front se termine en pointe (4). Les oiseaux ad. (1) sont d'un blanc légèrement rosé. ♂ = ♀. Les oiseaux juv. sont bruns et deviennent progressivement (2ᵉ—3ᵉ année) blancs. ✦ Lorsqu'il nage, son corps est simplement posé sur l'eau (2), la tête repliée en arrière. Lors du vol, il bat des ailes avec lenteur et régularité, pratique de temps en temps le vol à voile, et sa tête est repliée sur le dos (3). ⊙ On ne l'entend que sur les aires de nidification où il émet une sorte de bougonnement. ♋ Sur les mêmes lieux vit le Pélican frisé *(Pelecanus crispus)* qui lui ressemble beaucoup. Le plumage de son corps est légèrement grisâtre, le plumage du front est droit (5).
Ecologie ◈ On le trouve dans les grandes plaines marécageuses et sur les lacs poissonneux. En dehors de la période de nidification, il fréquente également les rivages marins. ∞ La présence constante des oiseaux, leurs déplacements, et l'inspection des terrains permettent de repérer l'aire de nidification. En dehors de la période de nidification, on peut le voir en surveillant la surface de l'eau ainsi que l'aire de vol.
Vie et mœurs ↔ C'est un oiseau migrateur. Il séjourne sur les aires de nidification en III.—IX. En dehors de la période de nidification, le Pélican blanc vit habituellement en groupes, plus rarement seul. ◡ Les nids sont des amas flottants de débris végétaux. La femelle pond deux œufs blancs (94,0×59,0 mm) en IV.—VI. Il niche en colonies 1× l'an et couve durant 33 jours. Les deux parents prennent soin des petits qui nagent très tôt autour du nid et sont capables de voler dès le 75ème jour. ◉ Il se nourrit de poissons qu'il pêche dans sa poche. Les Pélicans blancs forment des rangées de chasseurs qui poussent les poissons vers les bas-fonds.
Protection C'est une espèce en danger qui connaît une diminution numérique. Le Pélican blanc cause des dégâts dans certains endroits et en particulier dans les élevages de poissons. Il faut conserver des espaces marécageux suffisamment étendus et sauvegarder la tranquillité des aires de nidification.

Grand Cormoran
Phalacrocorax carbo

Détermination
∗ Le Grand Cormoran est de la taille de l'Oie cendrée (91 cm, envergure des ailes 1,3 m). Il a une petite tête allongée qui se termine par un bec long et puissant. En livrée nuptiale (X.—VII.) les oiseaux ssp. *P.c. carbo* (ils vivent sur les rivages de l'océan Atlantique) ont une tête foncée à l'exception du menton et des joues qui sont blancs ; les oiseaux ssp. *P.c. sinensis* (en Europe centrale, orientale et méridionale) ont des plumes généralement blanches sur le sommet de la tête, la nuque et les deux côtés du cou. Toutefois les vieux oiseaux ssp. *carbo* ont le plus souvent la même coloration. En livrée simple, la coloration de la tête des deux sous-espèces est foncée. Les oiseaux juv. (1) ont le dos brun, le bas du corps blanc, certains individus ont le ventre brun. ✦ Lorsqu'il nage, le corps est profondément enfoncé dans l'eau, le cou et le bec sont dressés obliquement vers le ciel (2). Il fait de fréquents plongeons. On le voit souvent perché, le corps droit, sur les troncs d'arbres, sur les souches, sur les arbres des bords marécageux ; il sèche souvent ses ailes à demi déployées (3). Il pêche généralement en groupes, plus rarement seul. Les Grands Cormorans passent leur nuit en grandes bandes dans les arbres. ⊙ On ne l'entend que sur les aires de nidification où il émet un grave «gok» ; lorsqu'il arrive dans son nid, il fait entendre un «gok gok go gogogok» et d'autres sons. ♋ Le Cormoran d'Aristote *(Phalacrocorax aristotelis)* lui ressemble beaucoup (4).

Ecologie ◈ Il vit sur les étendues d'eau poissonneuses. ∞ Il faut observer les oiseaux lorsqu'ils nagent, couvent, se sèchent et volent. La présence constante des oiseaux ainsi que leur va-et-vient incessant permettent de repérer l'aire de nidification (il ne faut pas le confondre avec les déplacements des oiseaux pour la nuit). On repère très bien les nids et les oiseaux qui couvent ainsi que les jeunes d'une certaine taille. Pendant toute la période de nidification, les environs des aires de nidification sont fréquentés par des oiseaux qui ne nichent pas.

Vie et mœurs ↔ C'est un oiseau migrateur. On le voit sur les aires de nidification en III.—IX. En dehors de la période de nidification, il vit d'habitude en groupes, rarement seul. ☋ Il niche en colonies. Les oiseaux ssp. *sinensis* nichent dans les arbres, plus rarement dans les roseaux, les oiseaux ssp. *carbo* nichent quant à eux sur les rochers littoraux. Les nids sont gros (environ 50—60 cm de diamètre), faits de grosses branches. La femelle pond 1 à 4 œufs bleu clair avec un épais enduit calcaire (63,0×39,4 mm) en III.—V. Il niche 1× l'an, il couve durant 23 jours. Les deux parents prennent soin des petits et les oisillons rampent très tôt autour du nid. Tout en étant capables de voler dès le 50ème jour, ils sont encore nourris par les parents durant 50 jours supplémentaires. ◕ Le Grand Cormoran se nourrit de petits poissons pêchés sous l'eau.

Protection La population des Grands Cormorans étant en baisse, il faut assurer une rigoureuse protection des aires de nidification.

1

Butor étoilé
Botaurus stellaris

Détermination
⁎ Ce Héron de taille moyenne (75 cm) est doté d'un bec long et droit, d'un cou assez court et fort, d'une queue et de pattes courtes, de larges ailes arrondies. Le Butor adulte (1) présente un plumage tacheté dans les tons jaune-brun. ♂ = ♀. L'oiseau juv. est plus clair et ses taches sont plus brunes, la teinte du plumage près du bec est moins accentuée. ✦ Il vit en solitaire, à l'abri dans les roseaux. De temps en temps, il change d'endroits, son vol est alors caractérisé par un battement d'ailes lent et régulier. On le voit souvent immobile dans les bas-fonds ou dans la végétation des marais. ⊙ En période de nidification, ♂ émet souvent, essentiellement la nuit, un fort et grondant «houm houm» répété à intervalles réguliers de quelques secondes. ♋ Le Butor américain *(Botaurus lentiginosus)*, qui vient d'Amérique du Nord, lui ressemble beaucoup, mais on ne le rencontre que très rarement en Europe occidentale.
Ecologie ◈ Il vit durant toute l'année dans la végétation étendue des vieilles roselières. ∞ En période de nidification, nous le reconnaissons à sa voix, ce qui n'est pas pour autant la preuve que l'oiseau niche sur les lieux. C'est en marchant dans la roselière qu'on peut trouver son nid. L'oiseau ne s'envole que lorsqu'on s'approche très près de lui. En dehors de la période de nidification, on peut le voir au hasard d'une observation ou en l'effarouchant par notre présence.
Vie et mœurs ↔ C'est un oiseau migrateur. Il séjourne sur les aires de nidification en III. — IX. ◡ Le nid, construit avec des tiges sèches de roseaux, se trouve à l'intérieur des roselières dans les touffes d'herbes épaisses, à proximité immédiate de l'eau. La femelle pond 4 à 6 œufs brun-olive clair (53,0 × 38,5 mm) en IV. — VI. Il niche 1×l'an, séparément, et parfois en polygamie. ♀ couve durant 24 jours. Elle est la seule à s'occuper des petits qui se traînent assez tôt autour du nid et sont capables de voler dès le 56 ème jour. ◉ Il se nourrit de petits animaux aquatiques qu'il pêche en faisant le guet dans les bas-fonds ou à la surface de l'eau.
Protection L'espèce connaît une forte diminution numérique ces dernières années. On ne connaît pas les raisons de cette diminution, ni les moyens efficaces d'y remédier. Il faut impérativement préserver les sites humides et marécageux et assurer la tranquillité des aires de nidification.

1

Blongios nain
Ixobrychus minutus

Détermination
✳ Le Blongios nain est le plus petit des Hérons (35 cm). Il est plus petit qu'une Corneille. Il est doté d'une grosse tête, d'un bec long et droit, d'un cou fort. ♂ ad. (2) a le plumage fortement contrasté : brun-jaune et noir, ♀ est de couleur plus brune et plus mate. Les oiseaux juv. (VII.—X.) ont un plumage brun-jaune avec des taches foncées disposées en bandes longitudinales (1). ✦ Il mène une vie secrète dans la végétation des marécages, zone qu'il survole assez souvent. On le voit perché sur les tiges des roseaux ou sur les branches basses, à proximité immédiate de la surface de l'eau. ⊙ Pendant la période de nidification, il lance fréquemment de jour et de nuit un «voup» étouffé, discret mais qui porte assez loin, à intervalles courts et réguliers. ♋ On ne peut le confondre avec une autre espèce.
Ecologie ◆ Il vit dans la végétation des marécages, principalement dans les roselières et dans les buissons de saules des rives. ∞ Pendant la période de nidification, on le reconnaît à sa voix, ou bien il faut observer longuement la végétation à distance. Pour trouver le nid, il faut inspecter la végétation. L'oiseau qui couve s'envole dès qu'on s'approche de lui. C'est la taille, l'aspect et les œufs qui caractérisent le nid. En dehors de la période de nidification, l'oiseau ne peut être repéré que fortuitement.
Vie et mœurs ↔ C'est un oiseau migrateur. On le trouve sur les aires de nidification en IV. — IX. En dehors de cette période, il vit seul. ✿ Le nid est installé dans les roseaux ou dans les buissons tout près de la surface de l'eau. Il a environ 20 cm de diamètre et sa base est constituée de roseaux secs convergeant vers le centre. La femelle pond 4 à 7 œufs blancs (35,2 ×25,9 mm) en V.—VII. Il niche 1× l'an, séparément, parfois plusieurs couples les uns à côté des autres. Il couve durant 18 jours. Les deux parents prennent soin des petits qui, dès le 7ème jour, se déplacent dans les environs. Ils sont capables de voler dès le 22ème jour. ◉ Il se nourrit d'insectes aquatiques et de larves qu'il pêche en faisant le guet à la surface de l'eau.
Protection On ne connaît pas les raisons de la diminution numérique de l'espèce, pas plus que les moyens de protection hormis la sauvegarde des vieilles roselières.

2 ♂

1

Bihoreau commun
Nycticorax nycticorax

Détermination
✳ C'est un Héron de petite taille (61 cm). Il a un petit cou, des pattes courtes. ♂ ad. (1) est gris et blanc ; le dessus de la tête est vert foncé, doté de longues plumes blanches. ♀ est de couleur plus mate et ses plumes sont plus courtes. Les oiseaux juv. (VI.—I.) sont très différents : bruns et tachetés de blanc. ✦ On le voit souvent perché sur les branches basses au-dessus de l'eau ou au bord des roselières. Il vole bas, lentement, avec un battement d'ailes détendu. Il s'envole des aires de nidification en s'éparpillant dans les environs, essentiellement à la tombée de la nuit et à l'aube. ⊙ En vol et sur les aires de nidification, on entend souvent son «kvak, kvak—kvak» étouffé mais parfaitement perceptible. ♋ On ne peut le confondre avec une autre espèce.
Ecologie ◆ Il aime les terrains humides à basse altitude. ∞ La présence régulière des oiseaux et leur incessant va-et-vient, le soir et le matin essentiellement, permettent de repérer l'aire de nidification. Une fois repéré, l'endroit doit être bien inspecté. Les oiseaux s'envolent dès qu'on s'approche d'eux. La présence des oiseaux en période de nidification n'est pas une preuve qu'ils sont en train de nicher. En dehors de cette période, on rencontre et on entend le Bihoreau commun également près des eaux moins importantes ou en vol.
Vie et mœurs ↔ C'est un oiseau migrateur. Sur les aires de nidification, on le rencontre en III.—IX. En dehors de la période de nidification, il vit seul ou en groupes. ⊌ Il bâtit son nid dans les endroits entourés d'eau : dans les arbres, dans les buissons et même dans les roseaux. Le nid est une construction assez lâche, faite de petites branches et de tiges. La femelle pond 2 œufs bleu clair (49,7 × 35,6 mm) en IV.—VII. Il niche 1× l'an ; tous les oiseaux de la colonie ne nichent pas en même temps, mais par vagues successives. Il couve durant 22 jours. Les deux parents s'occupent des petits qui se déplacent dans les environs dès le 20ème jour. Ces derniers sont capables de voler dès le 42ème jour. ◐ Le Bihoreau commun se nourrit de petits poissons et d'invertébrés aquatiques qu'il chasse en faisant le guet à la surface de l'eau.
Protection L'espèce est nombreuse par endroits. Son nombre est fluctuant. Il faut protéger les aires de nidification.

1

Aigrette garzette
Egretta garzetta

Détermination
✳ C'est un Héron de petite taille (60 cm). Il a un bec long et droit, un grand cou mince, une queue courte, des pattes assez longues. Les oiseaux ad. sont entièrement blancs. Leur bec et leurs pattes sont noires. En livrée nuptiale (XI.—VII.) de longues plumes tombantes ornent leur nuque (1). ♂ = ♀. Les oiseaux juv. n'ont pas ces longues plumes décoratives. ✦ Il se tient d'habitude tout près de l'eau, dans les marécages, dans les buissons ou les roseaux et marche lentement dans les bas-fonds. Il vole lentement, avec un battement d'ailes régulier qu'il alterne avec de courts moments de vol à voile, la tête rentrée, les pattes dépassant la queue. Il se trouve souvent en compagnie d'autres Hérons. ⊙ Il fait entendre assez souvent sur les aires de nidification un cri rauque et atténué «rra» ou «karrk», etc. ♋ Lui ressemble essentiellement la Grande Aigrette *(Egretta alba)* qui vit régulièrement dans certains endroits de l'Europe méridionale et centrale. Dans les mêmes régions, on rencontre aussi d'autres espèces semblables plus petites : le Héron crabier *(Ardeola ralloides)* et le Héron garde-bœuf *(Bubulcus ibis)*.

Ecologie ◈ Il vit dans les marécages, à basse altitude. ∞ La présence régulière des oiseaux nous permet de repérer l'aire de nidification. Les couples nichent très souvent avec d'autres Hérons. Pour repérer l'oiseau, il faut inspecter la colonie, et éventuellement effaroucher l'oiseau pour le voir. En dehors de la période de nidification. il séjourne à proximité des eaux.

Vie et mœurs ↔ C'est un oiseau migrateur. On le voit sur les aires de nidification en IV.—IX. En dehors de cette période, il vit seul. Lorsque les oisillons sortent du nid (VII.—IX.), ils s'éparpillent dans tous les sens. ◡ On trouve leur nid dans les arbres, dans les buissons et parfois dans les roseaux. Ceux-ci ont environ 33 cm de diamètre et les oiseaux les construisent avec de fines et longues tiges végétales. La femelle pond 4 à 5 œufs vert-bleu (46,4 × 33,6 mm) en IV.—VII. L'Aigrette garzette niche 1× l'an et couve durant 22 jours. Les deux parents prennent soin des petits qui commencent à quitter le nid à partir du 30ème jour et sont capables de voler dès le 40ème jour. ◑ L'oiseau se nourrit d'animaux aquatiques qu'il pêche en faisant le guet au bord de l'eau.

Protection Il faut protéger les aires de nidification et sauvegarder les terrains humides et marécageux.

Héron cendré
Ardea cinerea

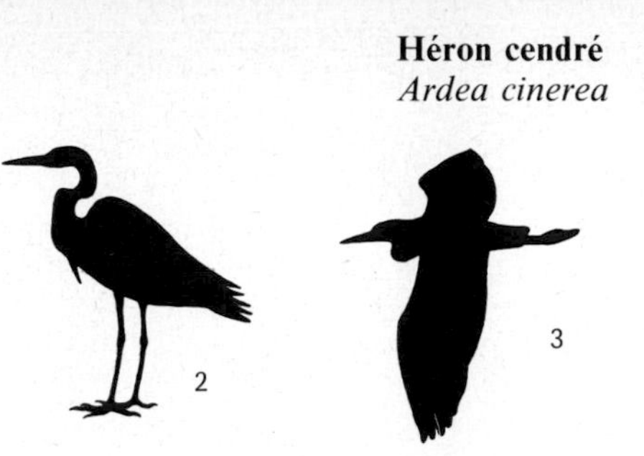

Détermination
✳ Le Héron cendré est le plus grand des Hérons européens (91 cm, envergure des ailes 1,4 m), il est plus grand qu'une oie. Sa tête est mince et allongée, son bec effilé, son cou grand et ses pattes longues. La livrée gris-blanc-noir des oiseaux ad. (1) présente une bande noire au-dessus de l'œil, prolongée par de longues plumes ornementales sur le cou. ♂ = ♀. Les oiseaux juv. (VI.—I.) ont une coloration moins contrastée et les longues plumes de la tête sont plus courtes. ✦ Il se tient souvent immobile (2) au bord de l'eau, dans les bas-fonds et même dans les chaumes, parfois il se promène d'un pas tranquille. On le voit également perché sur les branches des arbres. Il vole lentement, avec un lent battement d'ailes, pratique occasionnellement le vol à voile, en particulier en se posant. En vol, son cou forme un S replié sur le dos, ses pattes dépassent la queue (3). ⊙ Il émet souvent, sur les aires de nidification, un profond et sonore «kraou». Dans leur nid et en présence des oiseaux adultes, les petits ne cessent de pousser un coassement typique «kakaka . . . ». ♋ On ne peut le confondre avec une autre espèce.
Ecologie ◈ Il séjourne dans les terrains humides et dans les régions boisées à étangs et marais, dans les plaines qui s'étendent jusqu'au pied des montagnes. En dehors de la période de nidification, il survole même des régions sans étangs et rivières. ∞ Les oiseaux ne se cachent pas, on peut les observer facilement dans les endroits ci-dessus mentionnés. La présence régulière des oiseaux et leur déplacement incessant durant la journée permettent de localiser, en période de nidification (III.—VII.), les colonies qui nichent. Les grandes colonies sont permanentes et les nids bien visibles (4). Les nids isolés sont difficiles à trouver si ce n'est au moment de la becquée, grâce à la voix des oisillons. Tous les oiseaux sur les lieux, même en période de nidification, ne nichent pas : il faut y prendre garde.
Vie et mœurs ↔ C'est un oiseau migrateur. Il séjourne sur les aires de nidification en II.—VIII. Tout au long de l'année il vit seul ou en groupe. Les petits, une fois envolés, vagabondent dans tous les sens en VII.—IX. ☋ Il niche dans des colonies qui peuvent atteindre plusieurs centaines de couples mais aussi en couples séparés. Les nids sont installés dans les branches hautes des arbres mais aussi parfois dans les roseaux. Ceux-ci sont faits de branches, leur diamètre fait environ 75 cm. Les nids qui se trouvent dans les colonies sont permanents et les oiseaux les aménagent avant de nicher. La femelle pond 2 à 5 œufs bleu-vert clair (60,5 × 43,1 mm) en III.—VII. Il niche 1× l'an et couve durant 26 jours. Les deux parents s'occupent des petits qui rampent sur les branches des arbres autour du nid dès le 20ème jour : ils restent au nid pendant une période de 50 jours. ◕ Il se nourrit de petits poissons, de gros insectes, de grenouilles et de campagnols. Il chasse en faisant le guet au bord de l'eau, dans les champs, à proximité des trous de souris, et dans d'autres endroits semblables.
Protection C'est une espèce importante par endroits mais son nombre est souvent variable. Le Héron cendré peut occasionner des dégâts sur les plans d'eau où l'on fait des élevages intensifs de poissons. Dans les régions où il connaît une diminution, il faut le protéger au moyen de lois et veiller à la tranquillité des aires de nidification.

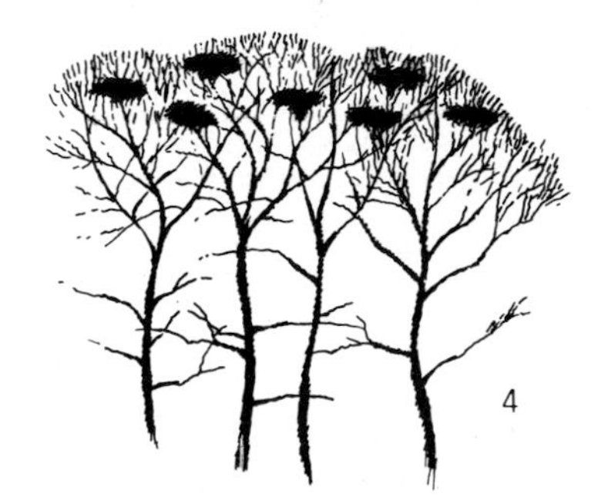

1

Héron pourpré
Ardea purpurea

Détermination
⁎ Le Héron pourpré est un grand Héron au corps élancé (85 cm, envergure des ailes 1,3 m). Son bec est long et droit. Il a de grandes pattes et un long cou. L'oiseau ad. (1) est rouge-brun foncé, le haut du corps est gris ; ♂ = ♀. L'oiseau juv. (VI.—I.) est brun mat et n'a pas de dessin noir contrasté sur la tête. ✦ On le voit au bord des bas-fonds où il se déplace de temps en temps d'un pas lent. Il est rarement perché sur les arbres. Il vole lentement, avec des battements d'ailes réguliers et, par intervalles, avec des phases de vol à voile. ⊙ Il émet, assez peu souvent, un «kréek» bref et rauque ou un «korr» lorsqu'il se pose sur le nid. Les oisillons poussent des «kékéké» dans leur nid. ♋ Lui ressemble le Héron cendré, caractérisé en vol par des ailes plus larges et des rémiges plus écartées sur les extrémités.
Ecologie ◈ Il vit dans les marécages et les eaux peu profondes à roselières étendues, à basse altitude. ∞ Les déplacements fréquents des oiseaux et leurs descentes vers les nids, permettent de repérer l'aire de nidification. Les oiseaux adultes s'envolent lorsqu'on marche dans les roselières et ils tournent au-dessus des nids. On ne peut trouver que fortuitement le Héron pourpré hors de son aire de nidification.
Vie et mœurs ↔ C'est un oiseau migrateur. Il séjourne sur les aires de nidification en III.—VIII. En dehors de la période de nidification, il vit seul. Après la nidification (VII.—IX.) les jeunes s'envolent en tous sens. ⌣ Il niche généralement en petites colonies, parfois en couples isolés et les aires de nidification changent de place. Il construit des nids relativement grands avec des tiges de roseaux dans les roselières ou dans les buissons au-dessus de l'eau. La femelle pond 4 à 6 œufs d'un bleu-vert clair (56,3 × 40,7 mm) en IV.—VI. Il niche 1 × l'an, couve durant 26 jours. Les deux parents prennent soin des petits qui rampent à l'extérieur du nid dès le 10ème jour et sont capables de voler dès le 50ème jour. ◉ Il se nourrit de petits poissons, d'insectes aquatiques et de leurs larves qu'il pêche en faisant le guet au bord de l'eau.
Protection C'est une espèce qui semble en régression. Il faut la protéger au moyen de lois durant toute l'année, il faut garantir la tranquillité des aires de nidification et conserver les anciennes roselières.

1

Cigogne noire
Ciconia nigra

Détermination
✳ La Cigogne noire est à peine plus petite que la Cigogne blanche (97 cm, envergure des ailes 1,5 m) à laquelle elle ressemble de manière tout à fait étonnante. Les oiseaux ad. (1) sont d'un noir brillant, leur ventre est blanc, le bec et les pattes sont rouges ; ♂ = ♀. Les oiseaux juv. (VII.—I.) ont un plumage brun-noir mat, parsemé de taches claires ; leur bec et leurs pattes sont verts. ✦ Elle a l'habitude de se tenir dans les bas-fonds ou au bord de ceux-ci, de se déplacer de temps à autre à pas lents. Souvent on la voit perchée sur les branches et les sommets des arbres. Elle vole en tendant le cou devant elle, bat des ailes avec lenteur et régularité, pratique fréquemment et longuement le vol à voile. En vol, elle tient sa tête et son cou en-dessous de la ligne du dos (3). ⊙ Elle n'émet que rarement, sur les aires de nidification, un «che-li» sifflant et d'autres sons. ♋ Lorsqu'elle vole, elle ressemble à la Cigogne blanche (2) qui a le côté bas du corps blanc, hormis le bord postérieur des ailes. Elle tient sa tête et son cou au même niveau que son dos.
Ecologie ◆ La Cigogne noire vit dans les anciennes forêts à proximité des eaux, dans les plaines comme dans les montagnes. ∞ Les aires de nidification sont repérables grâce à la présence régulière des oiseaux, mais l'espèce a l'habitude de s'en aller bien souvent assez loin du nid et les oiseaux seuls ou les couples peuvent se trouver sur place sans nicher. La découverte du nouveau nid est difficile : généralement on le trouve au hasard d'une promenade sur les lieux et en effarouchant les oiseaux adultes. Si l'on découvre le nid, en hiver, sur les arbres dénudés, il faut le réexaminer en été. En dehors de la période de nidification, si l'on voit la Cigogne noire ce n'est que par hasard.
Vie et mœurs ↔ C'est un oiseau migrateur. La Cigogne noire séjourne sur les aires de nidification en III.—IX. En dehors des aires de nidification, elle vit seule ou en petits groupes. ⊗ Les nids sont permanents, bâtis dans les vieux arbres et parfois dans les roches. Ceux-ci sont faits de branches et font environ 1 m de diamètre . La femelle pond 3 à 5 œufs blancs (65,4 × 48,8 mm) en IV.—V. La Cigogne noire niche 1× l'an, séparément, et couve durant 36 jours. Les deux parents prennent soin des petits qui restent au nid durant 66 jours. ◉ Sa nourriture est constituée de petits poissons, de grenouilles, de gros insectes qu'elle chasse en faisant le guet dans l'eau.
Protection L'espèce augmente en nombre et étend son territoire. Par endroits, elle fait des dégâts dans les eaux à truites. Il faut assurer une protection et une tranquillité totales des aires de nidification.

1

Cigogne blanche
Ciconia ciconia

Détermination
∗ La Cigogne blanche est un oiseau de grande taille (110 cm, envergure des ailes 1,60 m). Elle a une petite tête dotée d'un bec long et droit, un grand cou, de longues pattes, une queue courte et de longues ailes larges et arrondies. L'oiseau ad. (1) est de couleur blanche, les extrémités des ailes sont noires, le bec et les pattes sont rouges ; ♂ = ♀. L'oiseau juv. (VI.—I.) a un plumage noir brunâtre, un bec brun-noir. ✦ La Cigogne blanche se tient habituellement près des eaux, dans les prés ou dans les champs, elle marche lentement ; on la voit également perchée sur les arbres, les toits, les meules de foin et les cheminées. Elle vole lentement, le cou tendu, alterne son vol à battements d'ailes réguliers avec de longues phases de vol à voile, en décrivant des cercles. ⊙ Près du nid, elle a l'habitude de claquer du bec avec persévérance. ♋ En vol, la Cigogne noire lui est très ressemblante. Celle-ci a cependant tout le bas du corps noir, à l'exception du ventre ; la tête et le cou sont plus bas que la ligne du dos.
Ecologie ◆ Elle habite les plaines jusqu'au pied des montagnes, près des eaux et des terrains humides proches des aires de nidification. Elle chasse souvent dans les champs et les prés. En dehors de la période de nidification, elle séjourne dans les steppes et les savanes. ∞ On la voit lors de ses vols de déplacement ; le nid est généralement à découvert et visible de loin. L'un des oiseaux adultes se tient à proximité de celui-ci. Il faut faire attention : les individus ou les couples à proximité du nid peuvent y être sans y nicher. En dehors de la période de nidification, on ne voit la Cigogne blanche que par hasard, lorsqu'elle chasse par exemple.
Vie et mœurs ↔ C'est un oiseau migrateur. La Cigogne blanche séjourne sur les aires de nidification en III.—VIII. Les oiseaux qui ne nichent pas se tiennent en groupes et même en grandes bandes. ⌣ Les nids sont des constructions permanentes et volumineuses (environ 1 m de diamètre), faites de branches et installées sur les bâtiments, les cheminées, les poteaux électriques ou les arbres. La femelle pond 3 à 5 œufs blancs (72,8 × 52,9 mm) en IV.—V. Elle niche 1× l'an, séparément ou en petites colonies et couve durant 34 jours. Les deux parents s'occupent des petits qui restent au nid durant 60 jours. ◐ Elle se nourrit de grenouilles, d'autres petits vertébrés et de gros insectes qu'elle chasse en faisant le guet dans les basfonds, au bord des eaux et dans les champs.
Protection L'espèce est nombreuse par endroits, mais son nombre est en régression et son territoire se rétrécit ; elle repeuple cependant certains endroits de son territoire. On peut l'aider partiellement en lui fournissant les éléments de base pour l'édification des nids. On ne connaît pas d'autres moyens d'action pour le moment.

1

Spatule blanche
Platalea leucorodia

Détermination
⁎ La Spatule blanche est plus petite qu'une Cigogne (85 cm, envergure des ailes 1,4 m). Elle a de longues pattes, un grand cou et un bec plat, élargi en forme de spatule. Le plumage des oiseaux ad. est blanc durant toute l'année, le bec et les pattes sont noirs. En livrée nuptiale, la tête porte une touffe de plumes dorées (1). ♂ = ♀. Le plumage des oiseaux juv. est blanc, l'extrémité des ailes noire, le bec et les pattes brun-rose. ✦ Elle a l'habitude de se tenir dans les bas-fonds et dort, la tête et le cou repliés sur le dos. Elle patauge dans les eaux peu profondes et promène son bec à droite et à gauche à la recherche de la nourriture. Elle vole en ligne droite avec un rapide battement d'ailes, le cou et les pattes tendus (2) ⊙ Elle émet, sur l'aire de nidification seulement, des sons graves, semblables à des grognements, claque du bec de temps à autre. ♋ On rencontre dans les mêmes lieux la Grande Aigrette qui lui ressemble, mais son bec est différent.
Ecologie ◆ Elle vit dans la végétation des marécages étendus et dans les bas-fonds des plaines. ∞ La présence et les déplacements réguliers des oiseaux indiquent l'aire de nidification. Les oiseaux ne s'éloignent pas des nids. Il faut inspecter les roselières. Les oiseaux qui ne nichent pas se voient pendant l'été même hors des colonies. En dehors de la période de nidification, on peut observer la Spatule blanche même sur des eaux de moindre importance.
Vie et mœurs ↔ C'est un oiseau migrateur qui séjourne sur les aires de nidification en III.—VIII. En dehors de la période de nidification, il vit seul ou en petits groupes. Les oisillons, une fois conduits hors du nid, errent en tous sens. ◡ Les nids, construits de branches et de tiges végétales, sont installés dans les roseaux, plus rarement dans les buissons ou dans les arbres. La femelle pond 3 à 6 œufs blancs parsemés de taches brun-roux (67,2 × 45,5 mm) en IV.—VI. La Spatule blanche niche 1× l'an, en colonies, plus rarement seule, et couve durant 25 jours. Les deux parents élèvent les petits qui restent au nid pendant 42 jours. ◉ Elle se nourrit de petits invertébrés qu'elle pêche en filtrant l'eau et la boue avec son bec.
Protection Il est nécessaire de préserver les terrains humides et d'assurer la tranquillité des aires de nidification.

2

1

Flamant rose
Phoenicopterus ruber

Détermination
⁎ Le Flamant rose est un oiseau de grande taille (132 cm, envergure des ailes 1,5 m). Il a une petite tête dotée d'un puissant bec busqué, recourbé de façon caractéristique, des pattes et un cou très longs. Les oiseaux ad. (1 — à droite, oiseau plus haut) sont d'un blanc éclatant et d'un rose plus ou moins intense selon les individus, les pattes sont rouges. ♂ = ♀. Les oiseaux juv. ont la tête, le cou et le dos brun-gris ; leur coloration n'est terminée que dans leur 3ᵉ—4ᵉ année. ✦ On le voit debout dans les bas-fonds où il pêche, le bec ou la tête plongés dans l'eau, en ne cessant de décrire des demi-cercles latéraux. Il vole lentement avec des battements d'ailes réguliers (2). ⊙ Il émet, sur les aires de nidification, un «vrrouk» babillard, un «kraou» long, et, pendant le vol, un son sonore qui rappelle celui de la trompette.
♋ On ne peut le confondre avec un autre. On rencontre parfois en Europe des individus qui se sont échappés de captivité comme le Flamant de Cuba *(Phoenicopterus ruber ruber* — 1, à gauche) et le Flamant du Chili *(Phoenicopterus chilensis)* dont les pattes sont grises avec les articulations des talons roses.
Ecologie ◆ Il vit sur les bas-fonds saumâtres, aussi bien sur les rivages marins que sur les lacs, et lors de ses pérégrinations même sur les eaux douces. ∞ On connaît bien les quelques colonies de Flamants roses d'Europe qui sont caractérisées par une grande concentration d'oiseaux. En dehors de la période de nidification, on ne le rencontre que par hasard.

Vie et mœurs ↔ C'est un oiseau sédentaire et migrateur à la fois. On le trouve sur les aires de nidification en III.—X. ⌣ Les nids sont des constructions de forme conique faites de boue et de végétaux ; ils sont installés dans les bas-fonds. La femelle pond 1 à 3 œufs vert-jaune enduits de calcaire (90,0 × 54,5 mm) en V. Le Flamant rose niche 1× l'an, en colonies, et couve durant 32 jours. Les oisillons ne restent que 4 jours dans le nid, puis ils le quittent et se promènent autour de celui-ci. Ils ne peuvent voler qu'après quelques mois. ◉ Il se nourrit de petits animaux et de végétaux qu'il trouve dans les bas-fonds et les eaux vaseuses.
Protection Le Flamant rose se voit rarement en dehors des aires de nidification. Il est nécessaire de le protéger au moyen de lois et de veiller à la sauvegarde des aires de nidification.

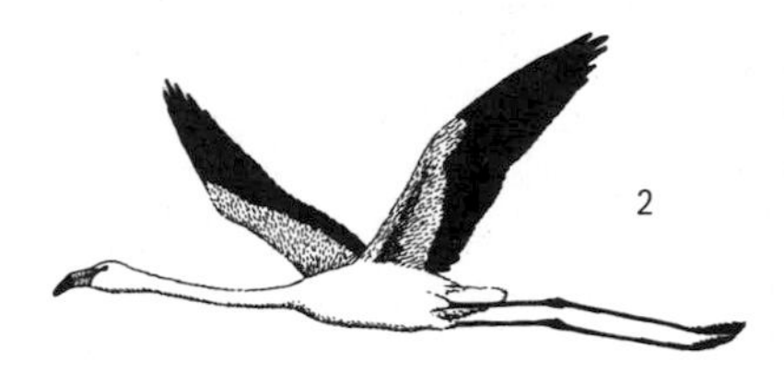

2

1

Cygne chanteur ou **sauvage**
Cygnus cygnus

Détermination
⁎ Le Cygne chanteur a les mêmes dimensions que le Cygne domestique (150 cm, envergure des ailes 2,3 m). Son cou est long, son bec dépourvu de tubercule frontal. Le plumage des oiseaux ad. (1) est blanc, le bec noir-jaune. La bande jaune du bec se rétrécit en pointe de la racine aux narines (2) ; ♂ = ♀. Les Cygnes juv. ont un plumage gris-brun qui blanchit progressivement (2e—3e année). ✦ Sur l'eau, le Cygne chanteur tient son cou vertical et droit. Il vole, le cou tendu, avec un battement d'ailes lent et régulier ; ses ailes produisent un sifflement sonore. ⊙ Il émet fréquemment un «anghe» sonore qui rappelle le son de la trompette, et d'autres sons encore sur l'aire de nidification.

♋ Au nord-ouest de l'Europe hiverne le Cygne de Bewick (*Cygnus columbianus* — 3) qui lui ressemble beaucoup. Le Cygne domestique est très répandu dans toute l'Europe : sa tête est dotée d'un bec rouge à tubercule, il tient son cou cambré et n'émet aucun son.

Ecologie ◈ Il vit sur les étendues d'eau peu profondes, riches en roselières et en végétation bordière, des plaines jusqu'aux terrains à haute altitude. En dehors de la période de nidification, on le trouve même sur des rivières et des rivages marins. ∞ On le voit sur des eaux découvertes. On trouve assez facilement son nid ainsi que les familles et leurs petits.

Vie et mœurs ↔ C'est un oiseau migrateur. Il séjourne sur les aires de nidification en IV.—VIII. Il vit en couples, en famille, et les oiseaux qui ne nichent pas vivent même en bandes. ◡ Le nid est un amas de débris végétaux installé dans les roselières. La femelle pond 2 à 7 œufs jaune-blanc (112,5 × 72,6 mm) en IV.—VI. Le Cygne chanteur niche 1× l'an et couve durant 70 jours. Les petits quittent immédiatement le nid, les deux parents s'occupent d'eux et ils prennent leur envol après deux mois. ◕ Il se nourrit presque exclusivement de végétaux qu'il arrache sous l'eau ou à sa surface.

Protection Après une longue période de diminution numérique, son nombre augmente quelque peu. Il suffit d'appliquer les lois en vigueur pour protéger l'espèce.

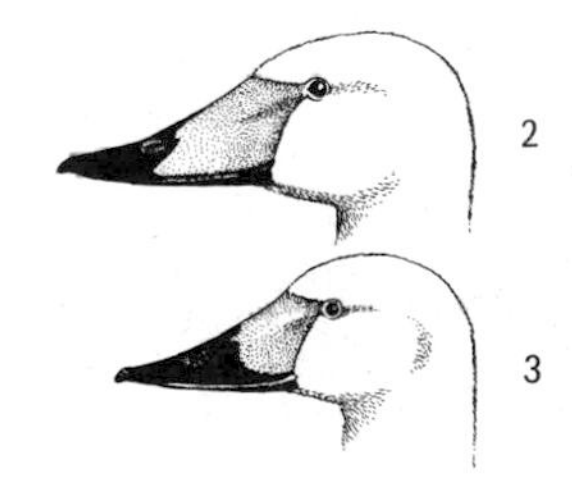

Cygne domestique
Cygnus olor

Détermination
✱ C'est un oiseau de grande taille (150 cm, envergure des ailes 2,3 m). Il a un cou long, une petite tête, un bec puissant, une queue et des pattes courtes, des ailes longues et arrondies. Les oiseaux ad. sont blancs ; ♂ (1) est plus grand que ♀, en livrée nuptiale il a un tubercule frontal bien visible sur le bec. Les oiseaux juv. sont gris-brun, leur plumage devient progressivement blanc en 3 ans. ✦ On le voit souvent sur l'eau, ♂ nage avec les ailes à demi levées, le cou plié en forme de S (3). Il sort de l'eau en se dandinant. Il plonge et fait «le beau» pour attraper sa nourriture. Il vole bas, le cou tendu (2), avec un battement d'ailes régulier, et ses rectrices produisent un sifflement rythmé et grave qu'on entend de loin. ⊙ Le Cygne domestique émet de temps à autre des grognements graves, les oisillons piaillent sans se lasser. ♋ Sur les mêmes lieux vit le Cygne chanteur (*Cygnus cygnus* — 4). Ce dernier a un bec jaune-noir, tient son cou droit et fait entendre des cris sonores. Le Cygne de Bewick (*Cygnus columbianus* — 5) qui lui ressemble également, hiverne au nord-ouest de l'Europe.
Ecologie ◆ Il vit sur les eaux dormantes ou les eaux très étendues à faible courant, riches en végétation aquatique et en roselières. En période de migration, ainsi qu'en hiver, il séjourne essentiellement sur les rivages marins, les rivières et les lacs. ∞ On le voit facilement sur l'eau. Les nids, peu cachés, se trouvent dans les roselières, sur des îlots ou sur des rives. ♂ fait généralement le guet, sur l'eau, à proximité de son nid. Sur l'aire de nidification, les familles et leurs petits restent librement sur l'eau. Il faut être attentif car les petits oisillons se cachent parfois dans le plumage dorsal des adultes.
Vie et mœurs ↔ C'est un oiseau partiellement migrateur. Il séjourne sur les aires de nidification en III.—X. Son nombre a beaucoup augmenté au cours des dix dernières années et son territoire s'est agrandi. Il vit habituellement en couples, en familles, les oiseaux qui ne nichent pas vivent même en grandes bandes. ☋ Le nid est un amas de végétaux installé dans les roseaux qui ont été coupés à proximité immédiate. Le bord du nid est fait de duvet. La femelle pond 2 à 12 œufs vert-gris (112,5×73,5 mm) en III.—V. L'oiseau niche 1× l'an et c'est la femelle qui, en grande partie, couve durant 35 jours. Le duvet des oisillons est gris, chez les individus *immutabilis* blanc. Après l'éclosion, une fois secs, les petits sortent du nid et les deux parents s'occupent d'eux. Ils prennent leur envol à partir de 4 mois et demi. ◐ Il se nourrit de végétaux aquatiques tendres et de divers déchets trouvés sur l'eau et sur la berge.
Protection Le cygne domestique est souvent élevé sur les plans d'eau comme oiseau d'ornement. Dans les endroits où son nombre a beaucoup augmenté, la concentration des oiseaux pose des problèmes pour la limitation de leur nombre. Il n'est donc pas recommandé d'encourager la prolifération de l'espèce par une nourriture surabondante.

Oie des moissons
Anser fabalis

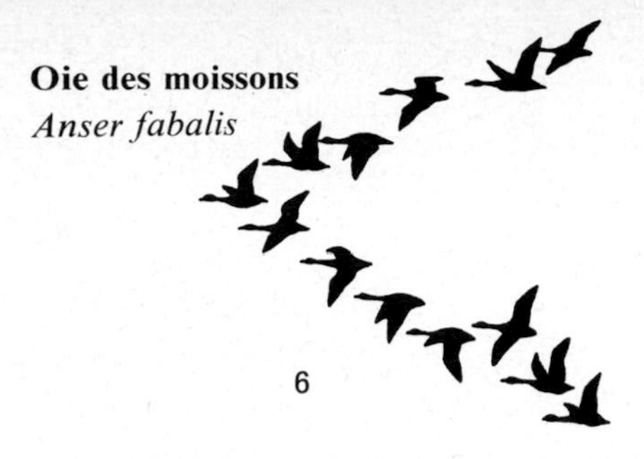

Détermination
✳ C'est une oie de taille moyenne (75 cm, envergure des ailes 1,6 m) à l'aspect caractéristique : bec puissant, cou long, corps trapu, queue et pattes courtes, ailes larges et terminées en pointe. Les oiseaux ad. (1) sont entièrement gris-brun foncé, le bec est noir-jaune. ♂ = ♀. Les oiseaux juv. ont une coloration plus mate et sont dépourvus de bande blanche cernant la racine du bec. On rencontre en Europe plusieurs sous-espèces qui diffèrent entre elles surtout par la coloration et la forme du bec. On distingue principalement trois types : *A. f. fabalis*, originaire de l'Europe du Nord, de taille plus grande, dotée d'un bec assez long et plus bas, caractérisé par une large bande jaune médiane (2), les ailes repliées ne dépassent pas la queue. *A. f. rossicus*, originaire du nord-est de l'Europe, est plus petite, basse sur pattes, les ailes repliées dépassent la queue, le bec est court, haut, oblique, pourvu d'une étroite bande jaune médiane (3). *A. f. serrirostris* habite les toundras d'Asie, son bec est nettement allongé et fin (4). ✦ L'Oie des moissons est bonne nageuse. Elle dort sur l'eau ou sur les berges. On la voit paître dans les champs et les surfaces herbeuses. Les Oies des moissons volent souvent en rang ou adoptent une formation en V (6). Lorsqu'elles se posent, les Oies exécutent des volte-face violentes et les formations se disloquent. En dehors de la période de nidification, elles s'envolent régulièrement, le matin et le soir, des lieux de rassemblement en direction des pâturages pour y chercher leur nourriture. ⊙ Elle émet fréquemment et surtout en vol, un sonore «kaïkak — kaïaïak» et d'autres cris. ∞ On rencontre l'Oie rieuse *(A. albifrons)* qui est plus petite, qui porte une tache frontale blanche et dont les cris sont différents. L'Oie à bec court (*A. brachyrhynchus* — 5) séjourne en Europe occidentale en X.—III.

Ecologie ◐ Elle niche à proximité de l'eau dans la taïga et la toundra. En dehors de la période de nidification, elle recherche les terrains découverts (pâturages, champs) à proximité de l'eau. ∞ Il faut surveiller les déplacements des oiseaux au-dessus des aires de nidification, le comportement des oiseaux et l'inspection des lieux permettent de découvrir leur nid. En dehors de la période de nidification, on les repère sur les eaux à proximité des lieux de rassemblement. On peut les compter avec le plus de succès lors de leur envol du soir ou lors de leur arrivée du matin.

Vie et mœurs ↔ C'est un oiseau migrateur. L'Oie des moissons séjourne sur les aires de nidification en III.—IX. Les lieux de rassemblement ainsi que le nombre des oiseaux qui s'y trouvent varient fortement dans l'année ainsi qu'au cours des années. En dehors de la période de nidification, elle vit en familles et en bandes qui peuvent compter plusieurs milliers d'individus. ◡ Le nid est un creux dans le sol, garni de duvet. La femelle pond 4 à 6 œufs d'un blanc sale (84,0×55,9 mm) en V.—VI. Elle niche 1× l'an, séparément et ♀ couve durant 28 jours. Les oisillons sortent tout de suite du nid, les deux parents s'occupent d'eux. Ils sont capables de prendre leur envol à partir du 50ème jour. ◕ Elle se nourrit de plantes végétales vertes qu'elle se procure en paissant.

Protection C'est un oiseau de choix pour les chasseurs. Il faut réglementer la chasse. Il peut causer des dommages dans les emblavures.

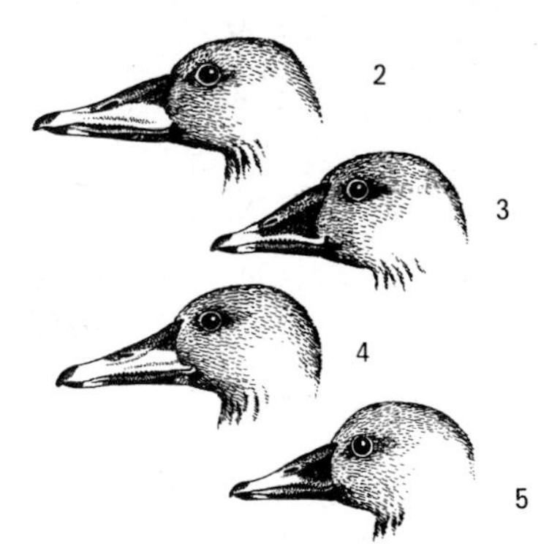

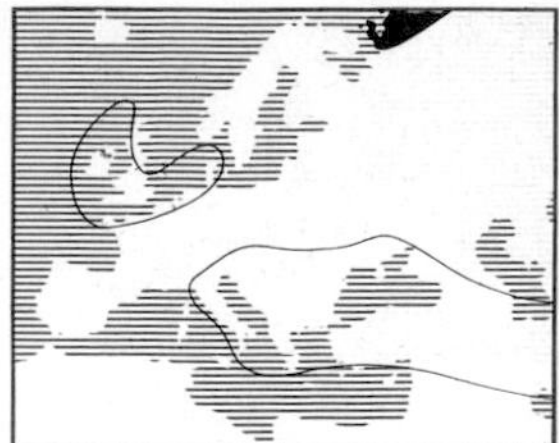

1

Oie rieuse
ou Oie à front blanc
Anser albifrons

Détermination
✱ L'Oie rieuse est une oie de taille plus petite (71 cm). Elle a un plumage gris-brun, une queue blanche marquée par une bande noire à son extrémité. Les oiseaux ad. (1) portent une tache blanche sur le front et des taches noires sur le ventre ; ♂ = ♀. Les oiseaux juv. sont dépourvus de tache frontale, leur ventre ne porte pas de taches, ou très peu. Deux sous-espèces vivent en Europe : la race de Groenland, *A. a. flavirostris*, à bec jaune, qui hiverne en Grande-Bretagne, et la race type *A. a. albifrons*, à bec rose, qui vit dans le reste de l'Europe. ✦ On la voit souvent sur l'eau où elle se repose également et recherche des terrains découverts en quête de pâture. Elles volent avec des battements d'ailes réguliers, souvent en rangs ou adoptent la formation en V. ⊙ Elle lance, souvent en vol, un «kiik-kiik» qu'on entend de loin. ♋ Lui ressemblent beaucoup l'Oie des moissons et l'Oie cendrée qui sont de taille plus grande et ne possèdent pas de tache frontale blanche (2).
Ecologie ◆ Elle niche dans la toundra marécageuse sans arbres ; en dehors de la période de nidification, elle habite les rivages marins, les champs, les pâturages et les prés à proximité des eaux. ∞ On la repère sur les aires de nidification grâce à ses déplacements et à son comportement. On parvient à découvrir son nid en inspectant le terrain. En dehors de la période de nidification, elle vit en compagnie des autres espèces d'oies, l'Oie des moissons surtout, sur les lieux de rassemblement et les environs.

Vie et mœurs ↔ C'est un oiseau migrateur qui séjourne sur les aires de nidification en IV.—IX. En dehors de la période de nidification, il vit généralement en bandes et le nombre d'oiseaux qui s'y trouvent ainsi que les lieux de rassemblement varient. ◡ Le nid est un creux dans le sol, garni de duvet. La femelle pond 4 à 6 œufs d'un blanc sale (79,0×53,3 mm) en V.—VI. Elle niche 1× l'an, séparément, ♀ couve durant 28 jours. Les petits sortent tout de suite du nid, les deux parents prennent soin d'eux. Ils peuvent prendre leur envol dès le 50 ème jour. ◑ Elle se nourrit d'éléments végétaux verts et de graines qu'elle se procure dans les pâturages.
Protection C'est un oiseau de choix pour les chasseurs. Une gestion cynégétique rationnelle des différentes populations est nécessaire.

2

1

Oie cendrée
Anser anser

Détermination
✳ C'est une oie de grande taille (80 cm, envergure des ailes 1,6 m), dotée d'un bec puissant. Son plumage est gris-brun clair, en vol le haut des ailes est très clair, la queue est blanche, barrée par une large bande foncée à son extrémité ; le bec est d'un jaune-orange qui tire sur le rose. Les oiseaux ad. ont le plus souvent un étroit liseré blanc autour de la racine du bec, le bas porte des taches brun-foncé (1) ; ♂ = ♀. ✦ On la voit souvent nager sur l'eau, se baigner et faire «le beau», elle se repose sur la berge (même assez loin de l'eau) ou dans les eaux peu profondes. En vol, les Oies cendrées battent des ailes avec lenteur et régularité, forment des groupes importants, volent en rangs ou adoptent la formation en V. L'Oie cendrée cherche sa pâture dans les champs et les prés. ♀ Souvent, elle fait entendre un cri proche de celui de l'Oie domestique «gagaga . . .», etc. ♋ L'Oie des moissons *(A. fabalis)* et l'Oie à bec court *(A. brachyrhynchus)* lui ressemblent beaucoup ; la première est, dans l'ensemble, plus petite et plus foncée, son bec est noir et présente un dessin jaune ; la seconde a un petit bec à dessin rose, et le haut de ses ailes est clair. Les deux espèces sont caractérisées par des cris polysyllabiques différents.
Ecologie ◐ Elle habite sur les eaux peu profondes, riches en végétation, les rivages marins, et les terrains découverts à proximité des eaux en dehors de la période de nidification. ∞ Son arrivée au printemps, ses déplacements et sa voix permettent de l'observer sur les aires de nidification. On parvient à découvrir le nid en inspectant le terrain ; ♀ ne s'envole qu'à proximité immédiate de l'observateur. En dehors de la période de nidification, on la voit, quand elle se déplace, à proximité des lieux de rassemblement.
Vie et mœurs ↔ C'est un oiseau migrateur. On le trouve sur les aires de nidification en II.—VIII. Après la nidification, il vit en bandes importantes sur les lieux de rassemblement. ◡ Le nid est un amas de débris végétaux, mêlés au duvet, à même le sol, dans la végétation ou dans les arbres. La femelle pond 2 à 10 œufs blanchâtres (85,8×58,4 mm) en III.—V. Elle niche 1× l'an ♀ couve durant 28 jours. Les deux parents s'occupent des petits hors du nid et ces derniers peuvent prendre leur envol dès le 55ème jour. ◕ Elle se nourrit de fragments végétaux verts et de graines qu'elle trouve sur l'eau ou dans les pâturages.
Protection C'est un oiseau de choix pour les chasseurs. Les agriculteurs se plaignent des dégâts causés sur les lieux de rassemblement, dans les emblavures. Il faut protéger les aires de nidification et organiser une gestion rationnelle de la chasse.

1

Bernache du Canada
Branta canadensis

Détermination
✳ La Bernache du Canada est plus grande que l'Oie cendrée (195 cm). Elle a un cou long et un corps trapu. Le cou et la tête sont noirs ; on remarque une demi-lune blanche sur le menton (1). ♂ = ♀ = juv. ✦ Elle est souvent sur l'eau, nage, fait «le beau», paît dans les terrains découverts ou pratique des vols réguliers dans les environs des aires de nidification ou de rassemblement, en quête de pâture. Elle vole avec un battement d'ailes détendu et régulier. Lorsqu'elles sont en grand nombre, les Bernaches du Canada volent en rang ou adoptent la formation en V. ⊙ Elle lance de fréquents et sonores «á-honk» qui rappellent le son de la trompette et d'autres sons. ∞ On ne peut la confondre avec une autre espèce.
Ecologie ◆ Elle recherche les plans d'eau à végétation et îlots, généralement dans les terrains découverts, à proximité des champs, pâturages et prés. En dehors de la période de nidification, elle séjourne même sur les rivages marins. ∞ La présence constante des oiseaux et leurs déplacements permettent de déterminer l'aire de nidification. Le nid est facilement repérable. En dehors de la période de nidification, on ne rencontre la Bernache du Canada que fortuitement ou sur les lieux de rassemblement.
Vie et mœurs ↔ C'est un oiseau partiellement migrateur. En dehors de la période de nidification, la Bernache du Canada vit en bandes sur les lieux de rassemblement, plus rarement seule. ☋ Son nid est un amas de débris végétaux mêlés au duvet et construit dans la végétation sur l'eau ou sur la berge. La femelle pond 5 à 7 œufs blanchâtres (86,0×56,2 mm) en III.—V. Elle niche 1× l'an, séparément ou en compagnie d'autres couples, et couve durant 28 jours. Les deux parents prennent soin des petits, hors du nid. Ceux-ci sont capables de prendre leur envol dès le 45ème jour. ◕ Elle se nourrit de fragments végétaux verts et de graines qu'elle se procure dans les pâturages.
Protection La Bernache du Canada a été introduite d'Amérique du Nord avec succès.
Son nombre, en Europe du Nord, est élevé et ne cesse d'augmenter. Les populations européennes ne sont pas chassées pour le moment. Il est nécessaire de protéger les populations en danger ainsi que celles qui ont été nouvellement introduites aussi bien sur les aires de nidification qu'à l'extérieur de celles-ci.

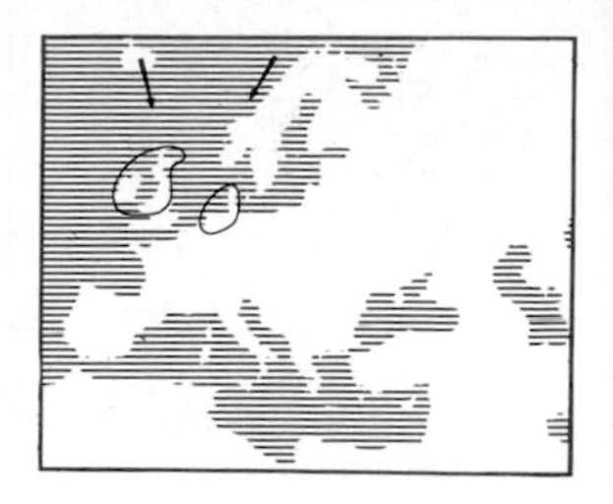

1

Bernache nonnette
Branta leucopsis

Détermination
✳ C'est une petite Oie (63 cm) à cou fort et court et à petit bec. La tête, le cou et la poitrine sont particulièrement foncés, les joues et le front sont blancs (1); en vol, le ventre blanc fait contraste avec la poitrine noir-brun. ♂ = ♀. Le plumage des oiseaux juv. (VI.—I.) tire plus sur le gris-brun, les joues portent également de petites taches grises. ✦ C'est une bonne nageuse, elle a l'habitude de se reposer sur terre. Elle vole en bandes. Son vol est rapide, elle bat des ailes avec régularité. Elle aime paître sur les terrains découverts. ⊙ Elle lance, très souvent, un bref et répété «knak-knak» rythmé . . . ♋ On ne peut la confondre avec une autre espèce.
Ecologie ◈ En période de nidification, elle habite la toundra arctique et les corniches des falaises à proximité des eaux ; en dehors de cette période, elle fréquente les rivages marins, exceptionnellement les eaux à l'intérieur du continent. ∞ Les aires de nidification ainsi que les lieux de rassemblement sont bien délimités et connus. Les oiseaux ne se cachent pas, il est donc facile de les repérer, eux, ainsi que leurs nids.
Vie et mœurs ↔ C'est un oiseau migrateur qui séjourne sur les aires de nidification en IV.—IX. ◡ Le nid est fait d'un creux dans le sol, au milieu des pierres et garni de duvet. La femelle pond 4 à 5 œufs blanc jaunâtre (76,7×50,2 mm) en V.—VI. La Bernache nonnette niche 1× l'an, en colonies et couve durant 25 jours. Les deux parents s'occupent des petits qui quittent le nid dès l'éclosion et sont capables de voler dès le 49ème jour. ◕ Elle se nourrit de fragments verts de végétaux et de graines qu'elle se procure dans les pâturages.
Protection La Bernache nonnette n'est répandue que par endroits, de façon peu importante. Après une période de forte régression, son nombre augmente actuellement. Elle a fait partie jusqu'à une époque récente de la catégorie des espèces vulnérables. La protection rationnelle des aires de nidification et d'hivernage s'est avérée suffisante mais il est nécessaire de la poursuivre.

1

Bernache cravant
Branta bernicla

Détermination
✳ Elle est de la taille de la Bernache nonnette (60 cm). Son aspect est celui d'une Oie typique : bec court, tête, cou, et poitrine brun-noir, haut des ailes foncé avec extrémité et bord postérieur noirs, queue blanche à bande foncée à son extrémité (1). On trouve sur son territoire 2 sous-espèces : la *B. b. bernicla* à ventre noir-brun, originaire de l'Europe du Nord et la *B. b. hrota* à ventre gris-blanc, originaire du Spitzberg et du Groenland. Les oiseaux ad. des deux sous-espèces ont une bande blanche des deux côtés du cou ; ♂ = ♀. Les oiseaux juv. (VII.—XI.) en sont dépourvus et le haut des ailes porte des taches blanches. ✦ C'est une bonne nageuse qui se repose souvent à terre. Son vol est rapide, elle a un battement d'ailes régulier. Elle vole en rang ou adopte la formation en V. ⊙ La Bernache cravant lance un fréquent et sonore «rott rott rott». ♋ On ne peut la confondre avec une autre espèce.
Ecologie ◆ Elle niche dans la toundra et séjourne sur les rivages marins plats en dehors de la période de nidification. ∞ Les aires de nidification et d'hivernage en Europe n'existent que par endroits et sont bien connus. Elle ne se cache pas et il est donc facile de repérer l'oiseau et son nid.
Vie et mœurs ↔ C'est un oiseau migrateur. En dehors de la période de nidification, la Bernache cravant vit en troupes. Elle séjourne sur les aires de nidification en IV.—IX. ◡ Le nid est fait d'un creux léger dans les terrains rocheux, garni de duvet. La femelle pond 2 à 5 œufs blanc-jaunâtre (70,7×46,7 mm) en VI. Elle niche 1× l'an, en colonies, ♀ couve durant 28 jours. Les deux parents s'occupent des petits qui quittent le nid dès l'éclosion et sont capables de prendre leur envol dès le 49ème jour. ◐ Elle se nourrit de fragments de végétaux verts qu'elle cherche dans les pâturages ou qu'elle arrache de l'eau.
Protection Après une forte baisse de sa population et jusqu'à une période récente, la Bernache cravant était considérée comme une espèce vulnérable. Son nombre est actuellement en augmentation. La protection complète des aires de nidification et d'hivernage s'est avérée suffisante et il est nécessaire de la poursuivre.

1

Tadorne casarca
Tadorna ferruginea

Détermination
∗ Le Tadorne casarca est une petite Oie (65 cm) qui ressemble à un canard. Il a le plumage rouge-brun, le cou et la tête sont plus clairs, la queue est noire ; les ailes sont noires à leurs extrémités, blanches sur le haut, côté corps, et portent un miroir vert brillant. ♀ est plus petite que ♂ (1), elle est dépourvue de collier noir, son plumage est plus brun et la tête plus grise. Les oiseaux juv. ont la même coloration que ♀, mais leur plumage est plus mat, le dos est brun. ✦ C'est un bon nageur, mais il séjourne souvent hors de l'eau, sur les berges et les espaces découverts alentour. Il vit en couples ou en petits groupes. Son vol est assez rapide, il a un battement d'ailes régulier. ⊙ Il fait entendre, de temps à autre, un «ahang» sonore et nasal. ♋ On ne peut le confondre avec une autre espèce.
Ecologie ◈ Il habite près des lacs de steppe peu profonds ou à proximité des grandes rivières ; en dehors de la période de nidification, il séjourne également sur les terrains découverts. ∞ On le voit sur les eaux et sur les berges. On peut découvrir le nid d'après le comportement des oiseaux adultes et par l'inspection des lieux propices à la nidification. Les familles séjournent sur l'eau avec leurs petits.
Vie et mœurs ↔ C'est un oiseau partiellement migrateur qui séjourne sur les aires de nidification en IV.—IX. ◡ Le nid du Tadorne casarca est installé dans les trous du sol ou dans les cavités des arbres, garni de duvet. La femelle pond 8 à 12 œufs jaunâtres (68,0×47,0 mm) en V. Le Tadorne casarca niche 1× l'an et ♀ couve durant 28 jours. Les deux parents s'occupent des petits qui quittent le nid dès l'éclosion et sont capables de voler dès le 55ème jour. ◐ Il se nourrit de graines et de végétaux verts, parfois aussi de petits animaux ; il paît et ramasse sa nourriture sur terre et sur l'eau.
Protection C'est une espèce qui s'éteint. Le nombre des individus qui s'échappent des élevages augmente en Europe occidentale. Une protection complète s'impose. On envisage l'élevage et la réintroduction de l'espèce dans la nature.

1

Tadorne de Belon
Tadorna tadorna

Détermination
✶ Le Tadorne de Belon est d'une taille intermédiaire entre l'Oie et le Canard (62 cm). Il a un bec puissant, courbé vers le haut et des ailes pointues. La livrée nuptiale est, dans son ensemble, blanche, pourvue d'une bande pectorale rousse. Le ♂ (1) a le bec rouge, doté d'une bosse frontale, il est plus grand et plus coloré que ♀. ♂ et ♀, en livrée simple, ont le bec d'un rouge rosé. Les oiseaux juv. ont la tête et le dos gris, la poitrine blanche. ✦ Il se promène et se repose sur les terrains vaseux. C'est un bon nageur. Il vole en ligne droite et bat des ailes avec lenteur. ⊙ En période de nidification seulement, il émet un «eg-eg-eg . . .» répété. ♋ On ne peut le confondre avec une autre espèce.
Ecologie ◈ Il habite des côtes plates vaseuses. En période de nidification, il recherche des dunes, et en Europe orientale également des lacs de steppes. ∞ Les oiseaux adultes peuvent être observés dans les biotopes mentionnés plus haut. La présence permanente des oiseaux permet de localiser les nids. Les familles et leurs petits peuvent être observés sur l'eau.
Vie et mœurs ↔ C'est un oiseau partiellement migrateur. Les oiseaux originaires du nord-ouest de l'Europe migrent en masse vers la mer du Nord pour la mue en VI.—IX. En dehors de la période de nidification, le Tadorne de Belon vit en troupes ; ces dernières comptent parfois jusqu'à un millier d'individus. ⊗ Le nid est installé dans une cavité, le plus souvent dans les terriers des sols sablonneux. La femelle pond 7 à 12 œufs blanc jaunâtre (65,6×47,3 mm) en V.—VI. Il niche 1× l'an, séparément, et couve durant 28 jours. Les deux parents s'occupent des petits qui quittent le nid dès l'éclosion et peuvent prendre leur envol dès le 47ème jour. ◉ Il se nourrit presque exclusivement de mollusques marins et d'autres petits animaux qu'il se procure dans la vase à marée basse ou dans des eaux à bas niveau.
Protection On ne le chasse que par endroits. La protection des aires de nidification et des lieux de rassemblement est nécessaire.

1

Canard siffleur

Anas penelope

Détermination
✳ C'est un Canard de surface d'assez petite taille (48 cm). Il a une petite tête, un front haut et un bec court. En vol (2), ♂ présente une grosse tache blanche à l'avant de chaque aile : celles-ci, vues de derrière, forment un V. Les miroirs sont verts chez les deux sexes. En livrée nuptiale (1), la tête du ♂ est rouge-brun et porte une calotte blanchâtre. ♂ et ♀, en livrée simple, ainsi que les oiseaux juv. ont un plumage d'un brun-roux, et une bande blanche discrète traverse les flancs. ✦ On le voit généralement sur l'eau, il marche sans peine sur la terre ferme où il ramasse sa nourriture. Il vole vite, en troupes. ⊙ Il lance, assez souvent, un sifflement aigu qui devient progressivement plus grave : «huüt». ♋ ♂ en livrée nuptiale ne peut être confondu avec une autre espèce. La taille, la forme de la tête et la coloration des ailes en livrée simple sont caractéristiques.
Ecologie ◈ Il vit sur des plans d'eau peu profonds à végétation marécageuse et, en dehors de la saison des nids, il habite essentiellement des rivages marins plats ou sur des étendues d'eau à l'intérieur des terres. ∞ Il faut l'observer sur les eaux qu'il fréquente. Le plus souvent c'est sa voix qui le trahit. Pour trouver le nid, il faut inspecter la végétation et le bord des eaux, en effarouchant ♀. Les familles se tiennent cachées.
Vie et mœurs ↔ C'est un oiseau essentiellement migrateur. En dehors de la période de nidification, on le voit, en hiver, sur les rivages marins, qui vit en troupes relativement importantes. ◡ Le nid est construit dans la végétation marécageuse, garni de duvet. La femelle pond 7 à 10 œufs jaune crème (54,5×37,7 mm) en V.—VII. Le Canard siffleur niche 1× l'an, séparément, et ♀ couve durant 25 jours. ♀ élève seule les petits qui quittent le nid dès l'éclosion et sont capables de prendre leur envol à partir du 42ème jour. ◕ Il se nourrit de fragments de végétaux verts et de graines qu'il se procure sur la terre et sur l'eau.
Protection C'est une espèce dont le nombre est particulièrement important par endroits et on le chasse de façon très intensive. Nul besoin de prendre, actuellement, des mesures de protection particulières.

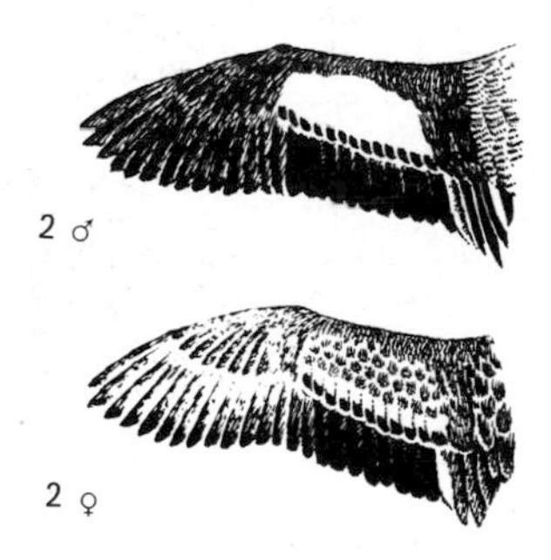

2 ♂

2 ♀

1

Canard chipeau
Anas strepera

Détermination
∗ C'est un Canard de surface de taille moyenne (50 cm), très discret. Ses flancs portent une bande blanche discrète, formée par un miroir qui ressemble à un quadrilatère, bordé de blanc, de noir et de jaune bronze sur les ailes (2). En livrée nuptiale ♂ (1) est entièrement gris, noir à l'extrémité du corps ; le plumage de ♀ est brun tacheté. En livrée simple, ♂ et ♀ se ressemblent, les oiseaux juv. sont un peu plus bruns et le bas de leur corps est plus foncé et tacheté. ✦ Il évolue habituellement sur l'eau où il cherche sa nourriture ; on le voit plus rarement sur la berge. Il vole vite, ne forme pas de troupes compactes. ⊙ On l'entend peu ; ♂ émet un sifflement assez grave et ♀ un simple «rek rek». ♋ En livrée simple, il diffère des autres espèces de canards par son miroir blanc. En Europe méridionale, on rencontre la Sarcelle marbrée *(Marmaronetta angustirostris)* qui lui ressemble.
Ecologie ◈ Il vit sur les plans d'eau à végétation marécageuse, et en dehors de la période de nidification même sur d'autres eaux. ∞ Il faut l'observer sur l'eau en période de nidification et en dehors de celle-ci. On repère les nids en les cherchant sur les îlots et les rives, en effarouchant ♀ qui couve. Les familles ont l'habitude de se dissimuler dans la végétation.
Vie et mœurs ↔ C'est un oiseau partiellement migrateur. Il séjourne sur les aires de nidification en II.—X. Il vit habituellement en couples et, en dehors de la saison des nids, même en grandes troupes. ◡ D'habitude, on trouve le nid dans la végétation dense des rives et des îlots. Il est garni de duvet pour la couvaison. La femelle pond 7 à 12 œufs jaunâtres (53,6 × 38,5 mm) en IV.—VII. Le Canard chipeau niche 1× l'an et ♀ couve durant 27 jours. Cette dernière est la seule à s'occuper des petits qui quittent le nid dès l'éclosion et sont capables de prendre leur envol à partir du 55ème jour. ◕ Il se nourrit de fragments de végétaux verts et de graines qu'il se procure sur l'eau.
Protection Il est chassé par endroits. Sa protection ne nécessite aucune mesure particulière.

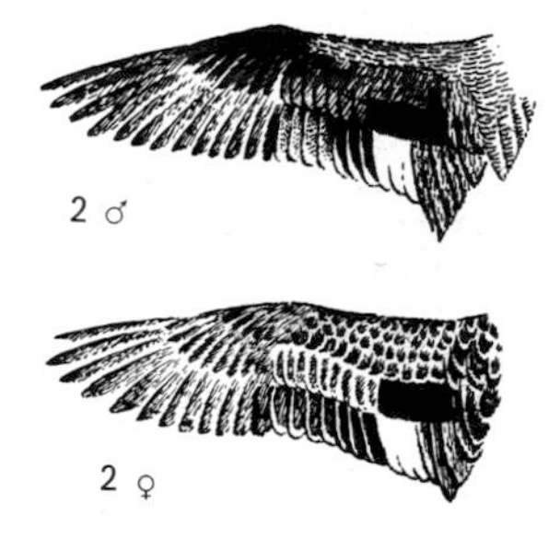

2 ♂

2 ♀

1

Sarcelle d'hiver
Anas crecca

Détermination
* C'est un Canard de surface de la taille d'un pigeon (36 cm). La Sarcelle d'hiver a une petite tête dotée d'un bec très court. Un miroir vert brillant, bordé de blanc à l'avant, décore ses ailes (2). En livrée nuptiale, ♂ (1) a la tête châtain avec une large bande verte et brillante au travers de l'œil ; l'extrémité du corps est jaune ; ♀ est brune et finement tachetée. ♂ en livrée simple ainsi que les oiseaux juv. ressemblent à ♀. ✦ Elle évolue généralement sur l'eau et se promène souvent dans les bas-fonds ou les bords marécageux. Elle vole très vite, avec des mouvements de bascule saccadés à droite et à gauche, et souvent en bandes. ⊙ Elle émet, au moment de l'envol surtout, un «krlik» étouffé (♂) ou un «knek» (♀). ♋ ♂ en livrée nuptiale ne peut être confondu avec une autre espèce. En livrée simple, elle ressemble fortement à la Sarcelle d'été *(A. querquedula)* qui a le haut des ailes plus clair, un miroir différent et une tache claire à la racine du bec.
Ecologie ◆ Elle vit dans les marais à petite végétation, des plaines jusqu'aux montagnes, dans les prés et au bord des eaux. En dehors de la période de nidification, elle séjourne très souvent sur les bords vaseux et sur les fonds des étangs qu'on a vidés. ∞ On peut observer les Sarcelles adultes sur l'eau et dans la vase. La présence constante des oiseaux permet de repérer l'aire de nidification. On peut trouver le nid en inspectant la végétation basse des bas-fonds et des rives, et en effarouchant ♀. Les familles vivent habituellement bien cachées.

Vie et mœurs ↔ C'est un oiseau partiellement migrateur. En dehors de la période de nidification, il vit généralement en bandes. La Sarcelle d'hiver séjourne sur les aires de nidification en III.—X. ◡ Le nid est caché dans la végétation épaisse, sur le sol, garni de duvet pour la couvaison. La femelle pond 8 à 11 œufs jaunâtres (45,5×32,8 mm) en IV.—VI. Elle niche 1× l'an, ♀ couve durant 23 jours. Seule ♀ s'occupe des petits qui quittent le nid dès l'éclosion et peuvent prendre leur envol à partir du 30ème jour. ◕ Elle se nourrit de graines, de fragments de végétaux verts et de menus invertébrés aquatiques qu'elle cherche sur l'eau et dans la vase.
Protection Par endroits, c'est un oiseau de choix pour les chasseurs. La Sarcelle d'hiver diminue avec la disparition progressive des terrains humides qu'il faut donc préserver.

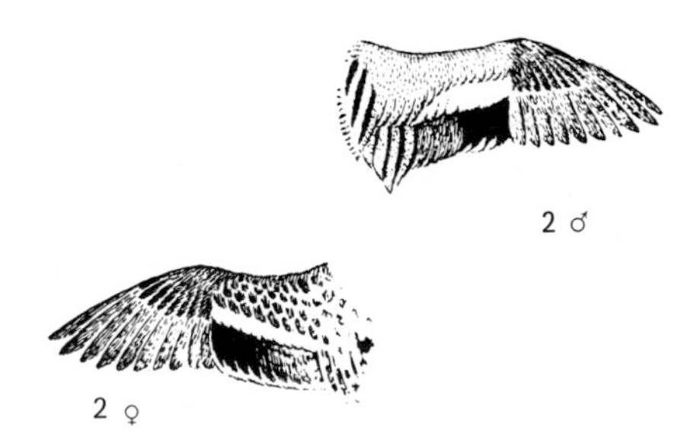

2 ♂

2 ♀

1

Canard colvert
Anas platyrhynchos

Détermination
✳ Le Canard colvert est un grand Canard de surface (58 cm). Il a un grand bec et un miroir violet, bordé de blanc, sur les ailes (2). En livrée nuptiale (1) (X.—VI.), ♂ a la tête d'un vert brillant, la poitrine châtain, le bec jaune-vert ; ♀ est tachetée de brun, le bec à bords rougeâtres est gris-vert, parsemé de taches sombres. En livrée simple, ♂ ressemble à ♀, à l'exception du bec qui reste jaune-vert. Les oiseaux juv. ressemblent à ♀. ✦ La plupart du temps, il est sur l'eau, fait «le beau». Il se repose ou cherche sa nourriture sur la terre. Il vole vite, en battant des ailes avec régularité. En ville, il vit à proximité des hommes. ⊙ On l'entend souvent : ♀ lance le plus souvent un sonore et caquetant «kva kva» qui ressemble aux cris des canards domestiques ; ♂ émet un sifflement aigu : «fíb». ♋ ♂ en livrée nuptiale ne peut être confondu avec une autre espèce ; les oiseaux en livrée simple ainsi que les jeunes peuvent être confondus avec les autres espèces de canards. Il faut, lors de l'identification, comparer la taille, le miroir et la voix.
Ecologie ◆ Il vit sur toutes sortes d'eau, à l'intérieur des terres, ainsi que sur les terrains proches de ces eaux, y compris les petits plans d'eau dans les villes. ∞ On peut le voir sur différents types d'eau durant toute l'année. Le nid est à chercher là où séjournent les oiseaux adultes.
Vie et mœurs ↔ C'est un oiseau partiellement migrateur. Il séjourne sur les aires de nidification en II.—VIII. ⌣ Il installe son nid dans la végétation marécageuse, sur les berges ainsi que loin de l'eau,parfois dans les creux des arbres. Il le garnit de duvet tout au long de la couvaison. La femelle pond 4 à 13 œufs jaunâtres ou verdâtres (58,0×41,7 mm) en II.—VII. Il niche 1× l'an, ♀ couve durant 26 jours. Les petits canetons quittent le nid dès l'éclosion et suivent ♀ qui les conduit sur les bas-fonds à végétation riche ; ils sont capables de voler dès le 55ème jour. ◑ Il se nourrit, en grande partie, de fragments de végétaux verts et de graines qu'il se procure dans l'eau ou sur les pâturages, ou bien de petits animaux aquatiques.
Protection C'est un oiseau de choix pour les chasseurs. Il ne nécessite pas de mesures de protection particulières.

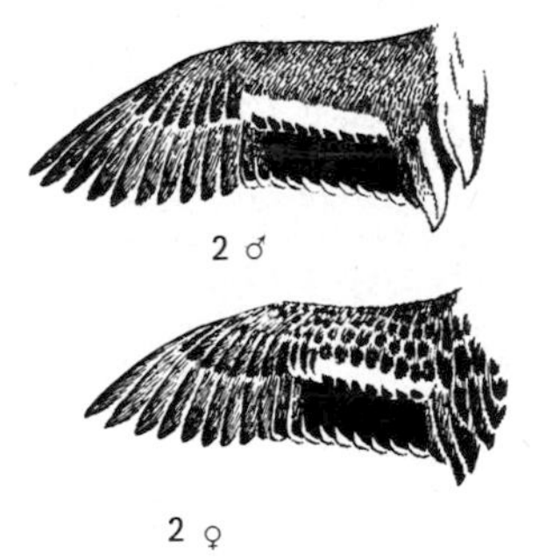

2 ♂

2 ♀

1

Canard pilet
Anas acuta

Détermination
✳ C'est un Canard de surface de la taille du Canard colvert (58 cm). Son cou est long, bien droit ; son bec allongé, sa queue, relativement longue, se termine en pointe. Le miroir est vert et discret (2). En livrée nuptiale ♂ (1) (X.—VI.) a la tête brune ; et, de chaque côté du cou, une flèche d'un blanc lumineux remonte de la poitrine. ♀ en livrée nuptiale ainsi que les oiseaux en livrée simple et les oiseaux juv. sont tachetés de brun. ✦ Il évolue le plus souvent sur l'eau, fait fréquemment «le beau». On ne le voit que rarement sur la terre ferme. Il vole vite avec des battements d'ailes réguliers. ⊙ Il émet sporadiquement un sifflement bref. ♋ ♂ en livrée nuptiale ne peut être confondu avec une autre espèce. Lorsqu'il revêt les autres livrées, il se distingue nettement par son cou long, son bec, sa queue pointue ainsi que par son miroir.
Ecologie ◆ Il vit sur les plans d'eau et les marécages, sur les golfes marins également. ∞ On le repère sur l'eau ou lors de ses vols. Il faut chercher le nid sur les bords des eaux où les Canards pilet ont l'habitude de se trouver. ♀ et les petits se tiennent cachés dans la végétation.
Vie et mœurs ↔ C'est un oiseau essentiellement migrateur. Il séjourne sur les aires de nidification en III.—X. En dehors de la période de nidification, il vit généralement en petites bandes ou en couples. ꝏ Le nid est constitué d'un creux dans le sol, le plus souvent sur la terre ferme, et même loin de l'eau. La femelle le garnit de duvet durant la couvaison. Elle pond 8 à 10 œufs jaunâtres (55,4×38,3 mm) en III.—VI. Le Canard pilet niche 1× l'an, séparément et couve durant 23 jours. Les petits quittent le nid dès l'éclosion et seule ♀ les conduit sur l'eau. Les canetons peuvent prendre leur envol dès le 42 ème jour. ◑ Il se nourrit de fragments de végétaux verts et de graines ainsi que de menus animaux aquatiques.
Protection Par endroits, c'est un oiseau très apprécié des chasseurs. Aucune mesure de protection particulière n'est à prendre actuellement.

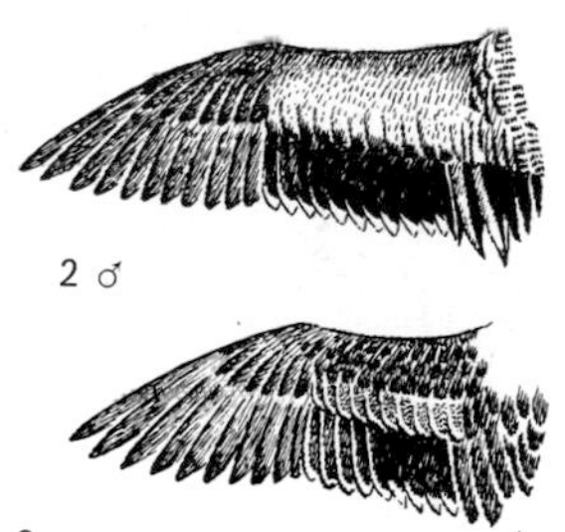

2 ♂

2 ♀

1

Sarcelle d'été
Anas querquedula

Détermination
✳ La Sarcelle d'été est un Canard de surface, à cou court, de la taille d'un pigeon (38 cm). En livrée nuptiale, ♂ (X.—VI.) a le plumage gris-brun et sa tête, brune, porte une bande blanche bien visible (1). ♂ en livrée simple, ♀ et les oiseaux juv. sont d'un brun clair à taches foncées. La partie antérieure des ailes, dans toutes les livrées, est d'un gris-bleu très clair et ceci tout particulièrement chez ♂ (2). Le miroir est d'un vert mat, bordé de blanc à l'avant et à l'arrière. ✦ On la voit généralement sur l'eau. Elle vit en couples ou en petits groupes. Elle vole vite, en ligne droite. ⊙ Au printemps ♂ émet fréquemment un «rrrep» bien marqué et ♀ un faible «knak». ♋ ♂ en livrée nuptiale ne peut être confondu avec une autre espèce. Les oiseaux en livrée simple ainsi que les oiseaux juv. ressemblent à la Sarcelle d'hiver *(Anas crecca)* qui a, néanmoins, les ailes plus foncées, un miroir, une voix et une manière de voler différents.
Ecologie ◆ Elle vit dans les prés humides, les marécages, la végétation bordière des bas-fonds. ∞ On la voit sur l'eau ou lorsqu'elle vole. Le nid est difficile à trouver : il faut inspecter les terrains propices à la nidification et effaroucher ♀ qui couve ses œufs avec une constance toute particulière. Les familles vivent bien cachées dans la végétation.
Vie et mœurs ↔ C'est un oiseau migrateur. Il séjourne sur les aires de nidification en III.—IX. ◡ Le nid se trouve bien caché dans la végétation basse et épaisse, souvent assez loin de l'eau. Au cours de la couvaison, il est garni de duvet. La femelle pond 6 à 12 œufs jaune crème (45,7×32,9 mm) en IV.—VI. La Sarcelle d'été niche 1× l'an, séparément et ♀ couve durant 23 jours. Seule ♀ s'occupe des petits qui quittent le nid dès l'éclosion et peuvent prendre leur envol à partir du 30ème jour. ◕ Elle se nourrit de menus invertébrés aquatiques, de graines et de fragments de végétaux verts qu'elle ramasse sur l'eau.
Protection C'est un oiseau qui présente peu d'intérêt pour les chasseurs. Il faut surtout veiller à la protection des sites marécageux.

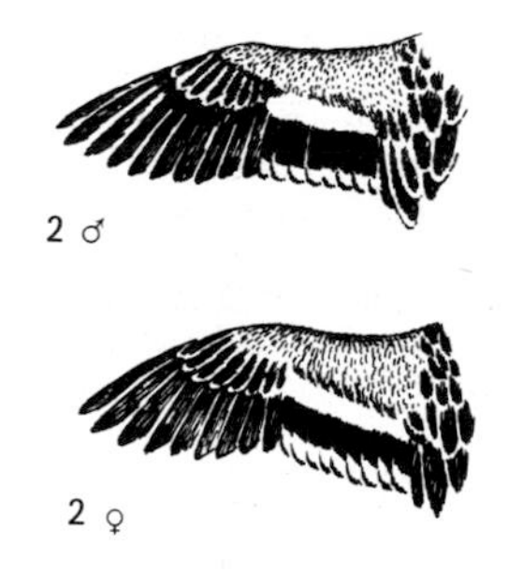

2 ♂

2 ♀

1

Canard souchet
Anas clypeata

Détermination
✳ C'est un Canard de surface à bec long en forme de spatule et à peine plus petit que le Canard colvert (50 cm). En livrée nuptiale, ♂ (1) (X.—VI) a la tête vert foncé, les flancs rouge-brun et bordés de blanc, le haut des ailes bleu-gris clair et le miroir vert (2). Les oiseaux juv. et ♀ sont bruns et tachetés, le dessus des ailes est plus sombre ; ♂ en livrée simple est semblable mais le dessus des ailes est bleu-gris. ✦ Il a l'habitude de nager avec des mouvements rapides, le bec posé sur l'eau, et exécute de fréquentes rotations. Il vole vite et ne séjourne que sur les rives lorsqu'il est à terre. ⊙ Il émet sporadiquement un caquètement sonore. ♋ On ne peut le confondre avec une autre espèce.
Ecologie ◑ Il aime les terrains humides : les bords peu profonds des plans d'eau, les prés humides, les terrains inondables à basse altitude. ∞ On le voit sur l'eau. Pour trouver le nid. il est nécessaire d'inspecter les lieux propices à la nidification au bord de l'eau et d'effaroucher ♀. Les familles vivent cachées.
Vie et mœurs ↔ C'est un oiseau migrateur qui vit en dehors de la période de nidification en petits groupes et même en bandes. Il séjourne sur les aires de nidification en III.—XI. ⊗ Son nid est installé dans la végétation dense, guère haute, généralement au bord de l'eau, parfois même assez loin de l'eau. L'oiseau le garnit de duvet pendant la couvaison. La femelle pond 6 à 13 œufs jaunâtres (52,9×37,2 mm) en IV.—VII. Il niche 1× l'an, séparément, ♀ couve durant 23 jours. Seule ♀ élève les petits qui quittent le nid dès l'éclosion et sont capables de prendre leur envol à partir du 40ème jour. ◕ Il se nourrit de graines, de menus invertébrés aquatiques qu'il se procure sur l'eau.
Protection Le Canard souchet ne présente quasiment pas d'intérêt pour les chasseurs. La protection des terrains humides est nécessaire.

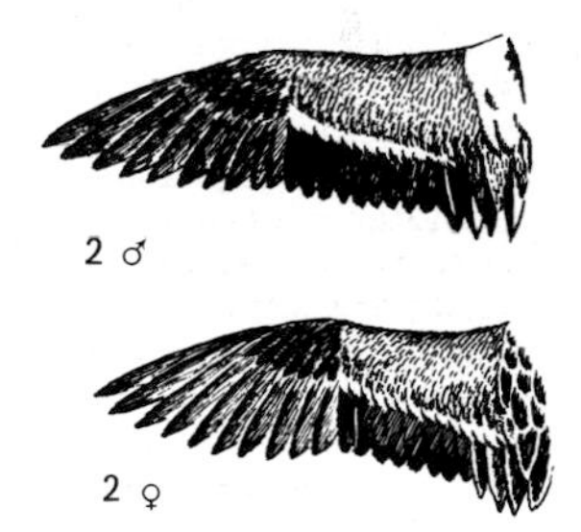

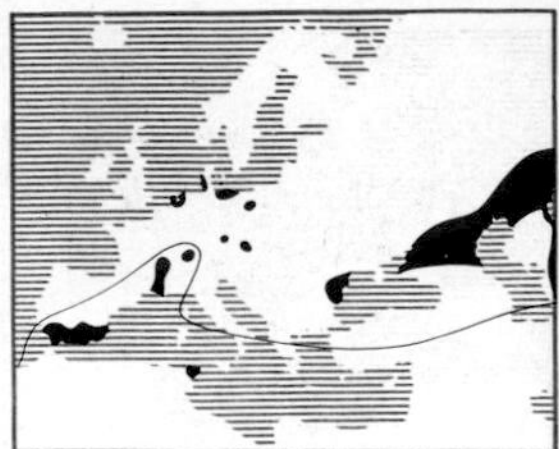

1

Nette rousse
Netta rufina

Détermination
✱ Ce Canard plongeur est d'une taille quasi identique à celle du Canard colvert (55 cm). En livrée nuptiale (XI.—VII.), ♂ porte une petite huppe jaune au-dessus du front, son plumage est noir-blanc-brun vif (1). ♀, ♂, en livrée simple, ainsi que les oiseaux juv. sont bruns, les joues blanches font contraste avec la calotte sombre (2). Le bec du ♂ est d'un rouge corail dans les deux livrées, le bec de ♀ est gris à raie rouge transversale. En vol, on remarque une large bande transversale sur l'aile brune. ✦ La Nette rousse évolue habituellement sur l'eau, fait rarement «le beau» ou bien plonge. Les bandes d'oiseaux sont essentiellement constituées de mâles. Elle vole vite, en ligne droite. ⊙ Elle émet, assez peu souvent, un «karrrr» rauque. ♋ ♂ en livrée nuptiale ne peut être confondu avec une autre espèce. Les oiseaux dont la coloration n'est pas encore achevée ressemblent fortement à ♀ de la Macreuse noire *(Melanitta nigra* — 3) dont le plumage est, cependant, plus foncé et ne possède pas de bande blanche sur les ailes.

Ecologie ◈ Elle vit sur les plans d'eau peu profonds à végétation dense. ∞ Les Nettes rousses ne se cachent pas et on peut donc les voir sur l'eau où elles promènent leurs petits. Le nid est à chercher dans la végétation des rivages et des îlots où l'on effarouche habituellement ♀. Parfois ♀ conduit les petits de Canards appartenant à une autre espèce.

Vie et mœurs ↔ C'est un oiseau migrateur qui vit en dehors de la période de nidification, en petites bandes ou séparément. La Nette rousse séjourne sur les aires de nidification en II.—VIII. ◡ Le nid est installé à proximité de l'eau ou dans la végétation sur l'eau. Pendant la couvaison, ce dernier est protégé par un rempart de duvet. Souvent, plusieurs femelles pondent ensemble ou bien dans les nids d'autres espèces de Canards. La femelle pond 4 à 20 œufs jaunâtres (56,7×41,7 mm) en IV.—VII. Elle niche 1× l'an, séparément et couve durant 27 jours. Les petits quittent le nid dès l'éclosion et ♀ les conduit sur l'eau. Ceux-ci sont capables de prendre leur envol dès le 56ème jour. ◐ Elle se nourrit de plantes aquatiques qu'elle se procure sur l'eau ou dans l'eau.

Protection La protection des aires de nidification est nécessaire. Actuellement, le nombre des Nettes rousses augmente légèrement.

1

Fuligule milouin
Aythya ferina

Détermination
⁎ C'est un Canard plongeur de taille moyenne (48 cm). Il a une grande tête, un front haut et une large bande claire sur toute la longueur de l'aile. ♂ en livrée nuptiale (1) a la tête rouge-brun et la poitrine noire ; ♀, ♂, en livrée simple, et les oiseaux juv. sont bruns et portent des bandes jaunâtres près des yeux. Les oisillons en livrée poudreuse (2) sont jaune-brun tachetés, leurs joues sont jaunes. ✦ Généralement, on le voit sur l'eau, il fait de fréquents plongeons, dort sur les rives ou sur les objets à proximité immédiate de l'eau (souches, pierres). ⊙ Il fait entendre parfois, en vol essentiellement, un «koeurr koeurr» rauque. ♋ ♂ en livrée nuptiale ne peut être confondu avec une autre espèce. En d'autres livrées, il faut faire attention à ne pas le confondre avec le Fuligule morillon *(A. fuligula)* ou avec les Macreuses *(Melanitta)*, tous plus foncés ; ils ont aussi un autre dessin sur les joues. En Europe centrale et orientale on voit, assez rarement, le Fuligule nyroca *(A. nyroca)* qui lui ressemble également.
Ecologie ◐ Il vit sur les eaux peu profondes à végétation dense, à l'intérieur des terres. ∞ Il faut l'observer sur l'eau. Pour découvrir le nid, il faut inspecter la végétation marécageuse des rives, en effarouchant ♀ qui s'envole.
Vie et mœurs ↔ C'est un oiseau migrateur. Il séjourne sur les aires de nidification en II.—X. En dehors de cette période, il vit généralement en assez grands groupes. Les mâles migrent en VI.—VIII. sur les lieux de mue ; après la nidification, même les jeunes s'envolent dans toutes les directions. ⊌ Le nid est installé à proximité de l'eau, dans les touffes de roseaux ou d'herbes ; il est garni de duvet tout au long de la couvaison. La femelle pond 5 à 12 œufs verdâtres, ovales (59,0×42,8 mm) en IV.—VII. Il niche 1× l'an, séparément, ♀ couve durant 25 jours. Seule, ♀ s'occupe des petits qui quittent le nid dès l'éclosion et sont capables de voler à partir du 50ème jour. ◉ Il se nourrit de plantes aquatiques et de menus invertébrés qu'il chasse sous l'eau.
Protection C'est un oiseau de grande importance pour les chasseurs. Il ne nécessite pas de protection particulière.

2

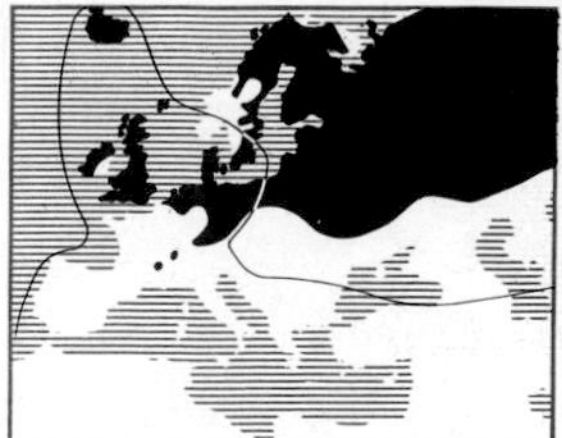

1

Fuligule morillon
Aythya fuligula

Détermination
✳ C'est un Canard plongeur d'assez petite taille (45 cm). Les longues plumes de la nuque forment une huppe pendante, le cou est petit, le bec est assez long et large. En vol, une bande blanche lumineuse traverse les ailes brun foncé. ♂ en livrée nuptiale (1) est noir, ses flancs sont blancs et la huppe est plus longue ; en livrée simple, la huppe est courte, la tête, le haut du corps et la queue sont noir-brun, les flancs gris portent des taches foncées, disposées en rayures transversales. ♀ ressemble au ♂ en livrée simple, une étroite bande blanche cerne son bec, le bas du corps est beaucoup plus foncé. Les oiseaux juv. ressemblent à ♀ mais sont dépourvus de blanc autour du bec. Les petits en livrée poudreuse sont entièrement noir-brun (2). ✦ On le voit le plus souvent sur l'eau où il fait de fréquents plongeons. Il vole très vite, en ligne droite. ⊙ Il émet, généralement lors de l'envol, un «karr» rauque. ♋ Le Fuligule marila ou milouinan *(A. marila)* qu'on rencontre dans les parties les plus septentrionales de l'Europe lui ressemble essentiellement.
Ecologie ◈ Il recherche des eaux continentales dormantes ou à faible courant, à végétation riche et îlots. En dehors de la saison des nids, on le voit sur des eaux de différents types. ∞ Il peut être vu sur l'eau durant toute l'année. Le nid est facile à découvrir : il suffit d'inspecter la végétation des bords de l'eau. Les familles vivent sur l'eau assez librement.
Vie et mœurs ↔ C'est un oiseau essentiellement migrateur. Il séjourne sur les aires de nidification en III.—X. En dehors de la période de nidification, il vit habituellement en groupes. ⌣ Le nid est installé dans la végétation du bord de l'eau, surtout dans les touffes de carex et sur les îlots ; tout au long de la couvaison, l'oiseau le garnit de duvet. La femelle pond 5 à 12 œufs gris verdâtre (58,5×40,7 mm) en IV.—VII. Il niche 1× l'an, ♀ couve durant 24 jours. Les petits quittent le nid dès l'éclosion et ♀ les conduit sur l'eau. Les oisillons peuvent prendre leur envol dès le 49ème jour. ◉ Il se nourrit principalement de mollusques qu'il va chercher sous l'eau.
Protection C'est un oiseau de choix pour les chasseurs. Une réglementation rationnelle de la chasse s'impose.

2

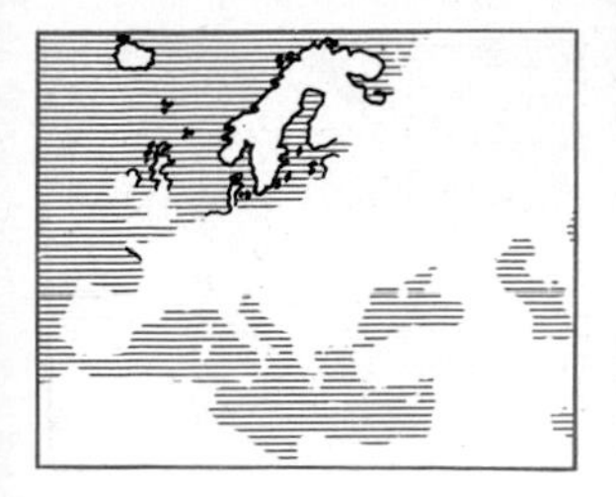

1

Eider à duvet
Somateria mollissima

Détermination
✳ L'Eider à duvet est un gros Canard plongeur (60 cm). Sa tête est grosse et dotée d'un bec puissant qui prolonge le front en ligne droite. En livrée nuptiale, ♂ (1) a le dos blanc, une bande noire traverse les yeux ; les ailes, près du corps, sont blanches sur une grande largeur ; en livrée simple, sa tête et la partie antérieure du corps sont bruns. ♀ est brune et a des taches foncées, disposées en rayures transversales (2), une étroite bande blanche traverse les ailes. L'oiseau juv. ressemble à ♀ mais son plumage est plus mat et les ailes sont dépourvues de dessin. Le plumage du ♂ change progressivement au cours de la 2ème et 3ème année : les parties blanches deviennent plus importantes. ✦ On le voit généralement sur l'eau, la tête repliée sur le dos et il fait de fréquents plongeons. Il vole au ras de l'eau, souvent en adoptant la formation en rang. Pendant la parade nuptiale, ♂♂ exécutent des mouvements caractéristiques : ils renversent la tête en arrière. ⊙ Lors de la parade nuptiale, ♂ émet un «kouh-roua» rauque, ♀ un «korrr». ♋ Dans les régions arctiques de l'Europe, l'Eider à tête grise (*S. spectabilis* — 3) lui ressemble.
Ecologie ◈ L'Eider à duvet habite des rivages marins plats à maigre végétation ainsi que des îles. En dehors de la période de nidification, on le rencontre même en haute mer. ∞ Il faut l'observer sur l'eau le long des rivages. Les oiseaux ne cachent pas trop leur nid ; il est assez facile de le trouver en inspectant les lieux propices à la nidification.

Vie et mœurs ↔ C'est un oiseau partiellement migrateur. ◡ Le nid est installé sur le sol, abondamment garni de duvet pendant la couvaison. La femelle pond 4 à 10 œufs gris-vert (77,8 × 51,1 mm) en V.—VI. Il niche 1× l'an, souvent en colonies, et ♀ couve durant 28 jours. Seule, ♀ conduit les petits à l'eau. Ceux-ci quittent le nid à peine éclos et peuvent prendre leur envol dès le 56 ème jour. ◑ Il se nourrit de petits animaux qu'il pêche dans les eaux marines peu profondes aussi bien à la surface qu'au fond de l'eau.
Protection L'Eider fournit un duvet très rentable dans le domaine économique. Il est nécessaire de protéger les aires de nidification.

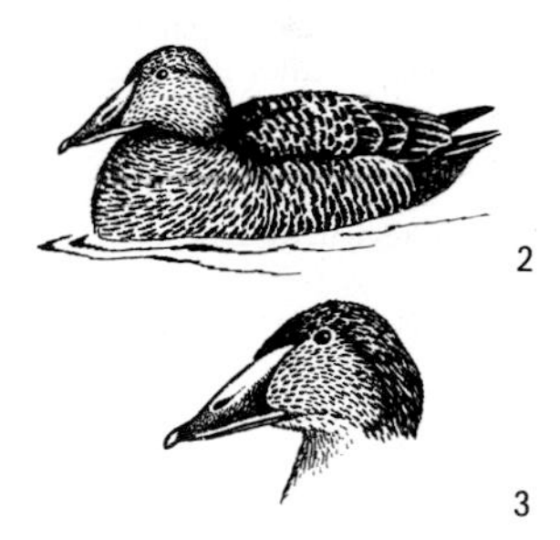

2

3

1

Harelde de Miquelon
Clangula hyemalis

Détermination
✳ C'est un Canard plongeur de taille moyenne (50 cm). Il a une queue longue et pointée obliquement vers le haut. Celle-ci est particulièrement longue chez ♂ ad. La coloration varie tout au long de l'année ; néanmoins il y a une constante : la tête et les flancs sont toujours plus ou moins blancs, les ailes sont brun-noir. En livrée nuptiale, ♂ (2) a la tête, le cou et la poitrine noirs, tandis qu'une tache blanche s'étend de chaque côté de la tête. En livrée simple (1) la coloration est quasiment inversée : deux taches foncées s'étendent de chaque côté de la tête blanche. ♀ en livrée nuptiale (3) a le haut de la tête, la nuque, le menton et la partie inférieure du cou foncés, une grande tache sombre s'étend sous les yeux, tandis qu'en livrée simple, le sommet de la tête est brun et l'on distingue également une petite tache brune sous l'œil. Les oiseaux juv. ressemblent à ♀ en livrée nuptiale, mais ils ont une tache blanche à l'avant des yeux ; le menton et la partie antérieure du cou sont clairs. ✦ On la voit souvent nager sur l'eau, et elle pratique de fréquents et longs plongeons. En vol, elle avance très vite, en ligne droite, avec un battement d'ailes court, en se balançant à droite et à gauche. ⊙ Elle lance, assez souvent, un sifflement aigu et nasillard. ♋ On ne peut la confondre avec une autre espèce.
Ecologie ◆ Elle habite des lacs de toundra, et, en dehors de la période de nidification, la mer, parfois on la trouve loin des rivages. Elle apparaît exceptionnellement même sur les eaux à l'intérieur des terres. ∞ On peut la voir sur l'eau, à proximité du rivage et elle est reconnaissable également à sa voix. Le nid se trouve près des rives.
Vie et mœurs ↔ C'est un oiseau partiellement migrateur. En dehors de la saison des nids, il vit généralement en grandes bandes. Il séjourne sur les aires de nidification en V.—VIII. ◡ Le nid est installé sur le sol, à proximité de l'eau ; tout au long de la couvaison, l'oiseau le garnit de duvet. La femelle pond 6 à 7 œufs jaune-vert (53,7×38,4 mm) en V.—VII. Elle niche 1× l'an, séparément, ou, par endroits, en plus grand nombre, et ♀ couve durant 24 jours. Les petits quittent le nid après l'éclosion et ♀ les conduit à l'eau après 35 jours. ◉ Elle se nourrit d'invertébrés aquatiques qu'elle pêche sous l'eau.
Protection Par endroits, c'est une espèce appréciée des chasseurs. La Harelde de Miquelon ne nécessite pas de protection particulière. Son nombre est important en Europe du Nord.

1

Macreuse brune
Melanitta fusca

Détermination
✳ Ce Canard plongeur est presque de la taille du Canard colvert (55 cm). Il a une grosse tête, un bec puissant, une queue et un cou courts. ♂ est noir, il a une tache blanche près de l'œil et un miroir blanc, visible parfois même de côté ; ♀ (1, 2) est brun foncé, elle a un miroir blanc et des taches claires ovales autour des yeux. Les oiseaux juv. ressemblent à ♀ mais leur plumage est plus clair. ✦ On la voit généralement sur l'eau, et c'est un remarquable plongeur ; souvent toute la bande d'oiseaux plonge en même temps. La Macreuse brune vole bas, au-dessus de l'eau, très vite, en ligne droite, et pour les vols à grande distance, en rangs. ⊙ On ne l'entend que rarement ; ♂ émet un «houor-or» sifflant, ♀ une sorte de râle. ♋ On rencontre, sur les mêmes lieux, la Macreuse noire *(M. nigra)* ; la Macreuse à lunettes *(M. perspicillata)*, originaire de l'Amérique du Nord, ne fait que de rares apparitions en Europe.
Ecologie ◑ Elle vit sur les rivages marins, sur les lacs et les rivières de la taïga et de la toundra. En dehors de la période de nidification, elle habite les rivages marins, y compris les rivages pierreux ou les falaises. ∞ Les Macreuses sont à observer sur les eaux le long des côtes. On repère le nid en surveillant le comportement des oiseaux au début de la période de nidification ainsi qu'en inspectant les lieux propices à la nidification. Les familles se tiennent sur l'eau.
Vie et mœurs ↔ C'est un oiseau migrateur. En dehors de la saison des nids, il vit habituellement en petits groupes. La Macreuse brune séjourne sur les aires de nidification en IV.—VIII. ◡ Le nid est sur le sol, parfois dans les creux des arbres et assez loin de l'eau. Il est garni de duvet durant la couvaison. La femelle pond 6 à 10 œufs jaune brunâtre (72,0×48,4 mm) en V.—VI. Elle niche 1× l'an, séparément et ♀ couve durant 28 jours. Les petits quittent le nid aussitôt après l'éclosion, ♀ les conduit sur l'eau durant une période de 35 jours. ◕ Elle se nourrit principalement de mollusques aquatiques qu'elle pêche en plongeant.
Protection On chasse cette espèce dans certains endroits. Elle ne nécessite pas de mesures de protection particulières.

2 ♀

1

Garrot à œil d'or
Bucephala clangula

Détermination
✱ Le Garrot à œil d'or est un Canard plongeur d'assez petite taille (46 cm). Il a une grosse tête ronde, un front haut et un cou mince et long. En livrée nuptiale ♂ (1) est noir et blanc, en livrée simple le haut du corps est gris-brun foncé, et le bas brun clair, parsemé de taches foncées, disposées en rayures transversales ; ♀ ressemble au mâle en livrée simple mais porte souvent un collier blanc. Le champ blanc des ailes porte deux raies noires transversales, le bec une raie jaune. L'oiseau juv. ressemble à ♀ mais il est dépourvu de collier blanc. ✦ On le voit sur l'eau où il pratique de fréquents et longs plongeons. Il vole vite, en ligne droite, en produisant avec ses ailes un sifflement qu'on entend de loin. Même en dehors de la saison des nids, ♂ exécute des mouvements de parade caractéristiques : il rejette sa tête vers le haut et la pose ensuite sur son dos, en laissant le bec pointer à la verticale. ⊙ ♂ siffle en rejetant la tête, sinon il émet des «kr-keou» rauques, ♀ des «karrr» gutturaux. ♋ Deux espèces lui ressemblent particulièrement : le Garrot d'Islande *(B. islandica)* qui vit en Islande et le Garrot albéolé *(B. albeola)*, originaire d'Amérique du Nord, qui ne fait que de très rares apparitions en Europe.

Ecologie ◆ Il habite des lacs, des rivières et d'autres eaux dans les régions boisées. En dehors de la période de nidification, il vit même en mer et souvent loin des rivages. ∞ On peut l'observer sur les eaux durant toute l'année. On repère le nid en observant le comportement des oiseaux et en inspectant les creux des arbres : le duvet retenu autour de l'orifice au passage de l'oiseau signale que l'endroit est habité. Les familles évoluent sur l'eau à découvert.

Vie et mœurs ↔ C'est un oiseau essentiellement migrateur. Il séjourne sur les aires de nidification en IV.—IX. Il vit en couples. ⊗ Le nid est installé dans le creux des arbres ou dans un nichoir construit et disposé par l'homme, parfois assez loin de l'eau. Il est garni de duvet durant la couvaison. La femelle pond 4 à 14 œufs bleu-vert (59,2 × 42,6 mm) en IV.—VI. Il niche 1× l'an, ♀ couve durant 30 jours. Les petits sautent du nid et sont immédiatement conduits sur l'eau ; ♀ seule les conduit durant 50 jours. ◖ Il se nourrit d'invertébrés aquatiques qu'il pêche sous l'eau.

Protection C'est une espèce que les chasseurs apprécient beaucoup. Il faut faciliter la nidification en construisant et en disposant des nichoirs.

1

Harle piette
Mergus albellus

Détermination
⁎ C'est un Canard de petite taille (45 cm). Il a un petit cou, une tête assez grande, dotée d'une huppe discrète, un bec petit et effilé. ♂ en livrée nuptiale (X.—VI.) est d'un blanc et d'un noir bien contrasté (1), ♀ (2) est gris-brun, la tête porte une calotte rouge-brun qui fait contraste avec les joues blanches. ♂ en livrée simple a la même coloration que ♀ en livrée nuptiale mais son dos est plus foncé et la tache blanche des couvertures supérieures est plus grande. Le plumage de l'oiseau juv. ressemble à celui de ♀ mais les couvertures supérieures sont blanches, gris-brun à leurs extrémités, le dessin noir à l'avant des yeux tire sur le brun. ✦ On le voit le plus souvent sur l'eau, où il fait de fréquents plongeons. Il vole en ligne droite, rapidement, le cou tendu à l'avant, en bandes ou adopte la formation en rangs. A terre, il marche en se tenant droit. ⊙ On l'entend rarement : ♂ émet des sons sifflants, ♀ des «karr» rauques. ♋ ♂ en livrée nuptiale ne peut être confondu avec une autre espèce ; à distance, on le distingue du Garrot à œil d'or ♂ *(Bucephala clangula)*, grâce à sa tête blanche. Les oiseaux à coloration non achevée, rappellent un peu la Nette rousse *(Netta rufina)* ou la Macreuse noire *(Melanitta nigra)*.
Ecologie ◆ Il habite des lacs et des rivières de forêt; en dehors de la saison des nids, il vit même sur des eaux d'autres types, plus étendues, ainsi que sur les rivages marins. ∞ On peut le voir sur l'eau. Lorsqu'on cherche le nid, il est nécessaire d'inspecter les creux des arbres à proximité des eaux et suivre ♀ qui conduit les petits.
Vie et mœurs ↔ C'est un oiseau migrateur. En dehors de la saison des nids, il vit en petits groupes. Il séjourne sur les aires de nidification en IV.—IX. ⍦ Le nid est installé dans les creux des arbres et garni de duvet pendant la couvaison. La femelle pond 6 à 9 œufs d'un blanc cassé (52,7 × 37,5 mm) en V.—VI. Il niche 1× l'an, séparément, et ♀ couve durant 30 jours. C'est ♀ qui conduit les petits à l'eau dès l'éclosion ; ceux-ci sont capables de voler au terme d'une période de six semaines selon toute vraisemblance. ◕ Il se nourrit d'animaux aquatiques, y compris les poissons qu'il pêche sous l'eau.
Protection Dans certains endroits, c'est une espèce courante. On peut faciliter la nidification de l'oiseau en installant des nichoirs.

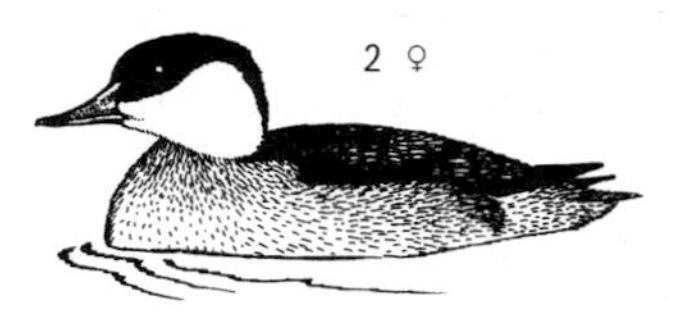

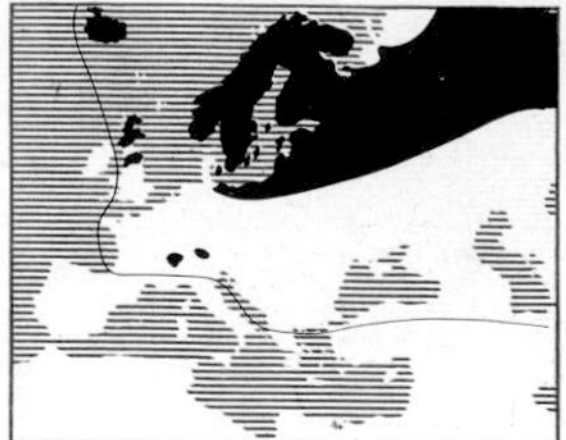

1

Harle bièvre
Mergus merganser

Détermination
✳ C'est un gros Canard plongeur (62 cm). Il a un corps long, un cou mince, une grosse tête et une huppe sur la nuque ; son bec est long et effilé. En livrée nuptiale (1) ♂ est noir et blanc, la partie postérieure du corps ainsi que la queue sont grises, le bec est rouge. En livrée simple, la tête et la partie supérieure du cou sont bruns, les ailes sont blanches côté corps et foncées au départ du poignet de l'aile. ♀ (2,3) est semblable au ♂ en livrée simple, la huppe étant cependant plus grande ; le corps est gris clair dans sa totalité, les ailes côté corps sont blanches sur la seule moitié postérieure. L'oiseau juv. est semblable à ♀, sa huppe est plus petite, la coloration de la tête et du corps est moins vive. ✦ On le voit souvent sur l'eau, où il pratique de fréquents et longs plongeons. Il vole en ligne droite, très vite, le cou et la tête tendus à l'avant (4). ⊙ On l'entend peu souvent : ♂ émet un son râlant, ♀ un «karr» rauque. ♋ Le Harle huppé (*M. serrator* 5, 6, 7), espèce très courante sur tout le territoire, lui ressemble beaucoup.
Ecologie ◈ Il habite des lacs et des rivières dans les régions boisées. En dehors de la période de nidification, il vit sur des eaux continentales plus étendues et sur la mer, à proximité des rivages. ∞ On peut l'observer sur l'eau durant toute l'année. Pour trouver le nid, il faut inspecter les creux d'arbres à proximité des eaux. Les familles évoluent habituellement sur l'eau ou se cachent dans les roseaux.
Vie et mœurs ↔ C'est un oiseau essentiellement migrateur. En dehors de la période de nidification, il vit en groupes qui comptent jusqu'à plusieurs centaines d'individus. Il séjourne sur les aires de nidification en IV.—VIII. ⊗ Le nid est installé dans un creux d'arbre ou dans les cavités entre les racines, le Harle bièvre utilise également les vieux nids de Corneilles et autres. Le nid est garni de duvet pendant la couvaison. La femelle pond 7 à 13 œufs d'un blanc cassé (67,5 × 46,5 mm) en IV.—VII. Il niche 1× l'an, séparément, et ♀ couve durant 32 jours. Les petits sortent du nid dès l'éclosion, et ♀ les conduit sur l'eau durant 35 jours. ◐ Il se nourrit de petits poissons qu'il pêche sous l'eau.
Protection C'est une espèce nombreuse par endroits. Il est bon de disposer des nichoirs sur les aires de nidification. Le Harle bièvre ne nécessite pas de protection particulière.

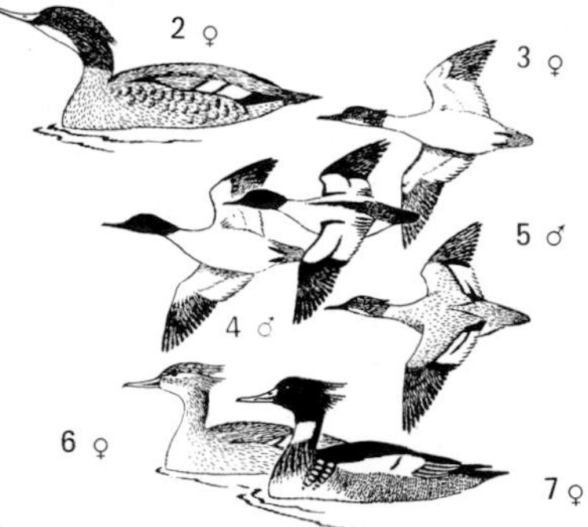

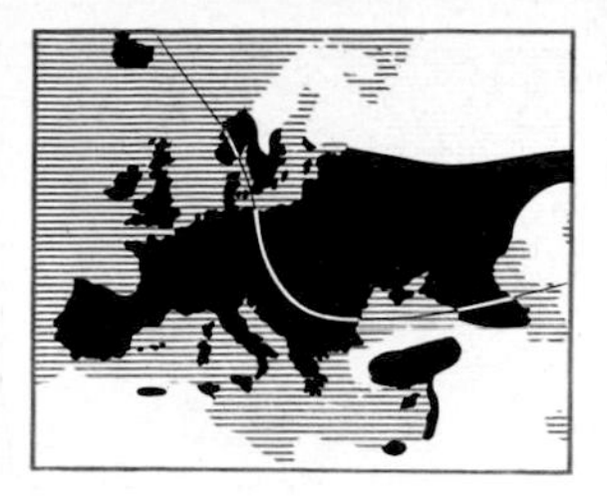

1

Râle d'eau
Rallus aquaticus

Détermination
✳ La Râle d'eau est un peu plus petit qu'une Perdrix (28 cm). Il est caractérisé par un bec long, droit et rouge vif. Son cou et ses pattes sont longs, ses ailes et sa queue courtes. L'oiseau ad. (1) a le dessus du corps brun, le bas gris, ses flancs sont barrés de noir et de blanc, ses yeux sont rouges ; ♀ a la gorge plus claire. Les oiseaux juv. sont plus mats, leur poitrine est tachetée de brun. ✦ Il vit bien caché dans les roselières : il se déplace dans la couche la plus basse des roseaux tout près de l'eau. Lorsqu'il marche, il secoue sa queue par saccades. C'est un bon coureur ; parfois on le voit nager. ⊙ Sur les aires de nidification (IV.—VII.), il lance, souvent même la nuit, des cris frappants : cris aigus de porcelet égorgé et grognements graves, qui se terminent généralement par une série de tons brefs accélérés et décroissants. Il émet également un «kik-kik» pour attirer son partenaire. ♋ Sa voix ne peut être confondue avec celle d'un autre oiseau. Tous les autres Râles ont un bec plus court.
Ecologie ◆ Il vit dans la végétation marécageuse, dans les roselières et dans le carex principalement. En dehors de la saison des nids, on le trouve même au bord des petits cours d'eau, des ruisseaux, des sources. ∞ C'est sa voix qui nous permet de le repérer sur l'aire de nidification. Le nid est difficile à découvrir. Il faut soigneusement inspecter les touffes de carex. L'oiseau effarouché disparaît avec discrétion et rapidité. En dehors de la période de nidification, on le voit au bord des roselières ou à l'intérieur de celles-ci, dans des parties clairsemées.
Vie et mœurs ↔ C'est un oiseau migrateur. Il niche et vit seul. Il séjourne sur les aires de nidification en III.—X. ⊗ Le nid, bâti avec de larges feuilles, est dissimulé dans les touffes de végétation juste au-dessus de l'eau. La ♀ pond 6 à 12 œufs d'un blanc cassé à points rouge-brun épars (34,3 × 25,5 mm) en IV.—IX. Il niche 2(—3) × l'an et couve durant 20 jours. Les deux parents prennent soin des petits qui quittent tôt le nid; mais ceux-ci y reviennent pendant un certain temps. Ils sont capables de voler à partir du 50ème jour. ◉ Il se nourrit de petits animaux qu'il chasse dans la végétation près de l'eau.
Protection C'est une espèce en voie de régression. Il est nécessaire de préserver des terrains marécageux.

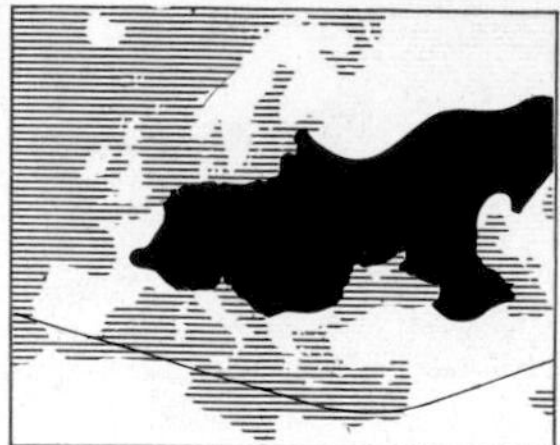

1

Marouette poussin
Porzana parva

Détermination
✳ La Marouette poussin est de la taille d'un Etourneau (19 cm). Le corps, les pattes et la queue sont courts, la tête est petite, dotée d'un bec court. Le haut du corps de l'oiseau ad. est brun foncé, tacheté de noir et de blanc en rayures longitudinales, les pattes sont vertes, le bec jaune-vert, rouge à la racine. ♂ a le bas du corps gris ardoise, ♀ jaune-brun (1), rayé de barres transversales claires des pattes à la queue. L'oiseau juv. est semblable à ♀, le bas de son corps porte des rayures foncées transversales. ✦ Elle vit bien cachée dans la végétation marécageuse : elle se déplace là, dans la couche épaisse des herbes, tout près de l'eau. Elle a l'habitude de marcher ou de courir, elle nage rarement et ne vole qu'exceptionnellement. ⊙ En période de nidification, ♂ émet des «kvek-kvek . . . ko-ko» qui s'accélèrent, puis décroissent progressivement. Son cri d'appel est «kvek». ♋ Sa voix est caractéristique. Après un moment d'écoute, il est impossible de la confondre avec une autre. Par son aspect, seule la Marouette de Baillon *(P. pusilla)*, qu'on ne trouve que par endroits, peut lui ressembler.
Ecologie ◈ Elle vit dans la végétation marécageuse : les roselières surtout et le carex. ∞ C'est sa voix qui nous guide sur les aires de nidification. Les oiseaux ont l'habitude de pousser leurs cris dans les environs du nid. En restant immobile, on peut l'observer sur le terrain à découvert. Pour trouver le nid, il faut inspecter minutieusement la végétation. En dehors de la période de nidification, on ne peut l'observer que fortuitement ou en le capturant.
Vie et mœurs ↔ C'est un oiseau migrateur. Il séjourne sur les aires de nidification en III.—X. Il niche et vit seul. ◡ Le nid est installé dans le fouillis des plantes aquatiques, tout au-dessus de la surface de l'eau, recouvert par le haut. La femelle pond 4 à 8 œufs jaune-brun, fortement tachetés de rouge-brun (31,6 × 22,0 mm) en IV.—VIII. La Marouette poussin niche 1—2× l'an et couve durant 17 jours. Les deux parents prennent soin des petits qui sortent du nid dès l'éclosion et sont capables de prendre leur envol à partir du 45ème jour. ◕ Elle se nourrit de petits animaux, parfois même de fragments de plantes et de graines qu'elle se procure près de l'eau ou dans la végétation environnante.
Protection C'est une espèce en voie de régression qu'on ne rencontre que par endroits. La conservation des terrains humides est primordiale.

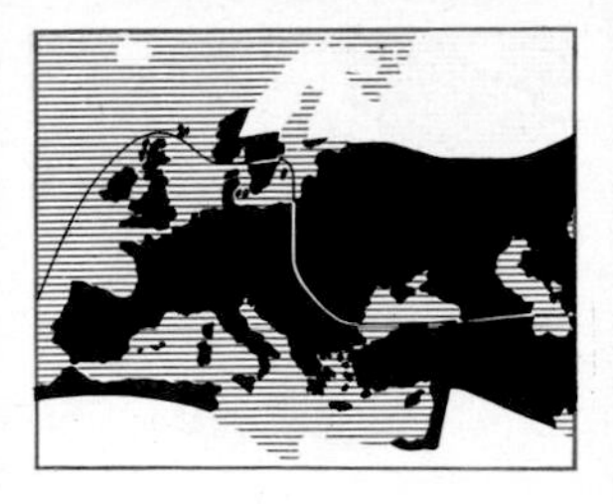

1

Poule d'eau
Gallinula chloropus

Détermination
✳ La poule d'eau est de la taille d'une Perdrix (33 cm). Elle a une petite tête, un bec à plaque frontale, une queue courte et de longues pattes. Les oiseaux ad. (1) sont gris-noir-brun, ils portent une bande blanche sur les flancs, les sous-caudales sont blanches, le bec est rouge vif, les pattes vertes. ♂ = ♀. Les oiseaux juv. ont le bas du corps clair et sont dépourvus de plaque frontale rouge. ✦ Elle vit bien cachée dans la végétation marécageuse, nage parfois dans les environs immédiats, et se cache dans les herbes dès qu'il y a danger. Lorsqu'elle nage, son corps est bien enfoncé dans l'eau, l'arrière du corps ainsi que la queue pointant obliquement vers le haut (2). Elle secoue sa queue par saccades, ce qui fait apparaître les sous-caudales blanches. Elle grimpe avec aisance dans les tiges végétales, et ne vole que très rarement. ⊙ Elle lance fréquemment des «kirrr» brefs et perçants. ♋ On ne peut la confondre avec une autre espèce.

Ecologie ◐ Elle vit sur les eaux peu profondes à végétation dense, par endroits même sur de petits étangs à proximité des habitations. En dehors de la période de nidification, on la voit même sur des cours d'eau à végétation bordière très pauvre et sur des eaux tièdes qui proviennent de rejets. ∞ C'est sa voix qui nous guide sur les aires de nidification ou bien il faut surveiller la surface de l'eau à proximité de la végétation. Pour trouver le nid et les familles d'oiseaux, il faut écarter les touffes de carex et de roseaux.

2

Vie et mœurs ↔ C'est un oiseau partiellement migrateur et qui séjourne sur les aires de nidification en III.—X. ᨓ Le nid est une construction solide faite de feuilles plates, installé dans l'épaisse végétation à proximité immédiate de l'eau. La végétation environnante lui sert de toit. La femelle pond 5 à 11 œufs ocres, parsemés de taches rouge-brun foncées (41,9 × 29,7 mm) en III.—IX. Elle niche 1—3× l'an et couve durant 21 jours. Les petits restent au nid 2 à 3 jours et vivent par la suite cachés dans la végétation. Les deux parents s'occupent d'eux. Les oisillons sont capables de prendre leur envol dès le 35ème jour. ◔ Elle se nourrit de graines, de fragments de végétaux et de menus invertébrés qu'elle se procure sur l'eau ou dans la végétation des marécages.

Protection Par endroits, c'est une espèce qui n'intéresse que moyennement les chasseurs. La Poule d'eau ne nécessite aucune mesure de protection particulière.

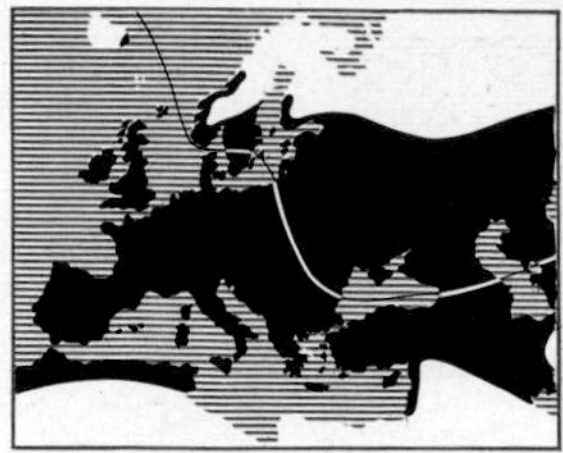

1

Foulque macroule
Fulica atra

2

Détermination
✳ C'est un Râle de grande taille (37 cm). Lorsqu'il nage, son corps est bien enfoncé dans l'eau, la partie postérieure étant plus basse que la partie antérieure. Les Foulques ad. (1) sont gris-noir foncé, le bec et la plaque frontale sont blancs ; ♂ = ♀. Les oiseaux juv. sont dépourvus de plaque frontale, la partie antérieure du cou est blanche. ✦ Elle évolue souvent sur l'eau où elle nage, le cou rentré ; elle sait bien plonger et lorsqu'elle s'envole ou lorsqu'on l'effarouche, elle court à la surface de l'eau en battant des ailes et en laissant derrière elle, sur l'eau, une trace bien visible (2). Elle vole rarement mais vite et en ligne droite, les pattes suspendues à la verticale. Parfois elle sort sur la berge. Au printemps, les Foulques macroules se battent pour défendre leur territoire : elles doivent éloigner leurs rivaux. ⊙ Elle émet fréquemment un «kev» sonore et perçant, parfois un «pix» répété. ♋ La Foulque à crête *(F. cristata)* qui vit dans le sud de l'Espagne lui ressemble assez bien.
Ecologie ◆ Elle habite des eaux peu profondes pourvues de végétation. En dehors de la période de nidification, elle vit également sur des cours d'eau, des lacs sans végétation et même le long des rivages marins ; on la rencontre également dans les villes. ∞ On peut la voir facilement sur l'eau en période de nidification aussi bien qu'en dehors de cette période. Le nid peut être découvert par observation depuis la rive ou bien par inspection de la végétation bordière. Les parents conduisent et nourrissent leurs petits sur l'eau à proximité de la végétation.
Vie et mœurs ↔ C'est un oiseau partiellement migrateur. En dehors de la période de nidification, la Foulque macroule vit en groupes ou en troupes compactes. ◡ Le nid est installé dans la végétation qui jouxte l'eau, parfois quasiment sur l'eau. C'est une construction en feuilles, souvent équipée d'un petit pont pour faciliter l'accès à l'eau. La femelle pond 4 à 12 œufs brun jaunâtre parsemés de quelques taches noires (52,2 × 35,9 mm) en III.—VII. Elle niche 1—3× l'an, séparément, et couve durant 23 jours. Les oisillons quittent tôt le nid et les parents les nourrissent sur l'eau. Ils se cachent dans la végétation et sont capables de prendre leur envol dès le 56ème jour. ◕ La Foulque macroule se nourrit de fragments de végétaux, parfois d'invertébrés aquatiques. Elle se procure la nourriture sur l'eau, sous l'eau et sur la terre ferme.
Protection C'est un oiseau qui présente assez peu d'intérêt pour la chasse. Les Foulques macroules sont très nombreuses et ne nécessitent pas de protection particulière.

1

Huîtrier pie
Haematopus ostralegus

Détermination
✳ C'est un Limicole de grande taille (43 cm), plus grand qu'un Vanneau. Il a des pattes courtes, un cou fort et long, une tête ronde dotée d'un bec puissant, long et droit, et une queue courte. En livrée nuptiale (1), l'Huîtrier pie a le haut du corps noir, le bas blanc, le bec et les pattes rouges. En vol (2), on remarque une large bande blanche dans les ailes, le croupion blanc ainsi que la queue blanche, terminée par une bande noire. En livrée simple, l'Huîtrier pie présente une bande blanche transversale sur la gorge ; ♂ = ♀. L'oiseau juv. a le dos couleur ocre tacheté, des pattes grises et un bec jaunâtre. ✦ On le voit courir sur les rives et piquer la vase du bec. Lorsqu'ils volent en troupes, les Huîtriers pie adoptent la formation caractéristique en V. ⊙ Il émet fréquemment un «püliet» sonore et aigu, son cri d'alarme est un «pik-pik» répété. Pendant la parade nuptiale, il fait entendre un trille aigu et descendant. ♋ On ne peut le confondre avec une autre espèce.

2

Ecologie ◆ Il habite des rivages marins sablonneux et vaseux, par endroits des rives de grands fleuves et de lacs. ∞ On peut le voir sur les plages ou dans des endroits recouverts d'herbes basses, à proximité de l'eau, et surtout sur des rivages marins. Le comportement des oiseaux ainsi que l'inspection des lieux permettent de repérer le nid. Le comportement des adultes permet de trouver les petits.
Vie et mœurs ↔ C'est un oiseau essentiellement migrateur. En dehors de la saison des nids, il vit généralement en groupes. Il séjourne sur les aires de nidification en III.—IX. ◡ Le nid est un creux aménagé dans le sable, entre les pierres ou dans l'herbe, légèrement surélevé. La femelle pond 2 à 4 œufs couleur ocre, parsemés de taches foncées (56,5 × 39,8 mm) en V.—VI. Il niche 1× l'an, séparément, et couve durant 26 jours. Les deux parents prennent soin des petits qui quittent le nid dès l'éclosion et peuvent prendre leur envol dès le 32ème jour. ◉ Il se nourrit de menus animaux aquatiques qu'il se procure en marchant dans les bas-fonds et sur les plages.
Protection C'est une espèce nombreuse par endroits. L'Huîtrier pie ne nécessite pas de protection particulière.

1

Echasse blanche
Himantopus himantopus

Détermination
✳ L'Echasse blanche a l'aspect d'une Cigogne de petite taille (38 cm). Elle a un grand cou mince, un long bec et de très longues pattes. En livrée nuptiale, le haut du corps et des ailes est noir, le reste est blanc, les pattes sont d'un rouge vif ; le sommet de la tête et l'occiput du ♂ tirent sur le noir, en livrée simple cette couleur est à peine perceptible ; ♀ a la tête toujours blanche (1). Les oiseaux juv. ont l'occiput ainsi que la nuque brun-foncé, les plumes du dos ont les bords couleur ocre. ✦ Elle aime patauger dans les bas-fonds. Elle vole en ligne droite, en battant des ailes avec régularité, les pattes dépassant largement la queue. ⊙ Elle émet de temps à autre des «kip-kip» perçants et sonores. ♋ On ne peut la confondre avec une autre espèce.
Ecologie ◆ Elle habite des eaux peu profondes à petite végétation, le long des rivages marins ainsi qu'à l'intérieur des terres. ∞ On peut la voir au bord des eaux. Pour trouver le nid, il faut soit observer avec soin les oiseaux qui couvent soit inspecter l'aire de nidification. Les petits, une fois sortis du nid, peuvent être repérés grâce au comportement des parents, en revanche il n'est pas aisé de découvrir le petit oisillon qui est généralement plaqué au sol.
Vie et mœurs ↔ C'est un oiseau migrateur qui séjourne sur les aires de nidification en III.—X. Il arrive parfois que des invasions d'oiseaux se font en direction du nord, et les couples, par la suite, nichent au nord de la frontière de leur aire de répartition. L'Echasse blanche vit seule ou en groupes libres tout au long de l'année. ◡ Le nid est installé dans une touffe de végétation, sur la terre ferme à proximité de l'eau ou directement dans l'eau. La femelle pond 3 à 5 œufs jaune-brun parsemés de quelques taches foncées (44,0 × 31,0 mm) en V.—VI. Elle niche 1× l'an et couve durant 26 jours. Les oisillons quittent le nid à peine éclos et les deux parents s'occupent d'eux à proximité du nid. Les petits sont capables de prendre leur envol dès le 32ème jour. ◐ Elle se nourrit principalement de petits invertébrés aquatiques qu'elle pêche au fond de l'eau ou dans les bas-fonds.
Protection Le nombre des Echasses blanches est important dans quelques endroits seulement. Il est, en général, en voie de régression. La sauvegarde des terrains marécageux et des aires de nidification est absolument nécessaire.

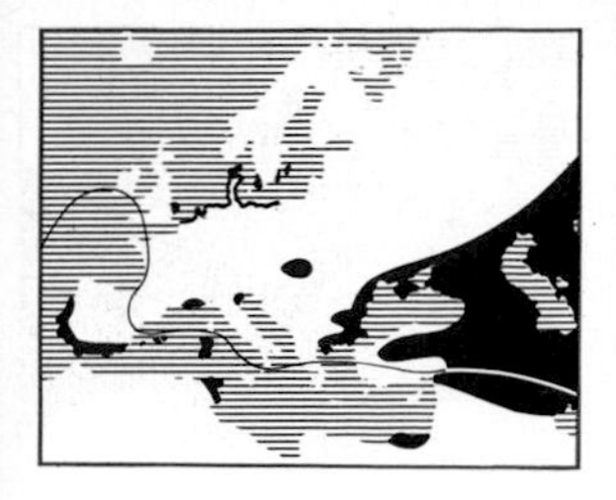

1

Avocette
Recurvirostra avosetta

Détermination
∗ C'est un Limicole de grande taille (43 cm). Il a de longues pattes, un grand cou mince, un long bec incurvé vers le haut. Les oiseaux ad. sont noirs et blancs (1), ♂ = ♀. Les parties noires des oiseaux juv. tirent sur le brun. ✦ Elle aime patauger dans les bas-fonds, où elle recherche sa nourriture en donnant des coups de bec à droite et à gauche. Elle vole en ligne droite, les pattes dépassant largement la queue. ⊙ Elle émet assez fréquemment un «klouiit» doux et mélodieux, son cri d'alarme étant «guig-guig-guig». ♋ On ne peut la confondre avec une autre espèce.
Ecologie ◈ Elle habite les rivages marins plats ainsi que les bas-fonds des eaux salées ou des eaux douces. ∞ On l'observe au bord des eaux. Pour trouver le nid, il est nécessaire de surveiller les oiseaux qui couvent. Les petits, plaqués au sol, ne sont pas faciles à repérer.
Vie et mœurs ↔ C'est un oiseau partiellement migrateur. Il séjourne sur les aires de nidification en III.—IX. Il niche et vit en général en grand nombre, plus rarement seul. ◡ Le nid est un léger creux aménagé dans le sol, à proximité de l'eau, très peu fourni. La femelle pond 3 à 4 œufs jaune-brun clair, parsemés de taches foncées (50,6 × 35,0 mm) en IV.—VII. Elle niche 1× l'an et couve durant 25 jours. Les deux parents prennent soin des petits qui quittent le nid dès l'éclosion et sont capables de prendre leur envol dès le 35ème jour. ◉ Elle se nourrit de petits invertébrés qu'elle se procure dans l'eau des bas-fonds.

Protection Le nombre des Avocettes est important dans certains endroits, ce qui est dû à la sauvegarde des terrains adéquats ainsi qu'au maintien du calme et de la tranquillité autour des aires de nidification.

1

Petit Gravelot
Charadrius dubius

Détermination
✳ Le Petit Gravelot est de la taille d'un Moineau (15 cm). Il a une assez grande tête ronde, dotée d'un petit bec, une queue et des pattes courtes. Ses ailes sont dépourvues de bandes blanches (2). Les oiseaux ad. (1) ont le haut du corps brun, le bas blanc, et la tête présente un dessin noir et blanc expressif ; ♂ = ♀. Le dessin de la tête ainsi que la poitrine des oiseaux juv. sont bruns, et ceux-ci n'ont pas de tache blanche derrière les yeux. ✦ On le voit courir sur les rives plates au bord de l'eau, très vite, sur de petites distances, il s'arrête brusquement et fait quelques mouvements nerveux tel un ressort. Il vole assez bas, vite et pendant la parade nuptiale pratique le vol à «la chauve-souris». Auprès des petits, il fait le blessé. ⊙ Il émet fréquemment un sonore et mélodieux «diu», parfois répété à une fréquence assez rapide. ♋ Deux espèces lui ressemblent : le Gravelot à collier interrompu (*Ch. alexandrinus* — 3, 4), que l'on rencontre essentiellement sur les rivages marins, et le Grand Gravelot *(Ch. hiaticula)* lequel est cependant plus grand, le dessin sur la tête étant plus contrasté, le bec et les pattes étant jaunes, et les ailes présentant une bande blanche bien visible.

Ecologie ◈ Il habite les rivages vaseux ou sablonneux plats des eaux peu profondes à l'intérieur des terres. En dehors de la période de nidification, il séjourne également sur les rivages marins. ∞ On ne le voit que sur les rives plates des eaux. On entend souvent sa voix et on repère facilement les oiseaux en vol. Le comportement des oiseaux adultes permet de trouver le nid ainsi que les petits, mais il est difficile de les trouver directement car les petits et les œufs ont une coloration qui les camoufle.

Vie et mœurs ↔ C'est un oiseau migrateur qui séjourne sur les aires de nidification en III.—IX. ◡ Le nid est un creux aménagé dans le sol, à proximité de l'eau, assez peu fourni. La femelle pond 3 à 4 œufs couleur sable clair, parsemés de fines taches noir-brun (29,8 × 22,2 mm) en IV.—VII. Il niche 1× l'an, séparément et couve durant 25 jours. Les deux parents prennent soin des petits qui quittent assez tôt le nid et sont capables de prendre leur envol dès le 21ème jour. ◕ Il se nourrit de menus invertébrés qu'il ramasse au bord des eaux.

Protection Le Petit Gravelot ne nécessite pas de protection particulière.

1

Grand Gravelot
Charadrius hiaticula

Détermination
✳ Le Grand Gravelot est de la taille d'une Alouette (18 cm). Il a une grande tête ronde dotée d'un petit bec, une queue et des pattes courtes. Une bande blanche traverse les ailes (2) et fait contraste avec le bord postérieur foncé, la queue étant également foncée ; le bec est jaune à pointe noire, les pattes sont jaunes. La tête et la poitrine des oiseaux ad. (1) présentent un dessin noir et blanc expressif ; ♂ = ♀. Le dessin de la tête des oiseaux juv. est brun. On distingue de chaque côté de la poitrine de larges carrés bruns qui ne se rejoignent pas par le milieu. ✦ Il se déplace rapidement, à petits pas, sur les rives vaseuses et sablonneuses et, en proie à l'excitation, il se balance sur ses pattes tel un ressort. Il vole assez bas, détendu. Près du nid et de ses petits, il fait le blessé. ⊙ Il émet un fréquent et mélodieux «py-i». ♋ Le Petit Gravelot lui ressemble particulièrement, mais ce dernier est de taille inférieure, le dessin de sa tête est moins expressif, ses ailes ne portent pas de bande blanche, ses pattes et son bec sont gris-brun, et la queue, près du corps, est blanche sur les côtés.

2

Ecologie ◆ Il vit sur les rivages marins, dans la toundra du Nord et dans les marécages ; en dehors de la période de nidification, il fréquente des rivages plats. ∞ On l'observe facilement pendant la parade nuptiale sur les aires de nidification. L'observation des oiseaux adultes ainsi que des individus qui couvent permet de repérer le nid et les petits. En dehors de la période de nidification, on peut le voir courir sur les rivages plats et évoluer dans les airs.
Vie et mœurs ↭ C'est un oiseau migrateur qui séjourne sur les aires de nidification en III.—X. En dehors de la saison des nids, il vit généralement en groupes et même en troupes. ◡ Le nid est un creux aménagé dans le sol, assez peu fourni. La femelle pond 3 à 4 œufs jaune sable, parsemés de taches foncées (35,2 × 25,6 mm) en III.—VII. Il niche 1—3× l'an, séparément et couve durant 24 jours. Les deux parents s'occupent des petits qui quittent tôt leur nid et sont capables de prendre leur envol dès le 25ème jour. ◕ Il se nourrit de petits invertébrés aquatiques qu'il trouve sur les rivages.
Protection C'est en protégeant les aires de nidification qu'on peut faire œuvre utile pour l'espèce. Actuellement son nombre est relativement important.

1

Pluvier guignard
Eudromias morinellus

Détermination
✳ C'est un Pluvier de la taille d'un Merle (21 cm). Il a un petit cou, une grosse tête ronde, des pattes et une queue jaunes et courtes, des ailes longues et pointues, dépourvues de bande blanche. En livrée nuptiale (1, 2), la tête est grise et blanche, le cou gris, séparé du bas du corps rouge-brun par une bande blanche. ♂ = ♀. En livrée simple et juvénile, les oiseaux sont d'un gris-brun discret, les sourcils blanchâtres se rejoignent en V à la hauteur de l'occiput, une bande blanche traverse la poitrine. ✦ On le voit, sur la terre, courir à petits pas et marquer de fréquents arrêts. Il vole très bas et très vite. ⊙ Il émet un fréquent et sifflant «ouit-i-vi». ♋ En livrée nuptiale, on ne peut le confondre avec une autre espèce. En livrée simple, il ressemble aux Pluviers du genre *Pluvialis* qui sont plus grands, plus vivement colorés, dépourvus de bande claire transversale sur la poitrine, et ses sourcils ne se prolongent pas jusqu'à la hauteur de l'occiput.

2

Ecologie ◆ Il habite la toundra ou la montagne de type subalpin, exceptionnellement même dans les régions situées à plus basse altitude. En dehors de la période de nidification, il vit dans les champs, dans les pâturages et les steppes. ∞ Sur les aires de nidification, il est repérable grâce à sa voix ; l'observation des oiseaux adultes permet de trouver le nid et les petits. En dehors de la période de nidification, il faut inspecter les lieux propices ; il arrive qu'on le rencontre par hasard.
Vie et mœurs ↔ C'est un oiseau migrateur. En dehors de la saison des nids, il vit même en petits groupes. ◡ Le nid est un creux aménagé dans le sol, peu profond, à peine garni, généralement à proximité d'une grosse pierre. La femelle pond 2 à 4 œufs brun olive, tachetés, (41,3 × 28,5 mm) en V.—VI. Il niche séparément 1× l'an, mais les ♀ ♀ polyandres pondent à trois reprises. Il couve durant 24 jours. C'est essentiellement le ♂ qui s'occupe des petits : ceux-ci quittent tôt le nid et peuvent prendre leur envol dès le 30ème jour. ◑ Il se nourrit de menus invertébrés qu'il ramasse par terre.
Protection Son nombre est considérable. Il est utile de protéger ses nids.

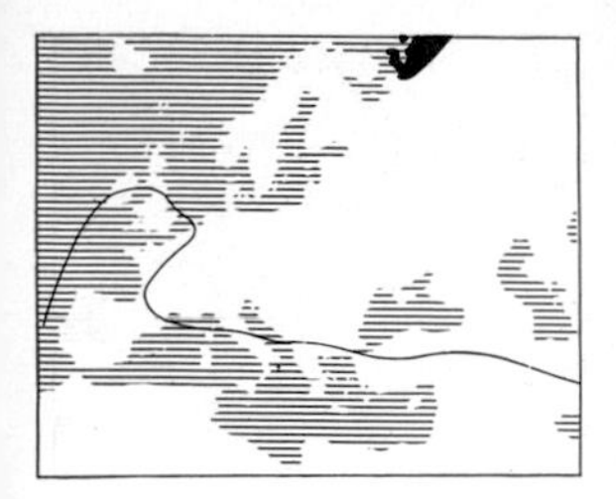

1

Pluvier argenté
Pluvialis squatarola

Détermination
✳ Le Pluvier argenté est de la taille d'un Vanneau (28 cm). Il a une grosse tête ronde, un corps trapu, des pattes assez longues, des ailes larges et pointues. En livrée nuptiale (1), le bas du corps, des yeux au ventre est noir, le haut du corps, blanc, est parsemé de taches foncées, les ailes portent une bande claire, le croupion est blanc, la queue porte des taches disposées en bandes transversales, le dessous des ailes est clair, caractérisé par une tache noire à l'aisselle (2). En livrée simple, les joues portent des taches foncées, le bas du corps est jaune crème; ♂ = ♀. La livrée juv. ressemble à la livrée simple mais elle est dépourvue de sourcils et de front clairs. ✦ Le pluvier argenté court à petits pas précipités sur les terrains vaseux et nus, alternant quelques pas avec un temps d'arrêt. Il vole vite, en ligne droite, et de façon plus détendue que les Pluviers de taille plus petite. ⊙ On entend fréquemment son appel sonore qui rappelle le son de la flûte «dvi-iikh». ♋ Le Pluvier doré (*P. apricaria* — 3) qui vit dans les mêmes régions lui ressemble.
Ecologie ◆ Il habite la toundra, surtout dans ses parties les plus arides. En dehors de la période de nidification, il fréquente essentiellement les rivages marécageux le long des côtes, on peut le voir parfois à l'intérieur des terres. ∞ On le repère grâce à sa voix et nous pouvons l'observer sur les lieux qu'il fréquente habituellement. On cherche le nid en observant les oiseaux adultes et en inspectant l'aire de nidification. Les oiseaux qui ne nichent pas vivent sur les aires de nidification ou en dehors de celles-ci.
Vie et mœurs ↔ C'est un oiseau migrateur. Il séjourne sur les aires de nidification en V.—VIII. En dehors de la saison des nids, il vit en tout petits groupes. ◡ Le nid est posé au sol. La femelle pond 4 œufs brunâtres à taches brun foncé (52,0 × 36,3 mm) en VI.—VII. Il niche 1× l'an, séparément, et couve durant 26 jours. Les deux parents s'occupent de leurs petits en dehors du nid durant 40 jours.
Protection Le Pluvier argenté ne nécessite pas de mesures de protection particulières.

1

Vanneau huppé
Vanellus vanellus

Détermination
✳ Le Vanneau huppé est un Limicole de grande taille (30 cm). Sa tête est ornée d'une huppe pointue caractéristique. Il a un cou et des pattes courts, des ailes larges et arrondies. Le plumage des oiseaux ad. (1) est coloré dans des tons blancs et noirs vivement contrastés. En vol (2), le dessus des ailes est foncé, le bas des ailes côté corps ainsi que la racine de la queue sont blancs; le sommet de la tête, le menton et la gorge de ♀, sombres également, portent de petites taches claires. La huppe des oiseaux juv. est plus courte, le plumage a un aspect brunâtre mêlé de blanc. ✦ On le voit souvent courir et s'arrêter de temps à autre, se redresser et faire des révérences. Il survole fréquemment son territoire. Il vole avec habileté en battant des ailes d'une manière détendue; au printemps, il effectue des vols acrobatiques nuptiaux avec volte-face brutales et mouvements de rotation. ⊙ Il émet souvent un sonore et plaintif «kiouvit» et aussi, lors de ses déplacements migratoires, une sorte de «guiehh». ♋ On ne peut le confondre avec une autre espèce.

2

Ecologie ◆ Il recherche des prés, des pâturages, des champs, toujours à proximité des eaux, ainsi que des rivages marécageux. ∞ Sur les aires de nidification, il est facilement repérable grâce à sa voix et à son vol très particulier. En observant le comportement des oiseaux, on peut découvrir le nid. Les œufs et les petits ont une coloration qui permet un camouflage parfait. En dehors de la période de nidification, il fréquente des berges marécageuses et plates.
Vie et mœurs ↔ C'est un oiseau partiellement migrateur. En dehors de la saison des nids, il vit en troupes importantes. ☋ Il creuse son nid dans le sol et le garnit légèrement. La femelle pond (3) 4 œufs jaune-brun olive parsemés de taches foncées (46,6 × 33,3 mm) en II.—VI. Il niche 1× l'an, en compagnie d'autres couples. Il couve durant 24 jours. Les deux parents s'occupent des petits qui quittent très tôt le nid; ceux-ci sont capables de prendre leur envol dès le 33ème jour. ◉ Il se nourrit de menus invertébrés qu'il ramasse sur le sol.
Protection Dans le passé, on ramassait ses œufs. Le nombre des Vanneaux huppés est actuellement assez élevé. Pour le protéger, il est utile de conserver les milieux où il aime évoluer.

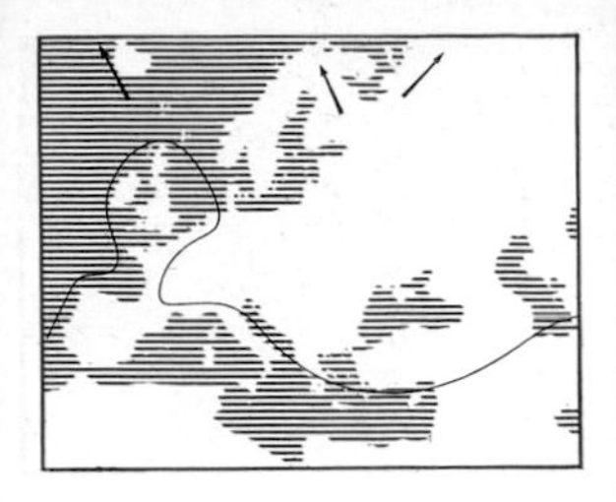

1

Bécasseau sanderling
Calidris alba

Détermination
✱ Ce Bécasseau de la taille d'une Alouette (20 cm) a des pattes courtes et un bec droit aussi long que la tête. En vol (2), une bande blanche bien visible traverse son aile, la queue est grise, blanche des deux côtés de la racine et brun foncé au milieu sur toute la longueur. Le haut du corps des oiseaux en livrée nuptiale est brun tacheté, le bas blanc. En livrée simple, le plumage est très clair : le bas du corps est entièrement blanc, le dessus de la tête ainsi que le dos sont blanc-gris, les poignets de l'aile et les extrémités des ailes sont foncés ; ♂ = ♀. La livrée juv. (1) est à dominante brune sur le sommet de la tête et sur la poitrine, le haut du corps est foncé et tacheté. ✦ Il a l'habitude de courir avec aisance et rapidité au bord de l'eau et derrière les vagues en retraite. Son vol est rapide. ⊙ Il émet, peu souvent, lorsqu'il est dérangé, un «pit pit» bref et expressif, de près, il ne fait entendre qu'un «trrr» assez doux. ♋ Sa taille et son aspect rappellent d'autres Bécasseaux du genre *Calidris*, comme par exemple le Bécasseau maubèche *(C. canutus* — 3*)* et le Bécasseau violet *(C. maritima* — 4*)*, mais sa coloration, la bande blanche de son aile et son comportement lui sont bien particuliers.
Ecologie ◈ Il habite la toundra arctique et les rivages sablonneux, et en dehors de la saison des nids les rivages plats, marins essentiellement. ∞ Pour trouver le nid, il faut observer le comportement des oiseaux adultes, inspecter l'aire de nidification. En dehors de la saison des nids, on peut le voir sur les rives plates.

Vie et mœurs ↔ C'est un oiseau migrateur. Il séjourne sur les aires de nidification en V.—VIII. En dehors de la saison des nids, il vit généralement en groupes. ◡ Le nid est un creux aménagé dans le sol légèrement garni. La femelle pond 3 à 4 œufs d'un vert olive, parsemés de taches foncées (35,6 × 24,6 mm), en VI.—VII. Il niche 1× l'an, séparément, et couve durant 24 jours. Les deux parents s'occupent de leur progéniture qui quitte tôt le nid. Les oisillons sont capables de prendre leur envol dès le 30ème jour. ◑ Il se nourrit de menus invertébrés qu'il ramasse au bord de l'eau.
Protection Le Bécasseau sanderling ne nécessite aucune protection particulière.

1

Bécasseau minute
Calidris minuta

Détermination
✱ Le Bécasseau minute est de la taille d'un Rouge-queue (13 cm). Il a des pattes courtes et un bec droit et mince, plus court que la tête. En vol (4), on remarque une bande claire sur les ailes, une queue gris-blanc et, en son milieu, une large bande longitudinale foncée ; les pattes sont noires. En livrée nuptiale, le dessus du corps est brun, en livrée simple (2), il est gris et parsemé de taches noir-brun, le bas du corps est blanc dans les deux livrées ; ♂ = ♀. Les oiseaux juv. (VII.—XI.) ont le dessus du corps brun tacheté, des taches blanches sur les scapulaires forment un V caractéristique (1). ✦ Il se déplace avec beaucoup d'agilité sur les bords marécageux des eaux ; il vole fréquemment et assez vite. ⊙ Il émet, assez souvent, un «tirr-tit-tit» aigu mais discret. ♋ Le Bécasseau de Temminck (*C. temminckii* —3,5) que l'on trouve dans toute l'Europe, lui ressemble assez bien, mais son dos est unicolore, ses pattes sont claires et sa queue est blanche sur les côtés.
Ecologie ◆ Il habite la toundra marécageuse et les rivages plats et vaseux au bord de l'eau en dehors de la période de nidification. ∞ Il est facile à repérer sur les aires de nidification grâce à son comportement, et pour trouver le nid, il faut inspecter les lieux. En dehors de la période de nidification, il fréquente les rives plates, habituellement en compagnie d'autres espèces de Limicoles.
Vie et mœurs ↔ C'est un oiseau migrateur. Il séjourne sur les aires de nidification en VI.—VIII. En dehors de la période de nidification, il vit en tout petits groupes. ◡ Le nid est un creux faiblement garni, installé sur un terrain assez sec. La femelle pond 4 œufs d'un brun olive parsemés de taches foncées (29,0 × 20,7 mm) en VI.—VII. Il niche séparément et couve durant 20 jours. Les petits quittent le nid dès l'éclosion, et les deux parents prennent soin d'eux. ◔ Il se nourrit de menus invertébrés pêchés au bord de l'eau.
Protection C'est une espèce assez peu connue, pourtant son nombre est important. Il faut assurer une bonne protection des aires de nidification, même en dehors de la saison des nids.

1

Bécasseau variable
Calidris alpina

Détermination
✻ C'est un Bécasseau de taille moyenne (18 cm). Il a un bec légèrement recourbé, plus long que la tête, et des pattes courtes. En vol (2), on remarque une bande claire dans ses ailes, la queue est foncée mais blanche à la racine et séparée en deux par une bande longitudinale foncée. Le haut du corps des oiseaux en livrée nuptiale (1) est brun, parsemé de taches foncées, le bas du corps est noir. En livrée simple, le haut est gris, parsemé de taches foncées, le bas est blanchâtre avec la poitrine grise ; ♂ = ♀. Les oiseaux juv. ont le dos et la poitrine bruns à taches foncées. ✦ Il aime marcher sur les rives plates au bord de l'eau. Il vole vite et, lorsqu'il vole en troupes, il pratique des volte-face subites. Il vit souvent en compagnie d'autres espèces (le Bécasseau minute, le Bécasseau cocorli par exemple). ⊙ Il émet, assez souvent, lorsqu'il a été dérangé, un «tyrr» dur et roulé et, pendant la parade nuptiale, d'autres sons difficiles à définir. ♋ Parmi les espèces semblables, on rencontre, assez couramment dans toute l'Europe le Bécasseau cocorli (*C. ferruginea* — 3) et parfois, en Europe orientale, le Bécasseau falcinelle (*Limicola falcinellus* — 4).
Ecologie ◈ Il aime les terrains marécageux, les tourbières et fréquente, en dehors de la période de nidification, les bords vaseux des eaux. ∞ Il faut observer le comportement particulier des oiseaux à proximité du nid et des petits, et inspecter les lieux.
Vie et mœurs ↔ C'est un oiseau partiellement migrateur. Il séjourne sur les aires de nidification en IV.—VIII. En dehors de la période de nidification, les Bécasseaux variables vivent en troupes, parfois très importantes. ⊗ Le nid est un creux aménagé dans l'herbe, très légèrement garni. La femelle pond 4 à 5 œufs d'un jaune-brun olive, parsemés de taches foncées (34,6 × 24,3 mm) en IV.—VI. Il niche 1× l'an, séparément, et couve durant 17 jours. Les deux parents s'occupent des oisillons qui quittent le nid dès l'éclosion et sont capables de voler dès le 26ème jour. ◑ Il se nourrit de menus invertébrés qu'il se procure sur le sol et dans la vase.
Protection Le Bécasseau variable est véritablement en voie de régression dans les parties méridionales de son territoire ; partout ailleurs, son nombre est important. Il faut sauvegarder et protéger les aires de nidification.

1

Chevalier combattant
Philomachus pugnax

Détermination
✳ Le Chevalier combattant est un Limicole d'assez grande taille (♂ 28 cm, ♀ 22 cm). Il a un cou et des pattes longs, un bec relativement court, qui n'est pas plus long que la tête. En vol (2), une bande blanche, bien visible, forme un V sur ses ailes. En livrée nuptiale, ♂ porte une grande collerette érectile. La coloration du corps, très vive, varie d'un oiseau à l'autre (blanche — brune — noire — verte). ♀ (1) est d'un brun fauve. ♂ en livrée simple est semblable à ♀ mais il est plus grand. Les oiseaux juv. ont la même coloration que ♀, et les contours de leurs plumes dorsales sont fauves. ✦ Il se déplace d'un pas lent dans les bas-fonds ou sur les plages à fond boueux. Son vol est rapide, les troupes opèrent des changements de direction fréquents. Au printemps, les mâles se livrent à des combats caractéristiques. ⊙ C'est un oiseau, en général, silencieux. On ne peut l'entendre que sur les aires de nidification. Lorsqu'il est dérangé, il émet un «gaga» étouffé. ♋ ♂ en livrée nuptiale ne peut être confondu avec une autre espèce ; en livrée simple ♀ et les oiseaux juv. diffèrent des autres espèces courantes de Bécasseaux par leurs longues pattes et des autres Chevaliers par leur bec court.

Ecologie ◆ Il aime les marais, les prés humides, les tourbières ; en dehors de la période de nidification, il fréquente également les bords d'eau vaseux. ∞ Sur les aires de nidification, il est facile à repérer, grâce à son comportement, à proximité du nid, auprès des petits, et lors de la parade nuptiale. En dehors de la saison des nids, on peut l'observer sur les bords vaseux.

Vie et mœurs ↔ C'est un oiseau migrateur. Il séjourne sur les aires de nidification en IV.—X. En période de nidification, les Combattants qui ne nichent pas se rencontrent partout en Europe. Il niche habituellement en groupes ; en dehors de la saison des nids, les Chevaliers combattants vivent en troupes, atteignant parfois un millier d'individus. ⊗ Le nid est un creux aménagé dans l'herbe et légèrement garni. La femelle pond (3—) 4 œufs d'un vert olive clair, parsemés de nombreuses taches foncées (43,5 × 30,6 mm) en V.—VI. Il niche 1 × l'an et ♀ couve durant 21 jours. Les deux parents s'occupent des petits qui quittent le nid bien tôt mais ne sont capables de voler qu'à partir du 26ème jour. ◉ Il se nourrit de menus invertébrés qu'il trouve dans la vase ou dans l'herbe.

Protection Le nombre des Chevaliers combattants est élevé par endroits. La protection des aires de nidification est nécessaire dans la partie méridionale de son territoire.

2

1

Bécassine des marais
Gallinago gallinago

Détermination
✳ C'est une Bécasse de la taille d'un Merle (26 cm). Elle a un cou et des pattes courts ainsi qu'un bec très long et droit. Les adultes (1,5) sont bruns et tachetés, les ailes ne portent ni bande ni signe particulier, la queue est bordée de blanc sur les côtés. ♂ = ♀ = juv. ✦ Elle se tient souvent au bord des eaux et explore la vase de son long bec. A l'approche de l'homme, elle s'envole subitement, souvent même à ses pieds. Elle vole avec rapidité en faisant des zigzags (2). Pendant la parade nuptiale, elle survole son territoire en montant et en descendant alternativement. ⊙ Lorsqu'elle est dérangée, elle lance un «etch-etch» sifflant. Au cours du vol nuptial, l'oiseau, en perdant de l'altitude, fait vibrer les plumes de sa queue, ce qui produit une espèce de bêlement; elle émet également un «tiquè-tiquè» . . . ♋ Parmi les espèces semblables, on rencontre parfois en Europe la Bécassine double *(G. media)* qui se distingue de la Bécassine des marais par sa taille, par le dessin sur sa tête et surtout par son type de vol (3), et la Bécassine sourde (*Lymnocryptes minimus* — 4).

Ecologie ◈ Elle recherche les marais, les tourbières, les prés humides et les bords d'eau marécageux. ∞ Sur l'aire de nidification, on la reconnaît grâce à ses manifestations vocales caractéristiques lors de la parade nuptiale. Le nid est difficile à trouver : il faut fouiller son territoire et effaroucher l'oiseau qui couve. En dehors de la période de nidification, on peut la voir sur les plages vaseuses ou lorsqu'on l'effarouche en la recherchant sur les terrains marécageux.

Vie et mœurs ↔ C'est un oiseau partiellement migrateur. Il séjourne sur les aires de nidification en III.—X. ◡ Le nid est un creux aménagé dans l'herbe, à peine garni. La femelle pond 4 œufs d'un vert olive, parsemés de taches foncées (39,2 × 28,3 mm) en III.—VII. La Bécassine des marais niche 1 (—2?) × l'an et ♀ couve durant 19 jours. Les deux parents s'occupent des petits qui quittent le nid dès l'éclosion et sont capables de voler dès le 20ème jour. ◕ Elle se nourrit de petits invertébrés qu'elle recherche sur le sol ou dans la vase.

Protection La Bécassine des marais n'est pas très prisée des chasseurs. Elle disparaît progressivement des milieux naturels que la main de l'homme transforme. Il faut protéger les aires de nidification et réglementer éventuellement la chasse sur les aires d'hivernage.

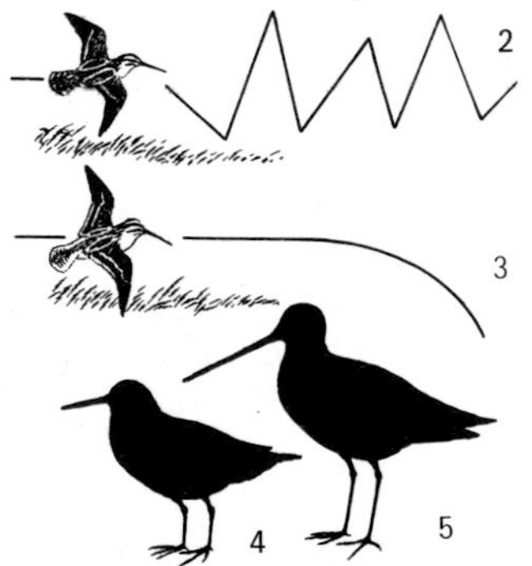

1

Bécasse des bois
Scolopax rusticola

Détermination
✳ La Bécasse des bois est de la taille d'un Vanneau (34 cm). Elle a une petite tête, dotée d'un bec long et droit, de grands yeux posés assez haut, un petit cou, un corps trapu, une queue et des pattes courtes. Le plumage est brun foncé et tacheté (1), ♂ = ♀, et les oiseaux juv. portent des taches sur le front. ✦ Elle vit seule et bien camouflée dans les terrains humides, presque exclusivement dans les forêts. Elle n'attire l'attention que pendant la parade nuptiale, lorsqu'elle survole son territoire ; son vol rappelle un peu celui d'une chauve-souris grâce à un balancement caractéristique de gauche à droite. ⊙ Pendant la «croule», vol nuptial, ♂ émet des sons caractéristiques, presque de façon ininterrompue. C'est un sifflement aigu et discret, suivi d'un cri grave et rauque : «psi-psi-kvorr-kvorr». ♋ On ne peut la confondre avec une autre espèce.
Ecologie ◈ Elle séjourne dans les régions boisées, des plaines à la montagne, surtout dans les fourrés humides. En dehors de la période de nidification, on peut la voir même ailleurs. ∞ Il est possible de la voir et de l'entendre lorsqu'elle survole son territoire (ce qu'on appelle la «passée des Bécasses»). Les Bécasses quittent le couvert et viennent se poser sur les clairières, en bordure de forêt, à la tombée de la nuit, au moment où les étoiles commencent à scintiller. Ces vols se produisent d'habitude lors de l'arrivée des Bécasses (III.—IV.) ou lors d'une deuxième nidification (VI.—VII.). Les lieux de la «passée» sont connus des chasseurs, mais les Bécasses des bois n'y nichent pas forcément ; c'est une présence plus longue qui indique la nidification. Le nid est très difficile à trouver : il est nécessaire d'explorer soigneusement les lieux où elle vit ; la Bécasse ne s'envole qu'à l'approche immédiate de l'homme.
Vie et mœurs ↔ C'est un oiseau migrateur. Elle séjourne sur les aires de nidification en III.—IX. ⍵ Le nid, construit de feuilles mortes, est posé à même le sol, au pied d'un arbre, d'une souche, ou à proximité d'une touffe d'herbe. La femelle pond 4 œufs jaunâtres, parsemés de taches brunes (44,0 × 33,6 mm) en III.—VII. Elle niche 1—2× l'an, séparément et ♀ couve durant 21 jours. Les oisillons quittent le nid dès l'éclosion ; en cas de danger, ♀ les transporte dans un autre endroit. Ceux-ci sont capables de voler dès le 40ème jour. ◉ Elle se nourrit de larves, de vers de terre et d'autres petits animaux qu'elle trouve en fouillant le sol de son bec.
Protection C'est un oiseau très prisé des chasseurs, mais son nombre diminue. Les raisons de cette diminution ainsi que les moyens de protéger l'espèce ne sont pas bien connus.

1

Barge à queue noire
Limosa limosa

Détermination
∗ C'est un Limicole de grande taille (42 cm). Il a une petite tête dotée d'un très long bec droit, un cou et des pattes longs, une queue courte. En vol (2), on remarque une large bande blanche sur les ailes et la queue blanche à extrémité noire. En livrée nuptiale (1), la tête et le cou sont rouge-brun, le haut du corps est gris et roux; en livrée simple, le haut du corps, le cou et la tête sont gris-brun. ♂ = ♀. La livrée juv. est pratiquement semblable, mais le cou est gris, brun sur les côtés, le haut du corps est gris-brun, parsemé de taches foncées. ✦ Elle marche avec lenteur et vole vite, en ligne droite. Pendant la parade nuptiale et lorsque son nid est en danger, elle survole son territoire en lançant des cris sonores. ⊙ Son appel sonore «gvouieh» ressemble au cri du Vanneau. Lorsqu'elle est dérangée, elle lance des «guéguéguék», et au cours de la parade nuptiale elle émet des gémissements rappelant les sons de la flûte : «dïedïodïedïo». ♋ Parmi les espèces semblables, il faut signaler la Barge rousse (*L. lapponica* — 3) qu'on trouve dans toute l'Europe.
Ecologie ◈ Elle recherche les prés humides, les pâturages, les bords de l'eau à petite végétation. En dehors de la saison des nids, elle fréquente des rives marécageuses. ∞ La voix des oiseaux, pendant la parade nuptiale indique l'aire de nidification. Une inspection attentive des lieux permet de découvrir facilement le nid. Les oisillons sortis du nid se plaquent au sol lorsqu'ils sont dérangés et passent tout à fait inaperçus. Les oiseaux adultes sont surtout visibles lorsqu'ils se déplacent au sol ou dans les airs.
Vie et mœurs ↔ C'est un oiseau migrateur. En dehors de la période de nidification, il vit en groupes. La Barge à queue noire séjourne sur les aires de nidification en III.—IX. ◡ Le nid est un creux dans le sol, légèrement garni. La femelle pond 4 œufs vert foncé, parsemés de taches noir-brun (55,1 × 37,8 mm) en IV.—VI. Elle niche 1× l'an et couve durant 23 jours. Les deux parents prennent soin des petits qui quittent le nid dès l'éclosion et peuvent prendre leur envol dès le 30ème jour. ◑ Elle se nourrit de menus invertébrés qu'elle se procure sur le sol ou dans la vase des bas-fonds.
Protection C'est une espèce en régression. Il est nécessaire de préserver les terrains humides.

1

Courlis cendré
Numenius arquata

Détermination
∗ Le Courlis cendré est un Limicole de grande taille (55 cm). Il a une petite tête dotée d'un bec très long et recourbé vers le bas, un cou et des pattes assez longs. Les oiseaux ad. (1) sont brun clair, le plumage est couvert de taches foncées disposées en rayures longitudinales. En vol, il ne présente aucun dessin particulier. ♂ = ♀. Les oiseaux juv. sont plus clairs et leur bec est plus court. ✦ On le voit souvent marcher d'un pas tranquille ; il vole assez lentement. En vol nuptial, il survole son territoire en décrivant des cercles. ⊙ Il émet, pendant la parade nuptiale en particulier, un «tirlouï» parfois répété. ♋ Parmi les espèces semblables, on rencontre, dans toute l'Europe, essentiellement le Courlis corlieu (*N. phaeopus* — 2) dont le nombre n'est pas très élevé et, en Europe orientale, le Courlis à bec grêle *(N. tenuirostris)* qui, lui, est très rare.
Ecologie ◈ Il recherche les prés humides, les pâturages, les tourbières, parfois les champs et, en dehors de la période de nidification, les rives marécageuses. ∞ Les manifestations vocales pendant la parade nuptiale permettent de repérer l'aire de nidification. Le territoire peut, cependant, être défendu même par des individus qui ne nichent pas. Pour trouver le nid, il faut observer le comportement des oiseaux adultes et inspecter les lieux. Malgré un comportement bruyant et agressif des adultes, les petits, une fois conduits hors du nid, sont difficiles à trouver. En dehors de la période de nidification, on le repère grâce à sa voix, ou bien lorsqu'il se déplace et cherche sa nourriture dans la vase des plages.
Vie et mœurs ↔ C'est un oiseau essentiellement migrateur. Il séjourne sur les aires de nidification en III.—X. En dehors de la période de nidification, il vit en général en groupes ou en troupes. ⍨ Le nid est un creux aménagé dans les touffes d'herbe, à proximité de l'eau. La femelle pond (3—) 4 œufs vert-brun, parsemés de taches foncées (67,8 × 47,5 mm) en III.—VI. Il niche 1× l'an, séparément et, lorsque le terrain s'y prête, en compagnie d'un assez grand nombre de couples. Il couve durant 28 jours. Les deux parents guident les petits dans leurs premiers pas ; ceux-ci quittent tôt le nid et sont capables de prendre leur envol dès le 40ème jour. ◔ Il se nourrit de menus invertébrés qu'il se procure sur le sol ou dans la vase.
Protection On constate que, dans les sites transformés par la main de l'homme, son nombre régresse. Il faut assurer la protection des aires de nidification.

2

1

Chevalier arlequin
Tringa erythropus

Détermination
* C'est un Chevalier de la taille d'une Grive draine (30 cm). Il a un cou long et mince, un bec et des pattes longs. Les pattes sont rouges, le bec est noirâtre et rouge à la racine de la mandibule inférieure. En vol (2), le dessus des ailes est uni et la partie blanche du croupion se prolonge jusque sur le dos, à la hauteur des ailes. Les oiseaux ad. (1) en livrée nuptiale, sont quasiment noirs, ♀ est moins fortement colorée et légèrement tachetée. En livrée simple, le dos est gris-brun, le bas du corps blanc. ♂ = ♀. La livrée juv. ressemble à la livrée simple mais elle est plus foncée et plus fortement tachetée. surtout sur la partie inférieure du corps. ✦ Il évolue d'un pas lent sur la terre ferme ou dans les bas-fonds; il vole très vite. La parade nuptiale est marquée par des vols et des cris caractéristiques. ⊙ On l'entend fréquemment; lorsqu'il est dérangé, il lance un «tiouvik» bien sonore. ♋ En livrée simple, le Chevalier gambette *(T. totanus)* lui ressemble beaucoup, mais son plumage est plus fortement tacheté, ses ailes portent une bande blanche bien visible, et sa voix est différente.

Ecologie ◈ Il habite les zones marécageuses dans les forêts de la toundra, et en dehors de la période de nidification les rives marécageuses au bord de la mer ou des eaux douces. ∞ Les voix et le comportement des oiseaux adultes permettent de repérer l'aire de nidification. Pour trouver le nid, il faut observer les oiseaux et inspecter les lieux. En dehors de la période de nidification, c'est la voix du Chevalier arlequin qui nous permet de l'identifier, généralement on l'observe sur les plages vaseuses.

Vie et mœurs ↔ C'est un oiseau migrateur. Il séjourne sur les aires de nidification en V.—IX. En dehors de la période de nidification, il vit d'habitude en troupes. ◡ Le nid est un creux aménagé dans l'herbe. La femelle pond 3 à 4 œufs gris-vert, parsemés de taches foncées (47,1 × 32,3 mm) en V.—VI. Il niche 1 × l'an, le plus souvent séparément, les petits quittent tôt le nid et les deux parents prennent soin d'eux. On n'est guère renseigné ni sur la durée de la couvaison ni sur l'éducation que les parents donnent à leurs petits. ◑ Il se nourrit de menus invertébrés qu'il ramasse sur le sol et sur les plages vaseuses.

Protection Le nombre des Chevaliers arlequins est important. L'espèce ne nécessite aucune mesure de protection particulière.

2

1

Chevalier gambette
Tringa totanus

Détermination
∗ C'est un Limicole de taille moyenne (28 cm). Il a un bec et des pattes longs, un cou mince et assez long, une queue courte. Le bec et les pattes sont d'un rouge vif. En vol (2), on remarque une bande blanche bien visible sur l'extrémité postérieure des ailes, un croupion blanc et une queue gris-brun. Les Chevaliers gambettes ad. (1) ont le dessus du corps brun, parsemé de taches foncées, le bas du corps est blanc ; ♂ = ♀. Les oiseaux juv. sont plus fortement tachetés et plus mats. ✦ On le voit souvent marcher sur la terre ferme. Il vole vite. Pendant la parade nuptiale il survole son territoire de nidification en décrivant des cercles. ⊙ Il émet fréquemment, pendant la parade nuptiale en particulier, un sonore «dya-dya» qui ressemble au son de la flûte, ainsi qu'un cri à trois syllabes «diydydy» ou un «dyiy» simple. ♋ En livrée simple, on pourrait le confondre avec le Chevalier arlequin *(T. erythropus)*. Cependant, le bec de ce dernier n'est rouge qu'à la racine, les pattes sont d'un rouge plus foncé, les ailes sont dépourvues de bande blanche et sa voix est différente.

2

Ecologie ◆ Il recherche les prairies humides, les pâturages, les bords des eaux à petite végétation et, en dehors de la période de nidification, les rives marécageuses. ∞ La voix ainsi que le comportement des oiseaux permettent de repérer l'aire de nidification. Le comportement des oiseaux adultes conduit également au nid et aux petits ; ces derniers, plaqués dans l'herbe, passent facilement inaperçus. En dehors de la période de nidification, on peut observer les oiseaux adultes dans les milieux qu'ils fréquentent. On peut les identifier facilement grâce à leur voix.

Vie et mœurs ↔ C'est un oiseau essentiellement migrateur. Il séjourne sur les aires de nidification en III.—VIII. Il vit seul ou en petits groupes. ◡ Le nid est un creux aménagé dans l'herbe. La femelle pond 4 œufs jaune-brun, parsemés de taches foncées (44,1 × 31,0 mm) en III.—VI. Il niche 1× l'an et couve durant 24 jours. Les deux parents s'occupent des petits qui quittent le nid très tôt et sont capables de prendre leur envol dès le 30ème jour. ◐ Il se nourrit de petits invertébrés qu'il se procure sur le sol ou dans la vase.

Protection C'est une espèce en voie de régression. Il est nécessaire de protéger les aires de nidification.

1

Chevalier aboyeur
Tringa nebularia

Détermination
✳ C'est un Chevalier de grande taille (31 cm). Il a un bec très long et légèrement recourbé vers le haut, un cou et des pattes longs. En vol (2), le dessus des ailes est unicolore, le croupion blanc se prolonge en triangle sur le dos jusqu'au niveau des ailes, la queue est blanche à rayures grises. En livrée nuptiale (1), le haut du corps est brun clair, parsemé de taches foncées, le ventre est blanc. La livrée simple est un peu plus claire, le haut du corps tire sur le gris ; ♂ = ♀. Le plumage des oiseaux juv. est plus brun et plus tacheté. ✦ Il marche, d'un pas lent, au bord des eaux ou dans l'eau, souvent immergé jusqu'à la poitrine ; il nage également ; lorsqu'il poursuit le poisson, ses mouvements s'accélèrent subitement. Il vole vite. ⊙ Il émet fréquemment un «dia dii» flûté et sonore, parfois unisyllabique, et, lorsqu'il est dérangé, un «kiyk-iyk» aigu. ♋ Il arrive qu'on rencontre, en Europe orientale, le Chevalier stagnatile *(T. stagnatilis)* qui est plus petit et plus clair ; il lance un «bi-bi-bi» qui rappelle la trompette.

Ecologie ◗ Il vit dans la toundra et ses forêts, et, en dehors de la période de nidification, sur les rivages plats des mers et des eaux douces. ∞ Les manifestations vocales ainsi que le comportement des oiseaux permettent de repérer l'aire de nidification. Pour trouver le nid et les petits, il faut observer les oiseaux adultes et inspecter les lieux. Les petits, plaqués au sol, passent souvent tout à fait inaperçus. En dehors de la période de nidification, il est possible de voir et d'entendre les oiseaux sur les rivages.

Vie et mœurs ↔ C'est un oiseau migrateur. Il séjourne sur les lieux de nidification en IV.—VIII. Les oiseaux qui ne nichent pas se voient couramment, pendant la période de nidification, même plus au sud. En dehors de la saison des nids, le Chevalier aboyeur vit seul ou en groupes assez dispersés. ◡ Le nid est un creux aménagé dans l'herbe. La femelle pond 4 œufs jaune-brun, parsemés de taches foncées (50,8 × 34,5 mm), en IV.—VI. Il niche 1× l'an et couve durant 24 jours. Les deux parents s'occupent des petits qui quittent tôt le nid et sont capables de prendre leur envol dès le 30ème jour. ◕ Il se nourrit de petits animaux qu'il se procure sur le sol, dans la vase ou dans l'eau.

Protection Le Chevalier aboyeur ne nécessite pas de mesures de protection particulières.

2

1

Chevalier sylvain
Tringa glareola

Détermination
* C'est un Chevalier de la taille d'une Grive (20 cm). Il a un bec plus long que la tête, des pattes longues et jaunes. En vol (2), le dessus des ailes est foncé, le dessous est clair ; le croupion est blanc et la queue porte de fines rayures grises. Les oiseaux en livrée nuptiale ont le haut du corps brun foncé, légèrement tacheté, le bas du corps clair, parsemé de taches plus brunes et le ventre blanc. La livrée simple est semblable mais moins fortement tachetée. ♂ = ♀. Les oiseaux juv. (1) sont plus bruns, les bords de leurs plumes sont jaunâtres.
✦ Il aime marcher sur les rives plates ou dans les bas-fonds. Il vole vite. Lors de la parade nuptiale, il survole son territoire en décrivant des cercles. En compagnie de leurs petits, les oiseaux adultes deviennent agressifs. ⊙ Il lance, fréquemment, un cri polysyllabique «di-di-dididi» sonore et doux ; lors de la parade nuptiale, il émet un «didldidl» répété et bien marqué. | ♋ Parmi les espèces semblables, on rencontre surtout le Chevalier cul-blanc *(T. ochropus* — 3), présent dans toute l'Europe.
Ecologie ◆ Il recherche les tourbières, les prairies humides et les terrains fréquemment inondés. En dehors de la période de nidification, il fréquente les rives plates des eaux douces principalement. ∞ Le comportement ainsi que les manifestations vocales des oiseaux lors de la parade nuptiale permettent de repérer l'aire de nidification. Pour trouver le nid, il faut observer les oiseaux ou inspecter l'aire de nidification. Les oisillons sont difficilement repérables hors du nid. En dehors de la période de nidification, c'est la voix de l'oiseau ainsi qu'une observation patiente des lieux fréquentés qui nous conduisent à lui.

Vie et mœurs ↔ C'est un oiseau migrateur. Il séjourne sur les aires de nidification en IV.—VIII. Pendant la saison des nids, les oiseaux qui ne nichent pas demeurent dans les régions méridionales. En dehors de la période de nidification, il vit d'habitude en groupes ou en grandes troupes. ☋ Le nid est un creux aménagé dans l'herbe. La femelle pond 4 œufs couleur ocre clair, parsemés de taches foncées (38,4 × 26,4 mm) en IV.—VI. Il niche 1× l'an, séparément et couve durant 23 jours. Les oisillons quittent le nid dès l'éclosion. Les deux parents se chargent ensemble de l'éducation de leur progéniture pendant les dix premiers jours, puis l'un d'eux poursuit seul cette tâche. ◕ Il se nourrit de menus invertébrés qu'il se procure sur le sol ou dans la vase.
Protection Le nombre des Chevaliers sylvains est assez considérable. L'espèce ne nécessite pas de protection particulière.

1

Chevalier guignette
Actitis hypoleucos

Détermination
∗ C'est un petit Chevalier (20 cm) de la taille d'un Etourneau. Il a un bec aussi long que la tête et des pattes très courtes. Une bande blanche bien visible traverse les ailes, la queue est foncée au milieu, claire à l'extrémité (2). En livrée nuptiale (1), les Chevaliers guignettes ont le haut du corps gris-brun foncé, le bas du corps blanc et la gorge gris-brun. La livrée simple est plus brune et moins tachetée. ♂ = ♀. En livrée juv, les contours jaune-brun des plumes du dos forment des taches bien marquées. ✦ Lorsqu'il marche sur les berges, son corps est penché à l'avant, il balance son arrière-train de haut en bas et secoue fréquemment la tête. Il vole vite, au ras de l'eau, donne des coups d'ailes rapides et énergiques par intermittence, les ailes pendantes. Lors du vol nuptial, il survole son territoire en décrivant des cercles. ☉ Il émet fréquemment, pendant la parade nuptiale en particulier, un clair et perçant «hididi». ♋ Il se distingue des petits Chevaliers par ses pattes courtes, des Bécasseaux par son bec assez long, son comportement et sa voix.

2

Ecologie ◈ Il vit sur les berges d'eau douce, sur les alluvions sablonneuses et caillouteuses en particulier ainsi que sur les fonds vaseux des plans d'eau. En dehors de la période de nidification, il fréquente également les rivages marins. ∞ On le repère grâce à sa voix ; on peut aussi surveiller les lieux qu'il fréquente. Le nid et les oisillons sont difficiles à trouver, bien que les adultes se fassent remarquer pendant la parade nuptiale et lorsqu'ils se trouvent en compagnie des petits. En dehors de la période de nidification, on peut le repérer grâce à sa voix, le soir en particulier, en l'observant sur son terrain ou en l'effarouchant.
Vie et mœurs ↔ C'est un oiseau migrateur. Il séjourne sur les aires de nidification en IV.—VIII. Il vit seul tout au long de l'année. ☋ Le nid est un creux aménagé dans le sol, à proximité d'une touffe d'herbe, légèrement garni. La femelle pond (3—) 4 œufs jaune-brun, parsemés de taches gris-brun (36,1 × 25,8 mm) en IV.—VI. Il niche 1 × l'an et couve durant 22 jours. Les deux parents prennent soin des petits qui quittent tôt le nid et sont capables de prendre leur envol à partir du 27ème jour. ◕ Il se nourrit de menus invertébrés qu'il se procure au bord de l'eau.
Protection Les Chevaliers guignettes sont nombreux. Les travaux d'aménagement des cours d'eau constituent une menace pour les aires de nidification.

1

Tourne-pierre à collier
Arenaria interpres

Détermination
∗ C'est un petit Limicole de la taille d'une Grive (23 cm). Il a un cou et des pattes courts, un bec plus court que la tête, conique, légèrement recourbé vers le haut. En vol, on remarque deux bandes blanches sur ses ailes, ainsi qu'un V noir sur la queue. La livrée nuptiale (2) est multicolore, vivement contrastée : noire, grise, blanche, brune. La partie supérieure de la tête du ♂ est presque blanche, la poitrine noire ; le sommet de la tête de ♀ porte des taches foncées, la poitrine est noire, parsemée de taches claires. En livrée simple (1, 3) le haut du corps est entièrement gris-brun, la poitrine porte des taches noires, le menton est blanc et les pattes sont orange. Les oiseaux juv. ressemblent aux adultes en livrée simple, mais ils sont plus bruns, tachetés, et leurs pattes sont jaunâtres.
✦ On le voit marcher d'un pas lent sur les berges ; là, il soulève à l'aide de son bec des pierres de taille relativement réduite. Au cours de la parade nuptiale, les mâles se livrent des luttes acharnées et survolent leur territoire d'un vol bas et chancelant. ⊙ Il émet souvent, à la tombée de la nuit et pendant la nuit, surtout en période de migration, un «khya-kea» rude, parfois un «khihkhihkhih» bien martelé et, en période d'excitation, un «tiyktiyktiyk-rurrurrurrur» typique. ♋ On ne peut le confondre avec une autre espèce.

2

3

Ecologie ◈ Il habite les rivages marins plats, sablonneux et pierreux en particulier, et les rives marécageuses à l'intérieur des terres. ∞ Les manifestations bruyantes et frappantes perçues au cours de la parade nuptiale permettent de repérer l'aire de nidification. Pour trouver le nid, il faut surveiller l'aire de nidification et inspecter les lieux. Le comportement des oiseaux adultes révèle la présence des oisillons. En dehors de la période de nidification, il faut observer les oiseaux sur les rivages marins.
Vie et mœurs ↔ C'est un oiseau partiellement migrateur. Il séjourne sur les aires de nidification en IV.—IX. ☋ Le nid est un creux installé sur le sol au milieu des pierres. La femelle pond (3—) 4 œufs brun-vert, parsemés de taches couleur olive (40,7 × 29,2 mm) en V.—VII. Il niche 1× l'an, séparément et couve durant 23 jours. Les deux parents prennent soin des petits qui quittent tôt le nid et sont capables de prendre leur envol dès le 20ème jour. ◉ Il se nourrit de menus invertébrés trouvés sur les rivages.
Protection Le Tourne-pierre à collier ne nécessite pas de mesures de protection particulières. C'est une espèce rare à l'intérieur des terres, mais nombreuse le long des rivages marins.

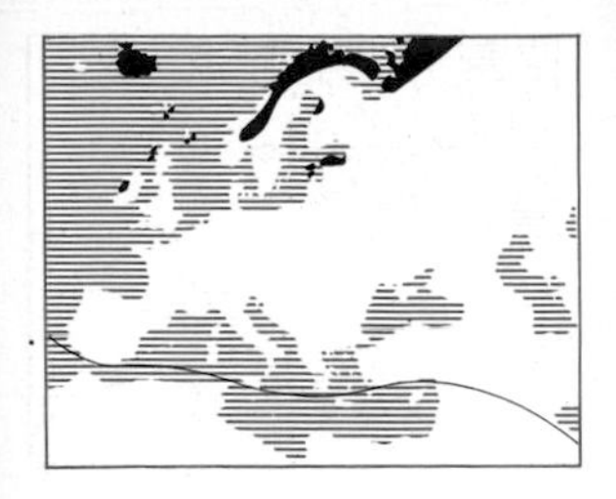

1

Phalarope à bec étroit
Phalaropus lobatus

Détermination
✱ C'est un Limicole de petite taille (16 cm). Il a un cou et des pattes courts, un bec fin qui n'est pas plus long que la tête. Ses ailes portent une bande blanche bien visible, le croupion ainsi que la queue sont noir-brun, blanchâtres aux extrémités. La livrée nuptiale a le dessus gris foncé, les plumes ont des contours roux, le bas du corps est blanc, seule la poitrine est grise, le menton est bordé d'une fine bande rouge-brun. ♂ est d'un brun plus prononcé. En livrée simple, le haut du corps est gris, parsemé de taches foncées, le bas est blanc, le front et les sourcils sont également blancs, une raie foncée traverse l'œil; ♂ = ♀. La livrée juv. (1) est semblable à la livrée simple mais le dessus est bien plus foncé, il tire plutôt sur le noir-brun. ✦ Lorsqu'il nage, son corps semble à peine posé sur l'eau (2) et il opère un pivotement sur lui-même lorsqu'il cherche sa nourriture. En vol, il avance avec rapidité et aisance. ⊙ Il émet, de temps à autre, un «pitpit» perçant et aigu. ♋ Attention, il ne faut pas le confondre avec les petits Bécasseaux du genre Calidris dont il a le profil.

2

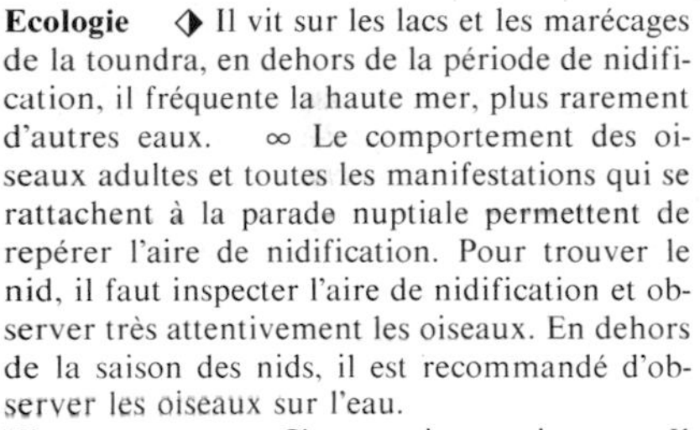

Ecologie ◈ Il vit sur les lacs et les marécages de la toundra, en dehors de la période de nidification, il fréquente la haute mer, plus rarement d'autres eaux. ∞ Le comportement des oiseaux adultes et toutes les manifestations qui se rattachent à la parade nuptiale permettent de repérer l'aire de nidification. Pour trouver le nid, il faut inspecter l'aire de nidification et observer très attentivement les oiseaux. En dehors de la saison des nids, il est recommandé d'observer les oiseaux sur l'eau.
Vie et mœurs ↔ C'est un oiseau migrateur. Il hiverne en haute mer, rarement à l'intérieur des terres, et il séjourne sur les aires de nidification en V.—X. En dehors de la période de nidification, il vit seul ou en petits groupes. ⊛ Le nid est un creux aménagé dans l'herbe. La femelle pond 4 œufs brun olive, fortement parsemés de nombreuses taches foncées (29,5 × 20,7 mm) en V.—VI. Il niche 1× l'an, d'habitude en petites colonies et ♂ couve durant 20 jours. ♂ seul s'occupe des petits qui quittent tôt le nid et peuvent prendre leur envol dès le 20ème jour. ◕ Il se nourrit de menus invertébrés qu'il se procure à la surface de l'eau.
Protection C'est une espèce peu nombreuse. Elle ne nécessite pas de mesures de protection particulières.

1

Grand Labbe
Stercorarius skua

Détermination
✳ Le Grand Labbe a la taille d'un Faisan (56 cm). Il a un bec puissant, un corps trapu, une queue courte, légèrement cunéiforme (2). Le plumage des oiseaux ad. (1) est brun foncé, parsemé de taches claires, les ailes portent une tache blanche bien nette à la racine des rémiges primaires ; ♂ = ♀. Le plumage des oiseaux juv. est plus roux, les taches ont une forme arrondie, et la tache blanche des ailes est plus étroite. ✦ Il vole en battant des ailes avec lenteur et facilité, pratique le vol à voile de temps à autre ; lorsqu'il poursuit des oiseaux qui emportent quelque prise, son vol s'accélère, il pratique des zigzags et parfois il attaque en fondant sur sa proie, la tête la première. Il nage avec agilité. Il se montre très agressif sur les aires de nidification. ⊙ On l'entend de temps à autre. Lorsqu'il attaque, il émet un «tak-tak» guttural, suivi d'un «skirr» rauque et d'un «ok ok» plus grave, qui rappelle l'aboiement. ♋ Trois autres espèces de Labbe vivent en Europe septentrionale, mais ils sont plus petits et la forme de leur queue est différente : le Labbe parasite *(S. parasitus* — 4), le Labbe pomarin (*S. pomarinus* — 3) et le Labbe à longue queue (*S. longicaudus* — 5).

Ecologie ◆ Il niche dans les tourbières des régions septentrionales et dans la toundra. En dehors de la saison des nids, il vit en mer, moins souvent sur les rivages, exceptionnellement sur les eaux à l'intérieur des terres. ∞ La concentration des oiseaux et leurs vols incessants permettent de repérer l'aire de nidification ; le comportement des oiseaux, à proximité du nid, se caractérise par des mouvements particulièrement agressifs. Les nids ne sont pas couverts. En dehors de la saison des nids, on ne voit les oiseaux que fortuitement.

Vie et mœurs ↔ C'est un oiseau migrateur qui hiverne sur l'Atlantique. Il séjourne sur les aires de nidification en III.—IX. En dehors de la saison des nids, il vit seul ou en groupes libres. ◡ Le nid est un creux aménagé sur le sol. La femelle pond (1—) 2 œufs vert-brun olive, parsemés de taches brunes (73,0 × 49,4 mm) en V.—VI. Il niche 1× l'an, en colonies, et couve durant 29 jours. Les deux parents prennent soin des petits qui restent à proximité du nid et sont capables de prendre leur envol dès le 44ème jour. ◑ Il se nourrit de différents vertébrés qu'il ravit aux Mouettes et aux Sternes, ainsi que de charognes.

Protection C'est une espèce rare. Il est nécessaire de la protéger au moyen de lois et d'assurer la tranquillité des aires de nidification.

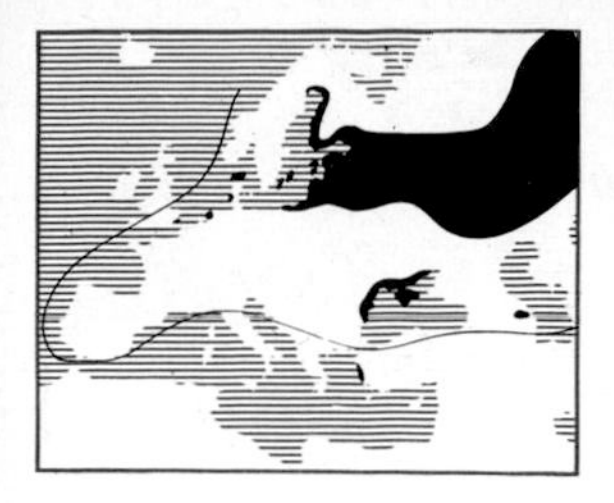

1

Goéland pygmée
Larus minutus

Détermination
∗ C'est la plus petite des Mouettes (28 cm), de la taille d'une Tourterelle. Le Goéland pygmée a la tête ronde, le bec fin et les ailes fortement arrondies. En livrée nuptiale (2) un capuchon noir descend jusqu'à la nuque, le dessus des ailes est gris, le dessous noir, blanc à l'extrémité. En livrée simple (1), la tête gris clair porte une calotte gris-noir et une tache noire à l'arrière des yeux. ♂ = ♀. La tête des oiseaux juv. (3) est la même que celle des oiseaux en livrée simple, le bas des ailes est blanc, le haut est gris et une bande noire forme un M écarté lorsque l'oiseau est vu de derrière. ✦ Le Goéland pygmée vole avec maîtrise, assez bas au-dessus de l'eau, prend parfois de la vitesse, s'arrête et exécute une volte-face inattendue. Il nage, avec une grande facilité, à peine posé sur l'eau. On le voit fréquemment en compagnie des autres Mouettes. ⊙ Il émet peu souvent un «kek», bien sonore, parfois répété. ♋ En livrée nuptiale, on ne peut le confondre avec une autre espèce. Les oiseaux juv. rappellent la Mouette tridactyle *(Rissa tridactyla)* et la Guifette noire *(Chlidonias niger)*.
Ecologie ◈ Il recherche les eaux à végétation marécageuse, en général au bord des rivages marins, plus rarement à l'intérieur des terres. ∞ Pour repérer l'aire de nidification, il faut observer les oiseaux adultes (il faut faire attention aux individus qui ne nichent pas). Si l'on veut découvrir le nid, il est recommandé de regarder attentivement les oiseaux qui se posent et inspecter les lieux. En dehors de la période de nidification, on peut observer les Goélands pygmées sur l'eau.
Vie et mœurs ↔ C'est un oiseau migrateur. Il séjourne sur les aires de nidification en IV.—IX. ⊗ Il installe son nid sur l'eau ou dans la végétation, souvent dans les colonies des Mouettes rieuses *(L. ridibundus)* ou des Sternes Pierre-Garin *(Sterna hirundo)*. La femelle pond 3 œufs brun olive, parsemés de taches foncées (41,5 × 30,1 mm) en V.—VI. Il niche 1× l'an, en groupes, et couve durant 22 jours. Les deux parents prennent soin des petits qui restent à proximité du nid et sont capables de prendre leur envol dès le 24ème jour. ◐ Il se nourrit principalement de menus invertébrés qu'il chasse à la surface de l'eau ou en vol.
Protection C'est une espèce assez nombreuse. Il est nécessaire d'assurer la protection des aires de nidification.

1

Mouette rieuse
Larus ridibundus

Détermination
* C'est une petite Mouette (35 cm) de la taille d'un Pigeon. Elle a une petite tête dotée d'un bec fin. Le bec et les pattes sont rouges. En livrée nuptiale (1, 3), la partie supérieure de la tête est brun-noir, en livrée simple la tête, blanche, porte une petite calotte grise et une tache brun foncé à l'arrière des yeux. ♂ = ♀. La livrée juv. (2) a le même aspect que la livrée simple, mais on remarque des plumes brunes dans les ailes et une bande noire transversale qui termine la queue. ✦ Elle vole de façon remarquable, pratique le vol à voile en décrivant des cercles. Au cours de longs déplacements, les troupes de Mouettes rieuses adoptent une formation en V. Elle nage avec aisance, marche et court sur la terre ferme avec agilité. Sur les aires de nidification, elle est bruyante et agressive. ⊙ Elle émet fréquemment un «krèpe» sonore qui ressemble à un gros rire, un «kverr» ou «kriririp» d'alarme, et d'autres sons. ♋ Parmi les espèces semblables, la Mouette mélanocéphale *(L. melanocephalus)* est largement répandue dans tout le sud-est de l'Europe. Cependant, sa capuche descend jusqu'à la nuque, et des cercles jaunes et blancs entourent les yeux.

2

3

Ecologie ◐ Elle habite des marécages et des plans d'eau avec îlots. En dehors de la saison des nids, elle fréquente également d'autres eaux à l'intérieur des terres ou au bord de la mer ; on peut la trouver même loin de l'eau, elle se plaît également en ville. ∞ On peut la voir et l'entendre sans difficultés dans les endroits cités plus haut.

Vie et mœurs ↔ C'est un oiseau principalement migrateur. Il séjourne sur les aires de nidification en III.—VII., puis il se disperse dans toutes les directions. En dehors de la période de nidification, il vit en troupes, plus rarement seul. ◡ La Mouette rieuse installe son nid sur l'eau, dans la végétation et même sur le sol. La femelle pond 3 œufs vert foncé, parsemés de nombreuses taches sombres (51,9 × 36,7 mm) en IV.—VII. Elle niche 1× l'an, en colonies et couve durant 23 jours. Les deux parents prennent soin des petits qui évoluent à proximité du nid et sont capables de prendre leur envol dès le 27 ème jour. ◉ Elle se nourrit principalement de petits animaux et, dans une mesure moins importante, de fruits, de baies (cerises) et de déchets. Elle se procure sa nourriture sur la terre ferme, sur les arbres, dans l'eau et dans les airs.

Protection Par endroits, l'espèce est en surnombre. Elle ne nécessite pas de mesures de protection particulières.

1

Goéland cendré
Larus canus

Détermination
✱ Le Goéland cendré est nettement plus grand que la Mouette rieuse (40 cm). Il a une tête ronde dotée d'un bec de taille moyenne et une queue arrondie. La livrée ad. (1, 3) est blanc-gris, la pointe des ailes est noire et parsemée de fines taches blanches, le bec est vert, les pattes sont jaunes. ♂ = ♀. Les oiseaux juv. (2) ont le sommet de la tête brun clair, le dos et le haut des ailes sont noir-brun, la queue est blanche, terminée par une large bande brun foncé. ✦ Il vole moins vite que la Mouette rieuse, le battement de ses ailes est plus détendu. Il accompagne les navires. C'est un bon nageur. On le voit souvent posé sur les rives. ⊙ Il lance, de temps à autre, des «gué gué», «guié» aigus et perçants. ♋ On rencontre dans toute l'Europe le Goéland argenté *(L. argentatus)* qui lui ressemble. Il est cependant plus grand et possède un bec plus puissant. Dans les troupes de Mouettes rieuses, le Goéland cendré se distingue par une taille plus grande, sa tête à front haut est ronde, son bec est plus puissant, et les oiseaux juv. ont un plumage brun.

2 3

Ecologie ◈ En période de nidification, il vit principalement sur les rivages marins, à proximité des lacs, dans les marais et les collines le long des côtes. En dehors de cette période, il fréquente les rivages, mais on le voit aussi très souvent à l'intérieur des terres, à proximité des grands cours d'eau, des grands étangs et des barrages. ∞ C'est à proximité des eaux qu'on l'observe, qu'il niche ou qu'il évolue au-dessus des aires de nidification.

Vie et mœurs ↔ C'est un oiseau essentiellement migrateur. Il séjourne sur les aires de nidification en IV.–X. En dehors de la saison des nids, il vit en groupes libres. ꙍ Les nids sont installés au sol, dans des cavités, dans les vieux nids sur les arbres, exceptionnellement dans les falaises. La femelle pond 3 œufs brun olive, parsemés de taches foncées (56,2 × 40,8 mm) en V.–VI. Il niche 1× l'an, en colonies, couve durant 23 jours. Les deux parents prennent soin des petits qui évoluent à proximité du nid et sont capables de prendre leur envol dès le 35ème jour. ◕ Il se nourrit de menus invertébrés qu'il se procure sur la terre ferme ou dans l'eau.

Protection C'est une espèce dont le nombre déjà important ne cesse d'augmenter. Le Goéland cendré ne nécessite aucune mesure de protection particulière.

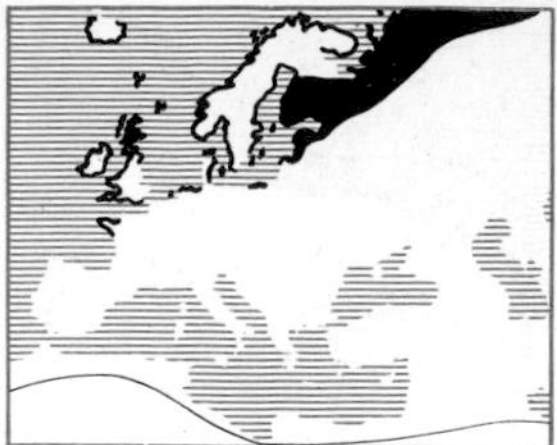

1

Goéland brun
Larus fuscus

Détermination
✳ C'est une grande Mouette (53 cm) dotée d'un bec puissant et d'une queue très arrondie. Les oiseaux ad. ont la tête, le bas du corps et la queue blancs, le haut du corps et les ailes gris ardoise *(L. f. graellsii)* et même noirs *(L. f. fuscus* — 1). Il a un bec jaune à tache noire, les pattes sont jaunes ou couleur chair. ♂ = ♀. Les oiseaux juv. ont le sommet de la tête brun clair, le dos et le haut des ailes brun foncé et tacheté. Au cours de la deuxième année de l'oiseau, le dos est déjà plus foncé, au cours de la troisième année, c'est le haut des ailes qui fonce mais la queue est encore tachetée. ✦ Il vole avec un battement d'ailes lent et détendu. On le voit souvent posé sur le rivage et quand il s'envole, il prend un petit élan. Il suit souvent les navires. C'est un bon nageur. ⊙ Il lance fréquemment des cris sonores qui rappellent des miaulements, des aboiements et des éclats de rire. ♋ On rencontre partout en Europe le Goéland argenté *(L. argentatus)* dont les oiseaux juv. sont quasiment identiques aux oiseaux juv. du Goéland brun ; plus au nord de l'Europe, le Goéland marin (*L. marinus*, 2 — oiseau ad., 3 — oiseau juv.) lui ressemble également.

Ecologie ◆ Il vit sur les rivages plats et sablonneux des mers. En dehors de la période de nidification, il fréquente la haute mer. ∞ Il faut l'observer principalement sur les rivages marins ou sur les eaux d'assez grande étendue à l'intérieur des terres. Le va-et-vient incessant des oiseaux ainsi que leur comportement permettent de repérer l'aire de nidification.

Vie et mœurs ↔ C'est un oiseau essentiellement migrateur. Il vit en groupes libres. Il séjourne sur les aires de nidification en IV.—X. ⊗ Le nid est installé dans l'herbe, dans le sable ou au milieu des pierres. La femelle pond 3 œufs brun olive, parsemés de taches foncées (67,0 × 46,7 mm) en IV.—VI. Il niche 1× l'an, en colonies et couve durant 27 jours. Les deux parents prennent soin des petits qui évoluent à proximité du nid et sont capables de prendre leur envol dès le 35ème jour. ◉ Il se nourrit de différents animaux marins et de leurs restes qu'il ramasse dans l'eau ou sur les rivages.

Protection Il est considéré comme un oiseau prédateur des autres espèces qui vivent sur les rivages. Le Goéland brun ne nécessite pas de protection particulière.

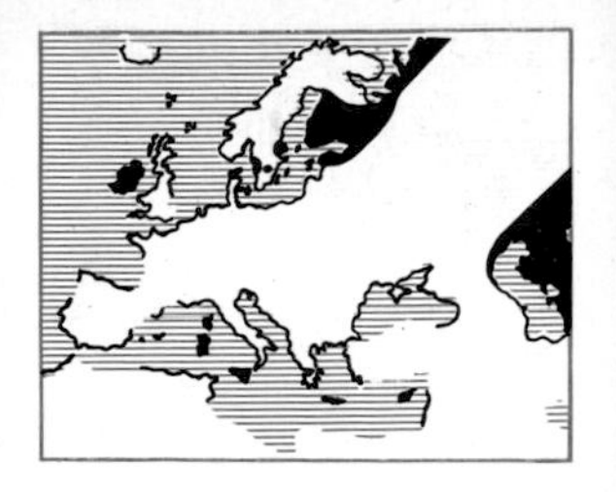

1

Goéland argenté
Larus argentatus

Détermination
✻ Le Goéland argenté est de la taille du Goéland brun (56 cm). Il a, lui-aussi, un bec puissant, une queue arrondie, et une tête blanche mais les oiseaux ad. (1, 2) ont le bas du corps et la queue blancs, le haut des ailes et le dos gris clair. Le bec jaune porte une tache rouge. Les pattes des ssp. originaires de l'Europe méridionale *(L. a. cachinnans, L. a. michahellis)* ainsi que celles de quelques populations originaires de l'Europe septentrionale (*«omissus»)* sont jaunes, chez d'autres espèces elles sont couleur chair. ♂ = ♀. Les oiseaux juv., au cours de leur première année, ont la même coloration que les jeunes du Goéland cendré *(L. fuscus)* et leur dos commence à devenir gris au cours de la deuxième année. ✦ Il vole avec un battement d'ailes lent et détendu. Il accompagne les navires. On le voit souvent posé sur les rivages où il consomme les déchets. Il prend un petit élan pour s'envoler. C'est un bon nageur. ⊙ Il émet souvent des cris sonores qui rappellent des éclats de rire, des miaulements et des aboiements. ♋ Une espèce lui ressemble particulièrement : le Goéland brun *(L. fuscus)*. Il est pratiquement impossible de distinguer les oiseaux juv. de ces deux espèces.
Ecologie ◆ Il vit sur les rivages marins, sur les grandes retenues d'eau et les cours d'eau à l'intérieur des terres. ∞ Il faut l'observer surtout sur les rivages marins et sur les grandes étendues d'eau à l'intérieur des terres. Pour repérer l'aire de nidification, il faut surveiller les grandes concentrations d'oiseaux, leur va-et-vient incessant, leur comportement. Il faut également inspecter les lieux fréquentés et contrôler les nids.
Vie et mœurs ↔ L'espèce est sédentaire et partiellement migratrice. Les Goélands argentés vivent en grand nombre même en dehors de la saison des nids. Ils séjournent sur les aires de nidification en IV.—VII. ⊗ Le nid est posé à même le sol, parfois on le voit même sur les bâtiments. La femelle pond 3 œufs jaune-brun olive, parsemés de taches foncées (70,5 × 49,1 mm), en IV.—VI. Il niche 1× l'an et couve durant 26 jours. Les deux parents prennent soin des petits qui évoluent à proximité du nid et sont capables de prendre leur envol dès le 37ème jour. ◉ Il se nourrit de différents animaux marins, d'œufs, de petits oisillons et de déchets qu'il se procure sur la terre ferme ou dans l'eau.
Protection On le considère comme un oiseau prédateur des autres espèces. Il est même trop nombreux par endroits. Il ne convient pas de le protéger, son nombre est contingenté par endroits.

2

1

Mouette tridactyle
Rissa tridactyla

Détermination
✳ La Mouette tridactyle est à peine plus grande que la Mouette rieuse (41 cm). Sa tête ronde est dotée d'un bec fin, ses pattes sont courtes. L'oiseau ad. (3) est blanc, le dos et le haut des ailes sont gris, la pointe des ailes est noire. ♂ = ♀. L'oiseau juv. (1, 2) a la tête blanche, la nuque porte une bande noire transversale, une bande noire traverse dans un mouvement de zigzag le haut des ailes (vue de derrière elle forme un M écarté) et la queue est également bordée de noir. ✦ Elle vole avec aisance, un peu à la manière des Sternes, souvent en troupes, très bas au-dessus de l'eau. C'est une bonne nageuse. ⊙ Hors de l'aire de nidification, elle est quasiment muette ; sur les aires de nidification, elle émet un «kitti-veïk» caractéristique. ♋ Les oiseaux ad. de la Mouette tridactyle ne doivent pas être confondus avec le Goéland cendré *(L. canus)*, car l'extrémité de ses ailes noires est tachée de blanc et la queue est arrondie. Les oiseaux juv. de la Mouette tridactyle ne doivent pas être confondus avec le Goéland pygmée *(L. minutus)*, lequel est plus petit, dépourvu de bande noire à la nuque et présente une calotte noire.

2

3

Ecologie ◑ Elle vit en mer, niche sur les saillies rocheuses et même sur les bâtiments. ∞ On peut la voir essentiellement sur les rivages marins et pour trouver l'aire de nidification, il faut être particulièrement attentif à la concentration des oiseaux, à la direction de leurs déplacements et à leur comportement. Le nid doit être contrôlé de visu.

Vie et mœurs ↔ C'est un oiseau migrateur et erratique. En dehors de la période de nidification, il vit en troupes, dans les régions de l'Atlantique principalement. Il séjourne sur les aires de nidification en IV.—IX. ❦ Les nids sont installés sur les saillies rocheuses. La femelle pond deux œufs vert-brun pâle, parsemés de taches foncées (50,6 × 41,2 mm) en V.—VI. Il niche 1 × l'an, en colonies, et couve durant 27 jours. Les deux parents prennent soin des petits qui évoluent à proximité du nid et sont capables de prendre leur envol dès le 43ème jour. ◑ La Mouette tridactyle se nourrit de différents animaux marins qu'elle ramasse dans l'eau.

Protection Elle ne nécessite aucune mesure de protection particulière. Il suffit de protéger les aires de nidification.

1

Sterne Pierre-Garin
Sterna hirundo

Détermination
✳ C'est une Sterne de taille moyenne (35 cm). Elle a un corps élancé, des ailes longues et pointues, des pattes courtes et une queue longue et fourchue. La livrée nuptiale (1) est blanche, le haut du corps est gris, la tête porte une calotte noire, le bec est rouge à pointe noire, les pattes sont rouges. En livrée simple, le front est blanc, les pattes et le bec sont foncés. ♂ = ♀. La livrée juv. ressemble à la livrée simple mais le haut du corps est brun, tacheté. la racine du bec et les pattes sont jaunâtres. ✦ Les Sternes Pierre-Garin vivent en groupes et on les voit souvent posées sur les rives ou sur tout objet qui émerge de l'eau (poteaux par exemple). Le vol (2) de la Sterne donne une impression de légèreté : à chaque coup d'aile, l'oiseau remonte légèrement. Elle change souvent et subitement le sens de son vol, pratique parfois le vol vibré audessus de l'eau et plonge, la tête la première. En vol, elle tient souvent un poisson dans le bec. ⊙ Elle lance fréquemment un «kirr kirr krriér» perçant, et lorsqu'elle attaque un intrus, elle émet un «kikikiki» aigu. ♋ Deux espèces lui ressemblent particulièrement : la Sterne arctique (*S. paradisaea* — 3), qui vit dans les parties les plus septentrionales de l'Europe, et la Sterne de Dougall *(S. dougallii)* que l'on rencontre assez rarement près des îles Britanniques.
Ecologie ◈ Elle recherche les terrains marécageux, les eaux peu profondes avec îlots, les alluvions des rivières et les rivages marins. ∞ On la repère grâce à sa voix et en observant les oiseaux qui volent. Sur les aires de nidification, les Sternes se posent ou se déplacent, toujours en grand nombre. Pour s'assurer de la présence du nid, il faut inspecter les lieux.
Vie et mœurs ↔ C'est un oiseau migrateur. La Sterne Pierre-Garin séjourne sur les aires de nidification en IV.—X. ◡ Le nid est installé au sol, sur un entassement de plantes ou de débris végétaux rejetés par l'eau. La femelle pond 2 à 4 œufs brun-jaune olive, parsemés de taches foncées (41,5 × 30,5 mm) en IV.—VII. Elle niche 1× l'an, en colonies, et couve durant 24 jours. Les deux parents prennent soin des petits qui évoluent à proximité du nid et sont capables de voler dès le 28ème jour. ◑ Elle se nourrit d'animaux aquatiques y compris les poissons qu'elle pêche sous la surface de l'eau.
Protection C'est une espèce en voie de régression. Il est nécessaire de protéger les aires de nidification et de créer des îlots plats.

1

Sterne naine
Sterna albifrons

Détermination
* C'est une toute petite Sterne, de la taille d'un Etourneau (23 cm). Elle a une queue courte, légèrement échancrée (2), un bec jaune à pointe noire, des pattes jaunes et le dos ainsi que le haut des ailes gris. En livrée nuptiale (1), sa tête porte une calotte noire, le front est blanc. En livrée simple, le haut de la tête est blanc également. ♂ = ♀. Les oiseaux juv. ont le dos brun tacheté. ✦ Elle vole plus vite que les grandes Sternes, le battement de ses ailes est plus rapide. Elle vole bas au-dessus de l'eau et pratique souvent le vol vibré sur place. Elle attaque sa proie en se jetant dans l'eau à pic, la tête la première (3). ⊙ Elle émet fréquemment un «ouït ouït» perçant et sonore. ♋ On ne peut la confondre avec une autre espèce.

2
3

Ecologie ◆ Elle recherche les rivages marins, sablonneux et caillouteux, les îlots, les alluvions des fleuves, et en dehors de la période de nidification, d'autres types d'eaux également. ∞ Il faut l'observer, sur les lieux cités plus haut, surtout en vol. Sa voix nous permet de les repérer. Pour trouver l'aire de nidification, il faut surveiller le va-et-vient des oiseaux, leurs concentrations, et leur comportement. Pour s'assurer de l'existence du nid, il est nécessaire d'inspecter les lieux.

Vie et mœurs ↔ C'est un oiseau migrateur qui séjourne sur les aires de nidification en IV.—X. En dehors de la saison des nids, la Sterne naine vit en petits groupes libres et aussi seule. ⊗ Le nid est un creux aménagé à même le sol nu. Elle pond 2 à 3 œufs ocre-gris, parsemés de taches foncées (32,3 × 23,8 mm) en V.—VII. Elle niche 1× l'an, en colonies, et couve durant 21 jours. Les deux parents prennent soin des petits qui évoluent à proximité du nid et sont capables de voler à partir du 20ème jour. ◐ Elle se nourrit exclusivement d'animaux aquatiques, de crustacés et de petits poissons principalement, de mollusques et d'insectes incidemment.

Protection La Sterne naine est présente assez régulièrement dans certains endroits, même si ce n'est pas en nombre important. L'espèce est actuellement en voie de régression. Les raisons de cet état de choses ne sont pas connues. Les aires de nidification doivent être impérativement protégées.

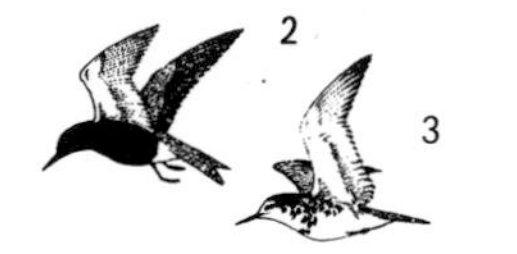

Guifette noire
Chlidonias niger

Détermination
✳ C'est une petite Sterne de la taille d'un Merle (24 cm). Elle a une queue courte légèrement échancrée. En livrée nuptiale (1, 2), la tête et le corps sont noirs, la queue est grise. En livrée simple (4), le corps est blanc, la tête porte une petite calotte noire et les deux côtés de la nuque sont marqués de taches noires. La livrée intermédiaire est tachetée selon les individus (3). Le bec et les pattes sont toujours foncés. ♂ = ♀. En livrée juv. (5), le haut du corps est brun tacheté et la tête présente le même dessin qu'en livrée simple. ✦ La Guifette noire vole d'habitude au ras de l'eau, change fréquemment de direction, fait parfois un demi-tour et descend à la surface de l'eau pour saisir sa proie. Elle a l'habitude de vivre en groupes libres et on la voit posée sur tout objet émergeant de l'eau. Sur les aires de nidification, elle se montre agressive. ⊙ Elle émet, bien souvent, un «klié» plaintif, un «kitt» percutant et, lorsqu'elle attaque, un «kitkitkitkyé» agressif. ♋ Quelques espèces lui ressemblent particulièrement : la Guifette leucoptère (*Ch. leucopterus* — 6), qui vit en Europe orientale essentiellement, et la Guifette moustac (*Ch. hybridus* — 7), que l'on voit dans certaines parties de l'Europe méridionale et dans le sud-est de l'Europe. Les oiseaux juv. peuvent être confondus avec le Goéland pygmée.

Ecologie ◆ Elle recherche les marécages à l'intérieur des terres, les anciens méandres de fleuves, ainsi que les retenues d'eau. En dehors de la période de nidification, elle vit également sur les rivages marins. ∞ Il faut l'observer en vol, au-dessus de la surface de l'eau. La concentration des oiseaux et leur comportement permettent de repérer l'aire de nidification. Les nids sont parfois visibles de loin. Il faut faire attention à la présence fréquente des oiseaux qui ne nichent pas.

Vie et mœurs ↔ C'est un oiseau migrateur qui séjourne sur les aires de nidification en IV.—X. ⊗ Le nid est constitué par un entassement de débris végétaux installé sur des plantes aquatiques. La femelle pond 2 à 3 œufs jaune-brun, parsemés de taches foncées (34,8 × 25,2 mm) en V.—VII. La Guifette noire niche 1× l'an, en colonies, et couve durant 16 jours. Les deux parents s'occupent des petits qui sont capables de prendre leur envol dès le 28ème jour. ◐ Elle se nourrit principalement d'insectes aquatiques qu'elle chasse dans l'eau ou au-dessus de l'eau.

Protection C'est une espèce en voie de régression. Il faut protéger les aires de nidification. On peut utiliser des supports flottants en plastique pour faciliter l'installation des nids.

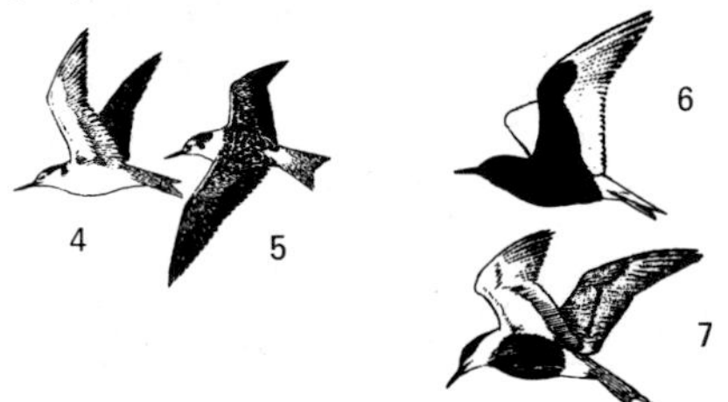

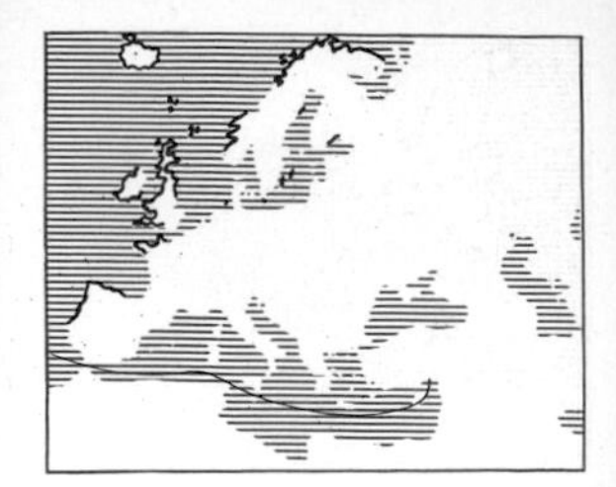

1

Guillemot de Troïl
Uria aalge

Détermination
✳ Le Guillemot de Troïl ressemble à un petit Pingouin (40 cm). Il a un assez long cou élancé, une queue, des ailes et des pattes courtes. Sa tête en forme de cône se prolonge en un bec long et fin (4). L'oiseau en livrée nuptiale (1) a le haut du corps noir, le bas blanc, la tête est entièrement noire, et une partie des oiseaux a une fine raie blanche autour de l'œil. La livrée simple ressemble à la précédente, mais la gorge et les joues sont blanches et on remarque une fine raie noire à l'arrière des yeux. ♂ ⩦ ♀. En livrée juv. le dessus du corps est brun foncé et tacheté. ✦ Il vit en troupes et niche sur les saillies rocheuses, en grandes colonies, en compagnie d'autres espèces d'oiseaux. C'est un excellent nageur et plongeur. Il vole (2) vite, en ligne droite et les Guillemots de Troïl adoptent souvent la formation en rangs. ⊙ Il émet, sur les aires de nidification essentiellement, un «errr» sonore et différemment modulé. ♋ Deux espèces lui ressemblent : le Guillemot de Brünnick (*U. lomvia* — 3), courant en Europe septentrionale, mais son bec, plus épais, est orné d'une fine raie blanche à la base, et le Mergule nain *(Plautus alle)* qu'on distingue par sa taille (5).

Ecologie ◆ C'est un oiseau marin. ∞ Les parois rocheuses des côtes et les petites îles, visibles de loin, servent d'aires de nidification. En dehors de la saison des nids, on ne le voit que fortuitement.

Vie et mœurs ↔ Le Guillemot de Troïl est partiellement migrateur ; il hiverne sur l'océan Atlantique. Il séjourne sur les aires de nidification en IV.—VIII. ◡ Il niche 1× l'an sur les corniches rocheuses et ne construit pas de nid. Il pond un œuf verdâtre, en forme de poire, parsemé de taches foncées (81,5 × 49,7 mm) en V.—VI. et couve durant 32 jours. Les oisillons restent dans le nid pendant 20 jours, puis sautent dans la mer et les parents prennent soin d'eux jusqu'à ce qu'ils soient capables de voler.

◉ Il se nourrit presque exclusivement de poissons qu'il pêche dans la mer.

Protection C'est une espèce très nombreuse. En certains endroits, on la chasse et on ramasse ses œufs. Une gestion rationnelle de son nombre est souhaitable mais l'espèce ne nécessite aucune mesure de protection particulière.

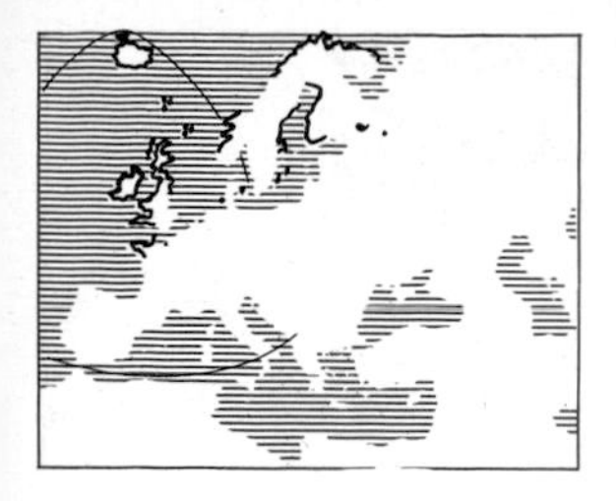

1

Petit Pingouin
Alca torda

Détermination
✳ Il ressemble au Guillemot de Troïl et par sa taille (40 cm) et par son aspect. Toutefois sa tête est grande et aplatie, dotée d'un bec puissant, comprimé des deux côtés. En livrée nuptiale (1), le dessus du corps est noir, le dessous est blanc, les ailes sont bordées d'une fine bande blanche. La livrée simple ressemble à la livrée nuptiale, à l'exception du menton et des joues qui sont blancs eux-aussi. ♂ = ♀. La livrée juv. ressemble à la livrée simple mais elle est dépourvue de raie blanche sur le bec. ✦ On le voit posé, le corps bien droit, sur les corniches. Il vole vite (3), en mer, à la surface de l'eau et en troupes. C'est un bon nageur (2) qui pratique de fréquents plongeons. ⊙ On ne l'entend que sur les aires de nidification où il émet une sorte de grognement. ♋ On peut le rencontrer sur les mêmes lieux que les Guillemots de Troïl, les Guillemots de Brünnick et les Guillemots à miroir.

Ecologie ◆ C'est un oiseau marin. ∞ Il niche dans les falaises, sur les rivages marins, en compagnie des autres Alcidés et des Mouettes. On le repère assez facilement car il se trouve toujours dans des colonies très importantes. En dehors de la période de nidification, on ne l'aperçoit que fortuitement.
Vie et mœurs ↔ C'est un oiseau partiellement migrateur. Il hiverne, individuellement ou en groupes, sur l'océan Atlantique, sur la Baltique, ou sur la Méditerranée. Il séjourne sur les aires de nidification en IV.—VIII. ⊗ Il ne bâtit pas de nid, ses œufs sont posés à même la roche, dans les creux des corniches, dans les fissures ou sous les blocs de rochers. La femelle pond un œuf blanc, parsemé de taches foncées à contours imprécis (75,3 × 47,8 mm) en V.—VI. Il niche 1× l'an, en colonies, et couve durant 36 jours. Les oisillons restent pendant 20 jours à l'endroit où ils ont éclos, puis nagent en mer où les deux parents prennent soin d'eux jusqu'à ce qu'ils sachent voler. ◑ Il se nourrit de menus poissons, plus rarement d'autres animaux aquatiques qu'il pêche dans la mer.
Protection On ramasse les œufs du Petit Pingouin par endroits et il arrive qu'on le chasse pour sa chair. Une gestion de l'espèce est souhaitable, mais d'autres mesures de protection ne sont pas vraiment nécessaires.

1

Guillemot à miroir
Cepphus grylle

Détermination
✳ C'est un Pingouin de taille moyenne (33 cm). Il a un cou assez long et mince et une petite tête qui se prolonge en un bec fin et droit. La livrée nuptiale (1, 3) est entièrement noire, mis à part une grande tache blanche sur les ailes. La livrée simple (2) a la dessus noir, mêlé de blanc, le dessous est blanc et l'aile porte la même dessin. ♂ = ♀. Chez les oiseaux juv., la tache blanche alaire comporte des plumes noires. ✦ Il séjourne, plus souvent que les autres Alcidés, sur les rivages marins, sur les rives caillouteuses principalement. C'est un bon nageur et un bon plongeur. Il vole en ligne droite, avec un battement d'ailes très rapide, juste au-dessus de l'eau. ⊙ Au printemps, il émet, fréquemment un «vi-vi» aigu et rauque. ♋ Il se distingue des autres Guillemots du genre Uria, vivant aux mêmes endroits, essentiellement par le dessin sur les ailes, quelle que soit la livrée de l'oiseau.

2

3

Ecologie ◆ Il habite les rivages marins à plages caillouteuses et à falaises. En dehors de la période de nidification, il vit en pleine mer. ∞ Il faut l'observer le long des rivages. Pour repérer le nid, il est bon de se laisser guider par la voix des oiseaux et d'inspecter les lieux qu'ils fréquentent.
Vie et mœurs ↔ C'est un oiseau migrateur. Il hiverne en haute mer ou sur les rivages de l'océan Atlantique ou de la mer Baltique. Il séjourne sur les aires de nidification en III.—IX. Tout au long de l'année, il vit seul ou en petits groupes. ⊌ Le nid est installé au milieu des blocs de rochers, dans les fissures ou les cavités des falaises. La femelle pond 2 œufs verdâtres, parsemés de taches foncées (58,1 × 39,5 mm) en V.—VI. Il niche 1× l'an et couve durant 30 jours. Les deux parents s'occupent des petits qui évoluent à proximité du nid pendant 40 jours. ◉ Il se nourrit principalement de petits poissons qu'il pêche sous l'eau.
Protection Le Guillemot à miroir est nombreux par endroits. On le chasse pour sa chair et on ramasse ses œufs. Il ne nécessite pas de mesures de protection particulières.

1

Macareux moine
ou **Perroquet de mer**
Fratercula arctica

Détermination
✳ C'est une sorte de Pingouin de petite taille (30 cm). Il a un cou, des ailes et une queue courts et un bec très particulier : bariolé, haut et comprimé latéralement. En livrée nuptiale (1), le haut du corps est noir, le bas et les joues sont blancs. En livrée simple, les joues sont grises. ♂ = ♀. Les oiseaux juv. (2) ont le bec plus bas, pointu, les joues sont gris foncé. ✦ Il nage avec une grande agilité, tient son cou bien droit et plonge facilement. Il vole souvent en rangs. Il évolue avec rapidité, juste au-dessus de l'eau. Lorsqu'il transporte un poisson dans son nid, il le tient au travers du bec : on dirait alors qu'il porte des moustaches. On le voit souvent posé sur les falaises. ⊙ On ne l'entend que sur les aires de nidification où il émet une sorte de grognement guttural du type «orrr». ♋ On ne peut le confondre avec une autre espèce.
Ecologie ◈ C'est un oiseau marin. Il niche le long des côtes, sur les pentes herbeuses. En dehors de la période de nidification, il vit, en troupes, en haute mer. Il n'apparaît qu'exceptionnellement à l'intérieur des terres. ∞ On l'observe sur les rivages marins et, de façon fortuite, en pleine mer. Une grande concentration des oiseaux, leur va-et-vient incessant ainsi que leur comportement permettent de repérer l'aire de nidification. Pour trouver les nids, il est nécessaire d'inspecter les lieux.
Vie et mœurs ↔ C'est un oiseau partiellement migrateur. Il séjourne sur les aires de nidification en IV.—IX. ◡ Le nid est installé dans les cavités du sol, dans les terriers de lapins ou de Puffins, ou encore dans les terriers que les Macareux creusent eux-mêmes. La femelle pond un œuf gris-blanc, parsemé de fines taches foncées (60,8 × 42,3 mm) en IV.—VI. Il niche 1× l'an et couve durant 39 jours. Les deux parents s'occupent des petits qui restent au nid pendant 40 jours. ◐ Il se nourrit de menus poissons qu'il pêche sous l'eau.
Protection Le Macareux moine est très nombreux sur les lieux de nidification et dans les zones environnantes. Il est parfois exploité pour sa chair, sa graisse et ses œufs. Une gestion rationnelle de l'espèce est nécessaire.

2

3
2
4
1
5

Les Rapaces et les Chouettes

On avait l'habitude, par le passé, de considérer les Rapaces (Falconiformes) et les Chouettes (Strigiformes) comme deux catégories très proches : les Rapaces diurnes et les Rapaces nocturnes. Certains signes morphologiques, tels que le bec pointu et les serres, ne sont cependant que le résultat d'une adaptation à la chasse et au mode de vie des carnivores, leurs autres caractères morphologiques étant différents et sans parenté aucune. Les Chouettes ne peuvent être confondues avec d'autres oiseaux. Leur corps est recouvert d'un plumage épais et soyeux, et leur grande tête ronde est dotée de grands yeux capables de voir dans l'obscurité. La Chouette hulotte (1) en est un parfait exemple. Leur présence est facile à repérer en période de nidification grâce à leur voix particulière, perceptible la nuit de très loin.

Les Rapaces sont, par l'espèce, la taille et la manière de chasser, une catégorie bien plus variée. On distingue actuellement trois familles : les Condors (Cathartidés) qui vivent exclusivement en Amérique, les Vautours et espèces voisines (Accipitridés) et les Faucons (Falconidés). Parmi les Vautours et espèces voisines, on distingue plusieurs catégories. Il y a d'abord les espèces les plus grandes, tels les Vautours fauves (2), à larges ailes, qui pratiquent presque exclusivement le vol à voile à haute altitude et se nourrissent de charognes. D'autres espèces, tels les Aigles royaux (3) légèrement plus petits, à larges ailes terminées en forme de doigts et à queue plus courte, se livrent au vol à voile ou bien attaquent leur proie. Enfin certaines espèces, tels les Autours des Palombes (4), de taille moyenne, aux ailes assez larges et arrondies, à la queue plus large, alternent vol à voile et vol actif ou bien attaquent leur proie. A la famille des Rapaces du type Faucon appartiennent des espèces plus petites ou très petites comme le Faucon crécerelle (5). Ces rapaces aux ailes étroites et pointues, à la queue plus ou moins longue, attaquent leur proie en volant à vive allure. Dans toutes les catégories, le mâle est plus petit que la femelle. Les dimensions données pour chaque espèce expriment des valeurs, moyennes, sans distinction de sexe. Tous les Rapaces peuvent être aisément observés lors de leurs déplacements dans les airs. Ils nichent généralement seuls et défendent vigoureusement leur territoire de chasse, parfois très étendu. Seuls les Vautours nichent en colonies.

Les Rapaces et les Chouettes font partie des espèces en voie de régression, parfois fortement menacées.

1

Bondrée apivore
Pernis apivorus

Détermination
✳ C'est un Rapace de taille moyenne, à peu près aussi grand que la Buse (55 cm, envergure des ailes 1,4 m). Il a un corps élancé et une petite tête bien saillante. L'oiseau ad. (1) est brun foncé, sa tête est généralement grise, le dessous de ses ailes porte des bandes foncées, l'extrémité arrière étant également foncée. La queue porte, à sa base, deux bandes foncées et une autre à son extrémité (2). ♀ est un peu plus grande que ♂, brune et plus foncée. Le plumage des oiseaux juv. est varié : on y voit tous les tons, du clair au foncé. ✦ Il vole lentement, pratique le vol à voile de temps en temps, décrit parfois des cercles. Pendant la parade nuptiale (IV.—VI.) les couples se livrent à des vols caractéristiques : les deux partenaires évoluent en battant régulièrement des ailes au-dessus du corps, ce qui produit un effet sonore assez important. Lorsqu'il cherche sa nourriture, il marche sur le sol. ⊙ Au printemps, sur les aires de nidification, il émet un «kié-kié» aigu et clair ou un «pi-iya» typique. ♋ Une espèce lui ressemble fortement : la Buse variable *(Buteo buteo)* mais celle-ci a des ailes plus larges, une queue plus courte, dépourvue de bandes foncées, une tête moins saillante et, en vol, elle décrit plus souvent des cercles.

2

Ecologie ◆ Il vit dans les régions boisées, parfois en terrain découvert. ∞ Le va-et-vient incessant des oiseaux, pendant la parade nuptiale en particulier, indique l'aire de nidification. Pour trouver le nid, il faut inspecter attentivement les lieux. Les petits, une fois sortis du nid (VII.—VIII.), évoluent, en compagnie de leurs parents, en décrivant des cercles au-dessus de l'aire de nidification et n'arrêtent pas de pousser des cris. En dehors de la période de nidification, on ne le voit que fortuitement.
Vie et mœurs ↔ C'est un oiseau migrateur. Lorsqu'il migre, on le voit même en assez grands groupes libres. Il séjourne sur les aires de nidification en IV.—IX. ◡ Il bâtit son nid dans les grands arbres feuillus, entre les branches qui partent du tronc ; il garnit le bord de branches fraîches. La femelle pond 1 à 2 œufs jaunâtres, parsemés de nombreuses taches foncées (51,5 × 41,3 mm) en IV.—VII. Il niche 1× l'an séparément, et couve durant 35 jours. Les deux parents s'occupent des petits qui restent au nid pendant une période de 40 jours après laquelle ils en sortent, mais ils reviennent au nid durant 14 jours. ◑ Il se nourrit d'insectes hyménoptères, de leurs larves, et surtout de guêpes qu'il trouve en grattant la terre.
Protection C'est un Rapace en voie de régression. Une protection absolue de l'espèce s'impose.

1

Milan noir
Milvus migrans

Détermination
⁎ Le Milan noir est de la taille d'une Buse (58 cm, envergure des ailes 1,7 m). Il a une assez longue queue fourchue (2), une petite tête et des ailes étroites et assez longues. L'oiseau ad. (1) est brun foncé. ♂ < ♀. L'oiseau juv. est plus clair, en particulier sur la face interne des ailes, et parsemé de taches foncées. ✦ Il vole lentement, assez bas, décrit souvent des cercles et pratique parfois le vol vibré sur place. ⊙ Sur les aires de nidification, il émet de temps à autre, un «ayï» montant, suivi d'un «trrr» descendant, un «kikiki» répété et un miaulement. ♋ Une espèce lui ressemble particulièrement : le Milan royal (*M. milvus* — 3). Sa queue est cependant plus longue et très profondément échancrée. Cette échancrure demeure même si l'oiseau étend sa queue.
Ecologie ◈ Il recherche des terrains découverts ou boisés, à proximité des eaux, il vit même près des agglomérations. ∞ On le repère bien lors de ses déplacements autour des aires de nidification. C'est en inspectant les lieux qu'on trouve le nid, souvent permanent. En dehors de la saison des nids, on ne le voit que fortuitement.
Vie et mœurs ↔ C'est un oiseau migrateur. En dehors de la période de nidification il vit seul ou en groupes libres. Sur les aires de nidification, il vit en couples, parfois en colonies, et on l'y trouve en III.—X. ⊗ Le nid est installé dans les grands arbres, à l'endroit où les branches partent du tronc. De dimension réduite (50 cm de diamètre environ), il est garni de morceaux de tissu, de cuir et d'autres matériaux. La femelle pond 2 à 4 œufs grisâtres, parsemés de taches brunes (54,0 × 43,0 mm) en IV.—V. Il niche 1× l'an, couve durant 32 jours. Les deux parents prennent soin des petits qui restent au nid pendant 46 jours. ◕ Il se nourrit de charognes, de poissons, également de petits vertébrés, de petits mammifères, d'insectes qu'il se procure sur la terre ferme ou dans l'eau.
Protection Par endroits, cette espèce est en voie de régression. Il faut la protéger tout au long de l'année et assurer la sauvegarde et la tranquillité des aires de nidification.

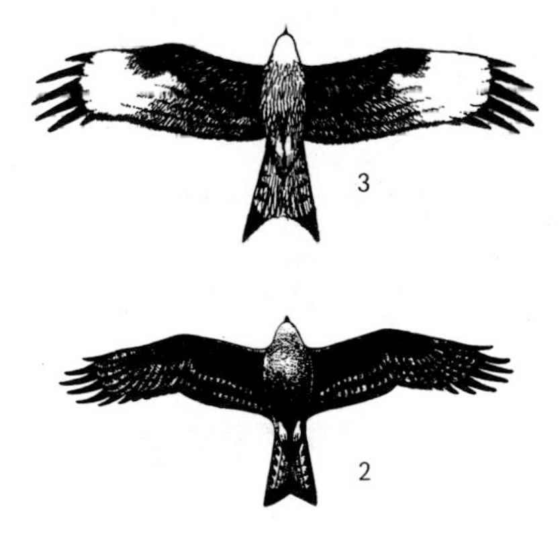

1

Pygargue à queue blanche
Haliaeetus albicilla

Détermination
∗ C'est un Rapace de grande taille (80 cm, envergure des ailes 2,2 m). Il a un corps court, des ailes larges, longues, dont l'extrémité est découpée en forme de doigts, une queue courte et cunéiforme, un bec puissant. L'oiseau ad. (2) est brun foncé, sa queue est blanche. ♂ < ♀. La queue de l'oiseau juv. (1), brun foncé, blanchit progressivement au cours de la 2e—5e année. ✦ Il est souvent perché sur les arbres, posé au sol ou sur la glace. Il vole avec un battement d'ailes lent et détendu, pratique le vol à voile de temps à autre, descend très bas pour atteindre sa proie. ⊙ Il émet pendant la parade nuptiale seulement, à proximité des aires de nidification, un «kliklikli» répété et un «kakaka» qui rappelle un aboiement modéré. ♋ Il est difficile de le confondre avec une autre espèce. Seul le Pygargue de Pallas *(H. leucoryphus)*, espèce assez rare, qui vit en Europe orientale, lui ressemble.

Ecologie ◆ Il recherche des terrains riches en eau : les rivages marins, les plaines avec fleuves, les grandes retenues d'eau. ∞ La présence constante des oiseaux adultes et la parade nuptiale à laquelle ils se livrent permettent de repérer l'aire de nidification. Cependant il faut faire attention aux oiseaux qui, eux, ne nichent pas. Le nid est permanent, facile à trouver, même en hiver. En dehors de la saison des nids, on ne rencontre le Pygargue à queue blanche que par hasard.

Vie et mœurs ↔ C'est un oiseau sédentaire et partiellement migrateur. Il erre parfois bien loin des aires de nidification. En dehors de la saison des nids, il vit seul, sur les lieux d'hivernage on voit plusieurs individus réunis dans un espace relativement réduit. ◡ Le nid est installé dans les arbres, soit au sommet, soit près du tronc, parfois dans les falaises. Il sert souvent plusieurs années de suite. La femelle pond 1 à 2 œufs d'un blanc calcaire (74,7 × 57,9 mm) en II.—III. Il niche 1× l'an, séparément, parfois quelques couples assez près les uns des autres. Il couve durant 40 jours. Les deux parents prennent soin des petits qui restent au nid pendant 90 jours et continuent à dépendre des parents pendant une période supplémentaire de 30 jours. ◉ Il se nourrit essentiellement de charognes de la taille d'un lièvre ; il arrive en volant très bas pour saisir sa proie.

Protection C'est une espèce fortement menacée. Il faut assurer sa protection absolue par la loi. Il faut impérativement veiller à la tranquillité des aires de nidification, protéger les nids. Dans certains endroits, on introduit de jeunes oiseaux provenant des élevages.

2

1

Vautour fauve
Gyps fulvus

Détermination
✳ Le Vautour fauve est l'un des plus grands rapaces d'Europe (100 cm, envergure des ailes 2,6 m). Il a de larges ailes plates arrondies, un long cou recouvert d'un léger duvet et doté d'une collerette à sa base, une petite tête et un bec puissant. L'oiseau ad. (1) est brun, les rémiges et la queue sont noir-brun, les couvertures inférieures portent de fines taches blanches disposées en rayures, la collerette, le cou et la tête sont blancs. ♂ = ♀. Le bas des ailes des oiseaux juv. est plus clair, ce qui forme un contraste avec les rémiges noires. ✦ Il vole haut, en décrivant des cercles. C'est un excellent voilier (2). Il descend à terre quand il a repéré des charognes. Son envol, un peu lourd, est pris après quelques sauts. ⊙ Il émet des sons sifflants et graves. En groupes uniquement. ♋ Il est impossible de le confondre avec une autre espèce. Quelques espèces, rares et différentes d'aspect, vivent en Europe méridionale : le Vautour moine (*Aegypius monachus* —3), le Vautour percnoptère (*Neophron percnopterus* —4) et le Gypaète barbu (*Gypaetus barbatus* —5).
Ecologie ◆ Il vit dans les régions sauvages, dans les montagnes et au pied de celles-ci principalement. Lors de ses errances, on le rencontre un peu partout. ∞ Pour trouver le nid, il faut s'assurer de la présence de l'espèce et visiter les lieux qu'elle fréquente : les ornithologues connaissent les sites européens. En dehors de la saison des nids, on ne rencontre le Vautour fauve que par hasard.

Vie et mœurs ↔ C'est un oiseau sédentaire qui aime cependant vagabonder autour des aires de nidification et s'en éloigne parfois bien loin. ♉ Les nids sont installés dans les falaises, plus rarement dans les couronnes des arbres. La femelle pond un œuf d'un blanc calcaire (92,4 × 69,7 mm) en II.—V. Il niche 1× l'an, séparément, et même en colonies, et couve durant 52 jours. Les deux parents prennent soin des petits qui restent au nid pendant 90 jours ; puis ceux-ci quittent le nid et restent à la charge des parents durant 25 jours supplémentaires. ◐ Il se nourrit essentiellement de charognes de grands animaux qu'il recherche en volant.
Protection C'est une espèce rare et fortement menacée qu'il faut protéger par la loi. Il est également indispensable d'assurer la protection de ses aires de nidification et de lui fournir éventuellement sa nourriture.

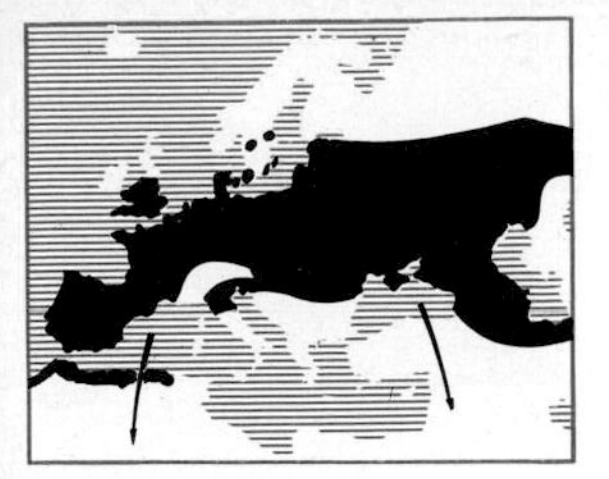

Busard cendré
Circus pygargus

Détermination
* Le Busard cendré est plus petit et plus svelte qu'une Buse (45 cm, envergure des ailes 1,1 m). Le ♂ ad. (1) est gris clair, ses ailes sont longues et étroites, les rémiges primaires sont foncées sur toute leur longueur et les rémiges secondaires présentent une bande foncée à la racine (3). Le Busard cendré juv. a le bas du corps brun-roux vif, dépourvu de taches, le bas du corps de ♀ est plus blanc, parsemé de taches foncées, disposées en rayures longitudinales. La ♀ n'a pas de collerette, ou celle-ci est à peine esquissée (6). ✦ Il vole bas, avec lenteur, il change fréquemment et subitement de direction, ou rejoint le sol en descendant à la verticale. ⊙ Sur les aires de nidification, il émet, de temps à autre, un «kékéké» et d'autres sons. ♋ Une espèce lui ressemble particulièrement : le Busard Saint-Martin *(C. cyaneus)*. ♂ a le haut du corps bleu-gris clair, d'où se détachent les rémiges sus-caudales blanches. Toutes les rémiges primaires ont un fond blanc, et l'extrémité des ailes foncée est délimitée par une ligne perpendiculaire (2). Le bas du corps de ♀ et de l'oiseau juv. est brun-blanc, parsemé de taches foncées, disposées en rayures longitudinales. La collerette de ♀ est visible mais étroite et présente des rayures foncées (5). ♂♂ du Busard pâle (*C. macrourus* —4) ont le devant du corps blanc mais le croupion ne l'est jamais. L'extrémité foncée des ailes a la forme d'un cône étroit. Le bas du corps ainsi que les couvertures inférieures de ♀ et des oiseaux juv. sont d'un brun-roux vif, dépourvu de taches. La collerette claire de ♀ est large, les côtés du cou portent des taches, disposées en rayures longitudinales (7).

Ecologie ◆ Il aime les terrains découverts à prairies humides, généralement à basse altitude. ∞ La présence régulière des oiseaux, leurs voix et leurs descentes sur le nid permettent de repérer les aires de nidification. L'emplacement du nid doit être vérifié par l'inspection de l'endroit supposé. En dehors de la saison des nids, on l'observe au hasard des rencontres.

Vie et mœurs ↔ C'est un oiseau migrateur. ⍻ Le nid, fait de tiges sèches, est installé

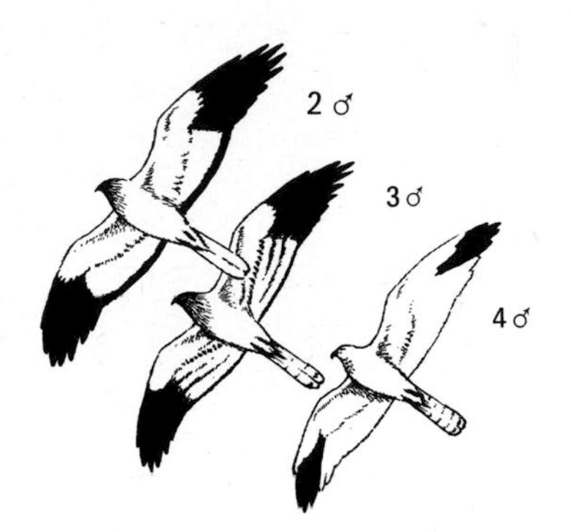

au sol, dans la végétation basse et épaisse. La femelle pond 3 à 5 œufs gris-blanc (41,7 × 32,5 mm) en IV.—VII. Il niche 1× l'an, séparément, et, lorsque l'endroit s'y prête, plusieurs couples nichent assez près les uns des autres. Il couve durant 29 jours. Les deux parents prennent soin des petits qui restent au nid pendant 40 jours, et ils continuent à leur prodiguer leurs soins pendant une période de 12 jours supplémentaires. ◐ Il se nourrit principalement de petits mammifères qu'il chasse en volant très bas au-dessus du terrain.

Protection C'est une espèce vulnérable, dont le nombre ne cesse de diminuer. Il faut sauvegarder la tranquillité des aires de nidification et assurer une protection totale de l'espèce par des lois efficaces.

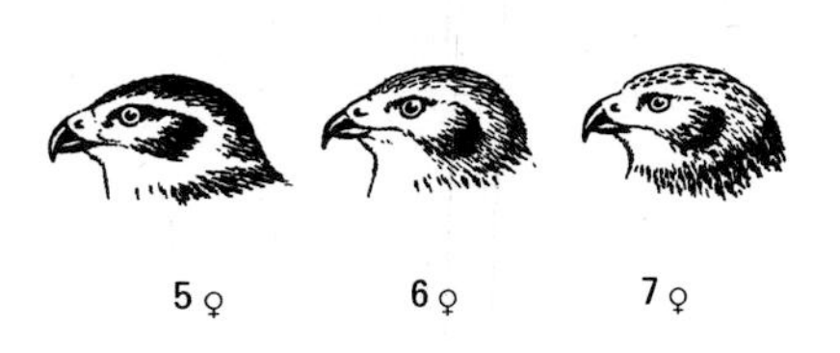

1

Busard des roseaux
Circus aeruginosus

Détermination
✳ Le Busard des roseaux est un peu plus petit qu'une Buse (52 cm, envergure des ailes 1,2 m). Il a un corps svelte, des ailes longues, assez étroites, arrondies à leur extrémité et terminées en forme de doigts, une queue longue. L'oiseau ad. est brun : ♂ (2) a la tête et la queue claires, une grande tache gris clair dans les ailes, ♀ (1,3) est entièrement brune, seule sa tête est jaune clair. L'oiseau juv. ressemble à ♀, mais le bord antérieur de ses ailes n'est généralement pas blanchâtre, et, souvent, ne porte pas de dessin clair sur la tête. ✦ Il vole bas, assez lentement, pratique des volte-face inattendues, parfois décrit des cercles et plonge dans la végétation, ou rejoint le sol en descendant à la verticale. ⊙ Sur les aires de nidification, il émet, assez rarement, un faible piaillement. ♋ Il diffère des autres Busards par sa coloration ; son croupion n'est jamais blanc.
Ecologie ◈ Il recherche les roselières et les terrains avoisinants, et en dehors de la saison des nids, d'autres milieux découverts, y compris les champs. ∞ On le voit régulièrement sur les aires de nidification éventuelles. Il descend sur son nid à la verticale. Pour localiser le nid, il est nécessaire d'inspecter la végétation. En dehors de la période de nidification, on ne le voit que par hasard.
Vie et mœurs ↔ C'est un oiseau migrateur qui séjourne sur les aires de nidification en III.—X. En dehors de la saison des nids, il vit seul ou en groupes libres, parfois plusieurs oiseaux se réunissent pour la nuit. ☋ Il construit son nid dans les roseaux, sur les tiges tassées ou cassées, parfois sur le sol. Il utilise des branches sèches, des roseaux et des herbes qu'il trouve dans les environs. La femelle pond 4 à 5 œufs blanchâtres (49,1 × 37,7 mm) en IV.—VI. Il niche 1× l'an, séparément, ♀ couve durant 33 jours. Les deux parents prennent soin des petits qui restent au nid durant 40 jours et ils continuent à leur prodiguer leurs soins quelque temps après. ◑ Il se nourrit de vertébrés de la taille d'une Mouette qu'il chasse en volant bas au-dessus du terrain, à proximité des aires de nidification.
Protection Le Busard des roseaux est assez nombreux par endroits et son nombre est en augmentation. Il peut causer des dégâts dans les régions d'élevage du menu gibier. Il faut assurer une protection absolue de l'espèce et sauvegarder les aires de nidification.

1

Autour des Palombes
Accipiter gentilis

Détermination
∗ C'est un Rapace de taille moyenne (55 cm, envergure des ailes 1,1 m). Il a de courtes ailes larges et arrondies et une longue queue. L'oiseau ad. est gris ; le dessus de son corps est foncé (3), le bas clair à rayures transversales (2), ses iris sont jaunes. L'oiseau juv. (1) a le bas du corps parsemé de taches en forme de gouttes, la poitrine et la face intérieure des ailes sont fauves. La ssp. sud-européenne *(A. g. arrigonii)* est très foncée, la ssp. nord-européenne *(A. g. buteoides)* est claire. ✦ Il guette sa proie, perché sur un arbre. En vol, il alterne battement d'ailes avec courts moments de vol plané, et décrit parfois des cercles. Il a l'habitude de voler assez bas à la lisière de la forêt et entre les couronnes des arbres. ⊙ Il émet, pendant la parade nuptiale uniquement, un «guiguigui» sonore. ♋ ♀ de l'Epervier est presque aussi grande que ♂ de l'Autour ; les bords intérieurs de l'aile de l'Epervier forment une ligne perpendiculaire au corps.
Ecologie ◈ Il vit dans les forêts qui s'étendent des plaines jusqu'à la limite supérieure de la forêt. ∞ Sur les aires de nidification, on le repère grâce à sa voix, à l'approche du printemps. (I.—III.), lorsqu'il survole son territoire ; les aires de nidification sont permanentes ; on trouve sur son territoire les restes de ses proies. Le nid occupé est facile à repérer grâce au duvet et aux plumes de la femelle en mue, éparpillés tout autour du nid, et grâce aussi à la présence de fiente sous le nid. En dehors de la saison des nids, on peut le rencontrer fortuitement, même dans des régions peu boisées, y compris les abords des villes.
Vie et mœurs ↔ C'est un oiseau sédentaire qui erre dans les environs des lieux de nidification. Les populations du nord se déplacent plus au sud pour hiverner. Il vit seul. ⌣ Les nids sont installés dans les couronnes des arbres, près du tronc. La femelle pond 3 à 4 œufs vert-bleu clair (57,2 × 45,1 mm) en III.—V. Il niche 1× l'an, séparément et ♀ couve durant 37 jours. Les deux parents prennent soin des petits : 38 jours au nid et 30 autres jours hors du nid. ◉ Il se nourrit d'oiseaux et de mammifères de la taille d'une poule et capture sa proie en volant entre les couronnes des arbres, et même au sol.
Protection Il peut commettre des dégâts importants dans les domaines de chasse où l'on élève de façon intensive le menu gibier. En revanche, l'Autour des Palombes limite le nombre des Rapaces du type Epervier. Son nombre dépend surtout des persécutions dont il est victime. La protection de l'espèce passe par une réglementation rigoureuse de la chasse, c'est-à-dire du nombre de pièces à abattre.

1

Epervier d'Europe
Accipiter nisus

Détermination
✳ L'Epervier d'Europe est de la taille d'un Pigeon (33 cm, envergure des ailes 65 cm). Perché sur une branche, il laisse voir des pattes très hautes et un corps trapu. Les ailes sont larges et arrondies (2), la tête est petite et la queue longue. L'oiseau ad. ♂ (1) a le dessus du corps gris, le dessous rouge-brun rayé. Le dessus du corps de ♀ est gris-brun, le dessous blanchâtre à rayures brun foncé ; ♀ > ♂. Les oiseaux juv. ressemblent à ♀ mais leur brun tire sur le roux. L'Épervier d'Europe est souvent perché sur les arbres, à la lisière du bois, ou sur les arbres isolés. Il ne vole pas très haut, se faufile entre les couronnes des arbres ; longe la forêt, souvent même survole des terrains découverts. ⊙ Il émet pendant la parade nuptiale seulement un «kikiki» perçant ; les oisillons poussent des piaillements plaintifs. ♋ Deux espèces lui ressemblent particulièrement : l'Autour des Palombes (le bord postérieur de son aile forme une ligne brisée là où se rejoignent les rémiges primaires et secondaires) et l'Epervier à pieds courts *(A. brevipes)* qui vit dans le sud-est de l'Europe.

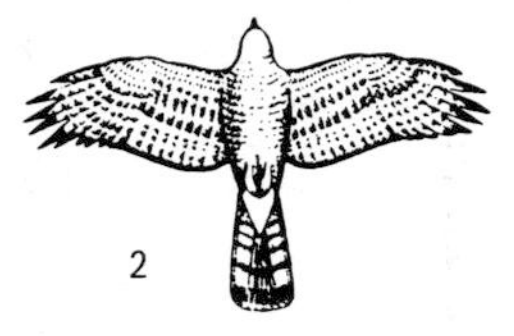

2

Ecologie ◈ Il vit dans les forêts qui s'étendent des plaines à la limite supérieure de la forêt. ∞ Sur les aires de nidification, on le découvre grâce à sa voix à l'approche du printemps (II.—IV.) et pendant l'éducation des petits (V.—VI.). Le nid occupé est rempli de duvet. Des rémiges et des plumes de la queue de ♀ en mue sont éparpillées autour du nid ainsi que les restes de ses repas de carnivore. En dehors de la période de nidification, on ne le voit que par hasard, même hors de la forêt, assez souvent dans les villes. Il est souvent trahi par les cris des oiseaux.
Vie et mœurs ↔ C'est un oiseau sédentaire qui erre à proximité de son territoire ; une partie des oiseaux part vers l'Europe méridionale pour hiverner. ◡ Les nids sont installés dans les couronnes de jeunes arbres bien fournis, près du tronc. La femelle pond 4 à 5 œufs verdâtres, parsemés de taches brunes (40,5 × 32,5 mm) en IV.—VI. Il niche 1× l'an, séparément, et ♀ couve durant 35 jours. Les deux parents prennent soin des petits : 27 jours au nid et 25 autres jours hors du nid. ◉ Il se nourrit de petits oiseaux de la taille d'un Merle qu'il chasse en poursuivant sa proie entre les buissons et les couronnes des arbres.
Protection L'Epervier d'Europe est une espèce nombreuse par endroits. Il est actuellement menacé par la pollution chimique des sites. Pour le protéger, il faut réglementer la chasse et fixer tout particulièrement le nombre des pièces à abattre.

1

Buse variable
Buteo buteo

Détermination
✳ C'est le Rapace européen le plus courant. Elle est de taille moyenne (55 cm, envergure des ailes 1,2 m), ses ailes sont larges et arrondies, sa queue, d'habitude largement déployée, est courte et arrondie (2). La couleur du plumage est très variée, en général elle est brun foncé, le dessous des ailes étant clair. ♂ = ♀ = juv.
✦ Elle vole lentement, pratique le vol à voile en décrivant des cercles, les ailes immobiles, pratique parfois le vol vibré sur place. On la voit souvent perchée sur des arbres, des poteaux, à terre ou sur un endroit élevé (1). ⊙ Elle fait entendre un fréquent et sonore «kiaakiaa», les oisillons sortis du nid piaillent sans cesse. ♋ Quelques espèces lui ressemblent : la Buse pattue *(B. lagopus)*, nombreuse par endroits dans les parties les plus septentrionales de l'Europe, dont la queue présente une racine blanchâtre, la Buse féroce (*B. rufinus* — 3), assez rare et vivant surtout dans le sud-est de l'Europe. La Bondrée apivore qu'on classe également dans les espèces voisines a un corps plus élancé, une tête plus petite, et une queue plus longue. Son dessin est aussi plus caractéristique.
Ecologie ◈ Elle aime les terrains boisés et découverts qui s'étendent des plaines jusqu'à la limite supérieure de la forêt. ∞ On repère assez facilement l'aire de nidification grâce à la présence constante des Buses qui survolent l'aire en décrivant des cercles, se livrent à des jeux aériens et poussent des cris sonores. Pour trouver le nid, le plus souvent permanent, il faut inspecter les lieux. En dehors de la période de nidification, les oiseaux sont faciles à repérer en vol ou lorsqu'ils sont posés sur les terrains découverts.
Vie et mœurs ↔ C'est un oiseau partiellement migrateur. La Buse variable séjourne sur les aires de nidification en II.—IX. ⊗ Le nid est installé dans la couronne des arbres, près du tronc, parfois sur un arbre isolé, sur un poteau et même à terre. La femelle pond 3 à 4 œufs bleuâtres, parsemés de taches brunes (56,2 × 44,6 mm) en III.—VI. Elle niche 1× l'an, séparément, et couve durant 35 jours. Les deux parents prennent soin des petits : 50 jours au nid et 50 autres jours hors du nid. ◐ Elle se nourrit de petits mammifères qu'elle chasse à terre.
Protection C'est un grand prédateur qui chasse tout particulièrement les campagnols. Il fait parfois quelque dégât sur le gibier. Son nombre est élevé. Pour protéger l'espèce, il faut réglementer la chasse et fixer le nombre des pièces à abattre.

1

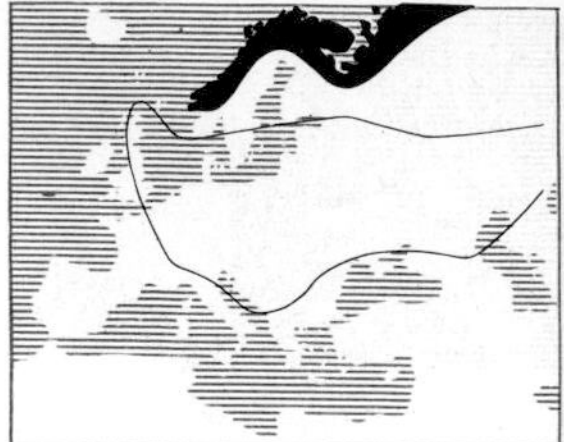

Buse pattue
Buteo lagopus

Détermination
✳ Elle a la taille et l'aspect de la Buse variable (58 cm, envergure des ailes 1,4 m). ♂ < ♀. Elle a de larges ailes arrondies, une queue large et courte, des pattes emplumées jusqu'à la racine des doigts. L'oiseau ad. (1) a le dessus du corps brun foncé, la racine de la queue blanche, le dessous du corps brun mêlé de blanc ; la face interne des ailes est blanche en grande partie et porte au poignet de l'aile une tache foncée bien visible (2). ♂ = ♀ = juv. ✦ Elle vole avec un battement d'ailes lent et détendu, décrit souvent des cercles, vole très bas au-dessus du terrain et pratique parfois le vol vibré sur place. A terre, elle recherche des endroits élevés. ⊙ Elle émet, assez rarement, un «kiaa» plaintif. ♋ Parmi les espèces semblables, on citera : la Buse variable (la racine de sa queue n'est pas blanche et son plumage est habituellement plus foncé) et la Buse féroce qui vit dans le sud-est de l'Europe.
Ecologie ◈ Elle recherche les terrains découverts : la toundra avec falaises, les champs, etc. ∞ L'aire de nidification est repérable grâce à la présence des oiseaux et à leur va-et-vient incessant. Pour trouver le nid, il faut inspecter les lieux. En dehors de la période de nidification, on peut l'observer en vol ou à terre, sur terrain découvert.
Vie et mœurs ↔ C'est un oiseau migrateur. La Buse pattue niche et vit seule, parfois on la voit en compagnie d'autres individus. Elle séjourne sur les aires de nidification en IV.—IX. ◡ Le nid est installé au sol ou dans les falaises. La femelle pond 3 à 4 œufs bleuâtres, parsemés de taches brunes (55,3 × 44,3 mm) en IV.—VI. Elle niche 1× l'an et ♀ couve durant 30 jours. Les deux parents prennent soin des petits : 40 jours au nid et 30 autres jours hors du nid.
◐ Elle se nourrit de menus mammifères et oiseaux qu'elle chasse en volant au ras du sol.
Protection La Buse pattue est une espèce nombreuse mais son nombre est très fluctuant. Elle chasse activement de petits vertébrés et, sur les lieux d'hivernage, le campagnol principalement. Lorsque la neige est importante et que le nombre des campagnols est peu important, les Buses pattues peuvent causer des dégâts parmi le menu gibier. La protection de l'espèce passe par la réglementation du nombre de pièces à abattre.

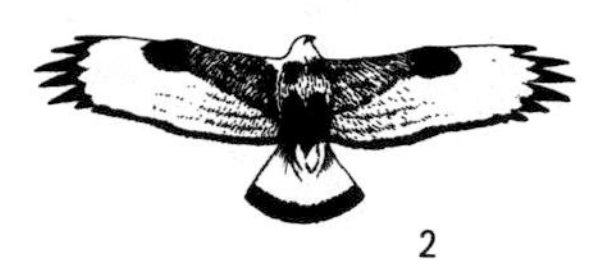

2

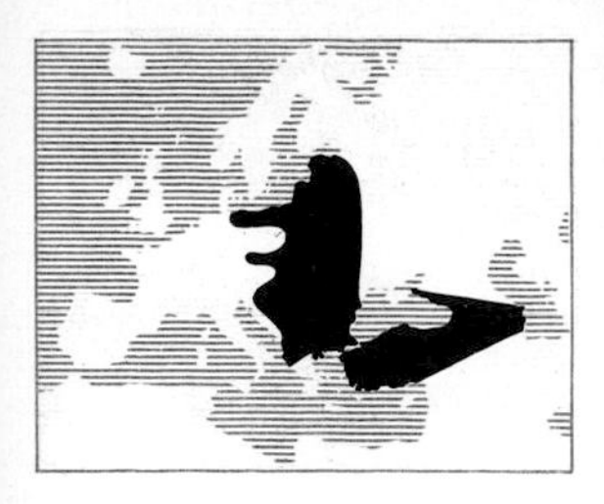

1

Aigle pomarin
Aquila pomarina

Détermination
✳ C'est un Aigle de petite taille (63 cm, envergure des ailes 1,5 m), à peine plus petit qu'une Buse. Il a des ailes relativement longues et larges, en vol les bords sont droits et les rémiges écartées (2). L'oiseau ad. est brun foncé, la face interne des ailes est beaucoup plus claire, le haut des ailes présente une tache blanche à la racine des rémiges primaires et, souvent, les rémiges sus-caudales claires forment un U ; ♂ < ♀. L'oiseau juv. (1) est plus brun et porte une tache blanchâtre à l'occiput, ses couvertures supérieures, ses rémiges et ses caudales ont des pointes blanches ; en vol, on remarque une tache blanche à la racine des rémiges ainsi que des couvertures supérieures et inférieures blanches. Au cours de la 2ᵉ—4ᵉ année, il revêt une livrée intermédiaire. ✦ Il est souvent perché sur les arbres ou sur tout endroit élevé du sol. Il marche avec aisance. Son vol est lent, il pratique le vol à voile en décrivant des cercles. ⊙ Sur les aires de nidification, il émet un «yef yef» qui rappelle l'aboiement et un «kiou» sifflant. ♋ Quelques espèces lui ressemblent : l'Aigle criard (*A. clanga* —3), qui vit en Europe orientale, et les espèces de taille plus importante du genre Aquila comme l'Aigle des steppes *(A. rapax)* ou l'Aigle impérial *(A. heliaca)*.
Ecologie ◆ Il recherche les forêts, de préférence celles des montagnes. En dehors de la période de nidification et lorsqu'il chasse, on le voit sur les terrains découverts. ∞ Après son arrivée sur l'aire de nidification (IV.—V.), il pratique des vols nuptiaux et lance des cris caractéristiques. Pour s'assurer de l'existence du nid, il faut inspecter les lieux et vérifier les nids de grande taille. En dehors de la période de nidification, on ne peut le voir que par hasard.
Vie et mœurs ↔ C'est un oiseau migrateur qui a l'habitude de vivre seul. Il séjourne sur les aires de nidification en IV.—VIII. ◡ Les nids, garnis de branches fraîches, sont installés dans les couronnes des arbres, près du tronc ou entre deux branches. La femelle pond deux œufs blanchâtres parsemés de taches brunes (62,9 × 50,7 mm) en IV.—V. Il niche 1× l'an, séparément, et couve durant 40 jours. Les deux parents prennent soin des petits : 55 jours au nid et 25 autres jours hors du nid. ◕ Il se nourrit de petits animaux, en particulier de mammifères, qu'il chasse à terre.
Protection C'est l'Aigle européen le plus courant. L'espèce cependant est peu nombreuse. Il faut absolument la protéger. La sauvegarde des aires de nidification s'impose.

2

3

1

Aigle royal
Aquila chrysaetos

Détermination
✳ C'est un grand Aigle (82 cm, envergure des ailes 2,1 m), l'un des plus grands Rapaces européens. Il a de larges ailes arrondies. à rémiges primaires écartées en forme de doigts (2), sa queue courte est arrondie. Le plumage de l'oiseau ad. (1) est brun foncé, sa tête est plus claire, parfois jaunâtre. La variante rare *fulvescens* est entièrement jaune clair. ♂ < ♀. L'oiseau juv. a la tête foncée, la face interne de l'aile porte une grande tache blanche à la base des rémiges primaires, celle-ci étant moins étendue sur la face extérieure de l'aile ; la racine de la queue est blanche. La couleur blanche s'estompe progressivement au cours de la 2è et 3è année. ✦ Il vole lentement, alterne des battements d'ailes amples avec de courtes périodes de glisse, décrit souvent des cercles. Posé à terre, il se tient à l'horizontale, la tête levée (1). ⊙ Il émet, assez rarement, des «hié» et des «kié kié kié» sonores. ♋ En Europe méridionale et orientale, on rencontre assez rarement l'Aigle impérial (*A. heliaca* — 3), et, de façon exceptionnelle, l'Aigle des steppes (*A. rapax* — 4). On peut y voir également des espèces plus petites — l'Aigle pomarin ou l'Aigle criard — qu'on pourrait confondre avec l'Aigle royal à distance.

Ecologie ◆ Il vit dans les régions boisées et rocheuses qui s'étendent des plaines jusqu'à la montagne de type subalpin, où son nombre est actuellement important. ∞ La présence des oiseaux et leurs va-et-vient incessants permettent de repérer l'aire de nidification. Le nid est souvent permanent. Il faut inspecter les lieux et contrôler les nids de grande taille. Il ne faut pas se tromper, car l'aire de nidification est fréquentée par des oiseaux qui ne nichent pas. En dehors de la saison des nids, on peut l'observer sur les terrains découverts.
Vie et mœurs ↔ C'est un oiseau à la fois sédentaire, erratique et migrateur. Il vit seul. Il séjourne sur les aires de nidification en II.—IX. ◡ Le nid est installé dans les falaises ou dans les couronnes des arbres, principalement celles des conifères. La femelle pond 2 à 3 œufs jaunâtres, parsemés de taches brunes (75,5 × 58,0 mm) en III. — V. Il niche 1 × l'an, séparément, et couve durant 40 jours. Les deux parents prennent soin des petits : 70 jours au nid et 90 autres jours hors du nid. ◉ Il se nourrit d'animaux vertébrés allant jusqu'à la taille d'un renard qu'il chasse en volant très bas au-dessus du terrain. L'Aigle royal dressé peut même s'attaquer à un loup.
Protection C'est une espèce en voie de régression. Il faut absolument protéger les individus. La sauvegarde des aires de nidification est nécessaire.

1

Balbuzard pêcheur
Pandion haliaetus

Détermination
✱ C'est un Aigle d'assez petite taille (57 cm, envergure des ailes 1,6 m) au corps svelte, à queue courte et aux longues ailes arrondies (2). L'oiseau ad. (1) est noir-brun et blanc, de couleur contrastée, la tête blanche présente un bandeau noir sur l'œil. ♂ < ♀. Le dessus de l'oiseau juv. est caractérisé par les bordures claires des plumes. Le dessous présente un dessin discret. ✦ Il est souvent perché sur les arbres, à proximité de l'eau, il vole lentement et alterne quelques coups d'ailes avec de longues périodes de vol plané. Il pratique le vol vibré sur place, au-dessus de l'eau, se jette dans l'eau, les pattes en avant pour capturer sa proie. ⊙ Il émet, sur les aires de nidification, un «kaï-kaï» bref et aigu, en vol nuptial un «tyib tyib» sonore et perçant. ♋ On ne peut le confondre avec une autre espèce.

Ecologie ◆ Il recherche de grandes étendues d'eau près des forêts tranquilles. ∞ La présence constante des oiseaux, leurs va-et-vient incessants et les vols nuptiaux caractéristiques et accompagnés de cris, permettent de repérer l'aire de nidification. Cependant, des individus ou couples peuvent y séjourner sans nicher. Pour trouver le nid, il faut inspecter les lieux et contrôler les nids de grande taille. En dehors de la saison des nids, on peut observer le Balbuzard pêcheur sur les eaux de différents types.

Vie et mœurs ↔ C'est un oiseau migrateur. En dehors de la période de nidification, il vit seul ou en petits groupes libres. Il séjourne sur les aires de nidification en III.—VIII. ◡ Le nid, permanent, est installé au sommet des arbres isolés ou sur des poteaux. La femelle pond 2 à 3 œufs bleuâtres, parsemés de nombreuses taches brun foncé (61,8 × 46,2 mm) en IV.—V. Il niche 1× l'an, séparément, et couve durant 37 jours. Les deux parents prennent soin des petits : 53 jours au nid et environ 30 autres jours hors du nid. ◑ Il se nourrit exclusivement de poissons qu'il pêche en plongeant dans l'eau.

Protection C'est une espèce peu nombreuse, en voie de régression. Il faut assurer sa protection et sauvegarder le calme et la tranquillité de ses aires de nidification.

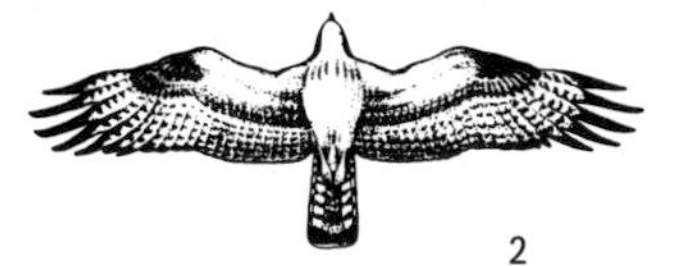

2

1

Faucon crécerelle
Falco tinnunculus

Détermination
* C'est un petit Rapace, à peine plus grand que la Tourterelle des bois (33 cm, envergure des ailes 75 cm). Il a de longues ailes pointues et une longue queue. La tête et la queue du ♂ ad. (1) sont grises, le bas du corps est beige ; ♀ < ♂, le haut de son corps (3) est rouge-brun fortement tacheté, le bas étant tacheté lui-aussi (2). L'oiseau juv. est semblable à ♀ mais le haut de son corps porte des taches claires. ✦ Il vole assez bas, pas très vite, alterne quelques coups d'ailes avec des moments de glisse, décrit des cercles, pratique le vol vibré sur place. Perché au sommet des arbres ou sur les poteaux, il tient son corps bien droit. ⊙ A l'approche de la période de nidification et pendant l'éducation de ses petits, il lance un fréquent et sonore «kikiki». ♋ Le Faucon crécerellette (*F. naumanni* — 4), très répandu en Europe méridionale, lui ressemble tout particulièrement. Il ne faut pas confondre le Faucon crécerelle avec de petits Rapaces courants tels que le Faucon hobereau (*F. subbuteo*), le Faucon émerillon (*F. columbarius*) ou l'Epervier d'Europe (*Accipiter nisus*).

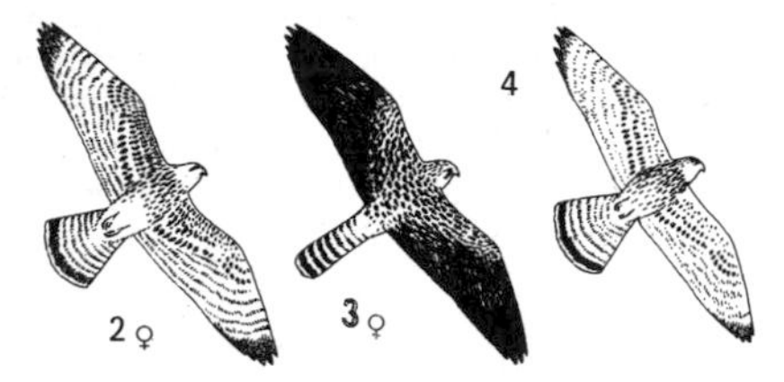

Ecologie ◊ Il habite des zones cultivées ou peu boisées et on le voit de plus en plus en ville. ∞ Sur les aires de nidification, on le repère grâce à sa présence régulière, à ses va-et-vient à proximité des aires, et à sa voix au printemps. On repère les jeunes oiseaux sortis du nid de la même manière. Pour trouver le nid, il faut inspecter les lieux (la présence de la fiente sous le nid est un indice sûr). En dehors de la saison des nids, il faut l'observer sur les terrains découverts. Qu'ils volent ou qu'ils soient perchés sur des arbres, les oiseaux sont facilement reconnaissables.

Vie et mœurs ↔ C'est un oiseau partiellement migrateur qui vit seul, hors de la période de nidification. Il séjourne sur l'aire de nidification en II. — VIII. ⊌ Il niche dans les vieux nids de Corneilles ou d'autres oiseaux, dans le creux des arbres, dans les édifices, dans les parois en terre ou dans les cavités des rochers, d'habitude en compagnie d'autres Faucons. La femelle pond 3 à 7 œufs jaune-brun, parsemés de taches brunes (39,0 × 31,4 mm) en III. — VII. Il niche 1 × l'an et couve durant 28 jours. Les deux parents prennent soin des petits : 30 jours au nid et 30 autres jours hors du nid. ◐ Il se nourrit de petits vertébrés, en particulier de campagnols et de Moineaux domestiques qu'il chasse en volant assez bas au-dessus du sol.

Protection C'est une espèce très utile qu'il faut absolument protéger. On peut l'aider en période de nidification en posant des nichoirs d'assez grande taille.

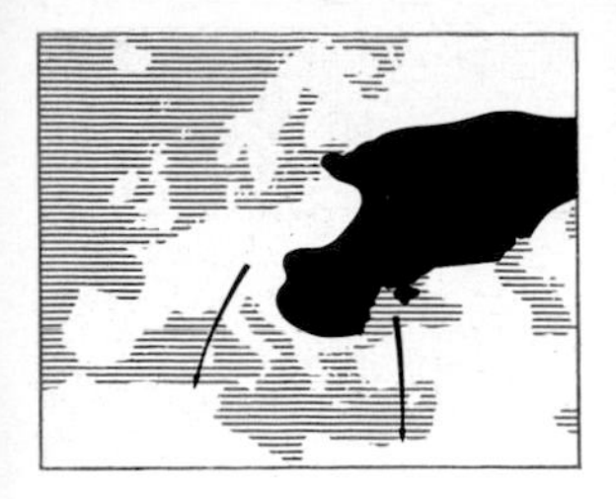

1

Faucon kobez
Falco vespertinus

Détermination
✳ Le Faucon kobez est de la taille du Faucon crécerelle (30 cm, envergure des ailes 70 cm). Il a un corps svelte, de longues ailes pointues et une très longue queue. L'oiseau ad. ♂ (2) est gris noirâtre avec culottes rousses, ♀ (1) est à peine plus grande et très différente : le haut de son corps est brun, le bas (3), y compris la face interne des ailes, est d'un brun très clair. L'oiseau juv. est semblable à ♀ mais son plumage est parsemé de taches sombres. ✦ Il est souvent perché en hauteur, il vole assez bas et pas très vite, pratique fréquemment le vol vibré sur place. Il arrive souvent que plusieurs individus chassent ensemble les insectes en vol. ⊙ Il émet, sur les aires de nidification, un «kikiki» répété. ♋ ♀ par son aspect et l'oiseau juv. par sa coloration, ressemblent au Faucon hobereau mais le haut de la tête et le front de celui-ci ne sont jamais clairs et sa queue est plus courte. En Europe méridionale, ♂ ressemble à la variante foncée du Faucon d'Eléonore *(F. eleonorae).*

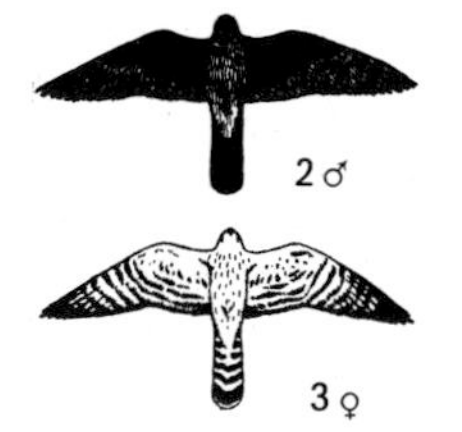

Ecologie ◆ Il vit dans les steppes, les steppes boisées, dans les terrains cultivés avec champs et bosquets. ∞ La présence régulière d'un grand nombre d'individus permet de repérer l'aire de nidification. Pour trouver les nids, il faut inspecter les colonies de Corbeaux, les bosquets et autres endroits. En dehors de la saison des nids, on peut l'observer sur les terrains découverts.

Vie et mœurs ↔ C'est un oiseau migrateur. En dehors de la période de nidification, il vit seul ou en groupes. Il séjourne sur les aires de nidification en V.—IX. ⊗ Il niche dans les vieux nids de Corbeaux, de Rapaces et d'autres oiseaux, installés dans les arbres, exceptionnellement dans les cavités ou à même le sol, et souvent en colonies. La femelle pond 3 — 4 œufs roussâtres, parsemés de taches brun foncé (36,8 × 29,2 mm) en V.—VI. Il niche 1× l'an et couve durant 22 jours. Les deux parents prennent soin des petits : 28 jours au nid et 10 autres jours hors du nid. ◑ Il se nourrit d'insectes et de menus mammifères qu'il saisit dans ses serres en vol au ras du sol.

Protection C'est une espèce véritablement menacée. Il faut la protéger par tous les moyens possibles et assurer le calme et la tranquillité des aires de nidification. On peut l'aider à nicher en préparant des supports pour les nids.

1

Faucon émerillon
Falco columbarius

Détermination
✳ Le Faucon émerillon est plus petit que le Faucon crécerelle (28 cm, envergure des ailes 60 cm). Il a de longues ailes étroites et pointues et une queue courte (2, 3). L'oiseau ad. ♂ a le dessus du corps bleu-gris, le dessous du corps roussâtre présente quelques taches foncées. ♀ (1) est plus grande, le dessus de son corps est brun foncé, le bas blanchâtre à taches brun foncé et en forme de gouttes. Les oiseaux juv. sont semblables à ♀ mais leur plumage est plus foncé et présente une grande tache blanchâtre à la nuque. ✦ Il vole vite, assez bas, alterne de rapides coups d'ailes avec de courtes périodes de vol plané, les ailes rabattues, ce qui donne l'impression que le vol suit un mouvement de vagues et il attaque habilement sa proie affolée. Il se tient droit, perché sur tout endroit élevé (arbres, etc.). ⊙ Sur les aires de nidification, il émet un «kikiki» rapide et aigu, semblable au cri du Faucon crécerelle. ♋ Le Faucon hobereau est une espèce très proche par l'aspect mais on ne le rencontre que rarement en Europe, entre X.—IV. Le sommet de sa tête et sa moustache sont foncés et le bas du corps est rougeâtre. Les Faucons crécerelle ou kobez et l'Epervier d'Europe ne lui ressemblent que par la taille.

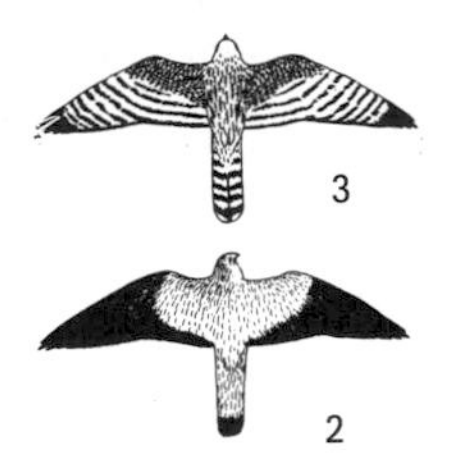

3

2

Ecologie ◈ Il habite la toundra, la forêt proche de la toundra, la plaine et même la montagne. ∞ Sur les aires de nidification, il est facile à repérer grâce à sa présence constante, à ses va-et-vient et à sa voix. Pour trouver le nid, il faut inspecter les lieux. En dehors de la saison des nids, il faut le chercher sur les terrains découverts.

Vie et mœurs ↔ C'est un oiseau migrateur. Il séjourne sur les aires de nidification en V.—IX. Il vit seul. ᴗ Le nid est installé à même le sol, dans les falaises ou dans les arbres. La femelle pond 3 à 5 œufs roussâtres, fortement parsemés de taches brunes (40,0 × 31,0 mm) en V.—VI. Il niche 1× l'an, séparément, et couve durant 30 jours. Les deux parents prennent soin des petits : 26 jours au nid et 20 autres jours hors du nid. ◉ Il se nourrit principalement de petits oiseaux qu'il chasse en vol, plus rarement au sol.

Protection L'espèce nécessite une protection totale.

1

Faucon hobereau
Falco subbuteo

Détermination
✳ Le Faucon hobereau est de la taille du Faucon crécerelle (33 cm, envergure des ailes 85 cm). Il a de longues ailes étroites et pointues et une queue courte (2). L'oiseau ad. ♂ est bleu-noir, les joues blanches portent des moustaches, le bas du corps est clair à taches foncées, la culotte est d'un roux vif. ♀ (1) est plus grande que ♂ mais ne diffère pas par l'aspect. L'oiseau juv. a le haut du corps noir-brun, les bordures des plumes sont claires, la culotte ne diffère pas du reste. ✦ Il vole assez bas et vite, alterne quelques coups d'ailes avec de courtes périodes de vol plané, chasse avec adresse insectes et oiseaux en vol, pratique parfois le vol à voile en décrivant des cercles et assez rarement le vol vibré. Perché sur les arbres, il se tient droit, les ailes atteignant l'extrémité de la queue. ⊙ Il émet, sur les aires de nidification, un sonore et aigu «kikiki», montant et descendant. ♋ Le Faucon émerillon, présent même en hiver, lui ressemble tout particulièrement. Toutefois, il n'a pas de moustache et sa coloration est moins contrastée. Les Faucons crécerelle et kobez sont également semblables, ♀ et les jeunes Faucons kobez en particulier, ainsi que le Faucon d'Eléonore *(F. eleonorae)* qui vit en Europe méridionale.

2

Ecologie ◆ Il recherche des régions découvertes à petites forêts, en plaine ou dans les collines essentiellement. ∞ Pour trouver l'aire de nidification, il faut, comme pour tous les autres Rapaces, surveiller la présence des oiseaux, leurs va-et-vient et leurs manifestations vocales. Il est nécessaire d'inspecter les lieux et de contrôler les nids de grande taille si l'on veut s'assurer de la présence de son nid. En dehors de la saison des nids, l'oiseau est visible dans les aires, lors de ses déplacements.
Vie et mœurs ↔ C'est un oiseau migrateur qui séjourne sur les aires de nidification en IV.—IX. ⍨ Il niche dans les vieux nids de Corneilles installés dans les couronnes des arbres. La femelle pond 2 à 4 œufs jaune-brun, parsemés de taches brunes (41,8 × 32,6 mm) en V.—VI. Il niche 1× l'an, séparément, et couve durant 29 jours. Les deux parents prennent soin des petits : 31 jours au nid et 35 autres jours hors du nid. ◉ Il se nourrit d'insectes et de petits oiseaux qu'il chasse en vol.
Protection C'est une espèce peu nombreuse et en voie de régression. Elle nécessite une protection totale. Il faut aussi veiller à la sauvegarde des nids.

1

Faucon pélerin
Falco peregrinus

Détermination
✳ C'est un solide Rapace de la taille d'une Corneille (42 cm, envergure des ailes 1 m). Ses ailes sont longues, assez larges et pointues, sa queue est courte (3). L'oiseau ad. (1) a le dessus du corps gris ardoise et de grosses moustaches sur les joues blanches. Le bas du corps est clair, parsemé de taches foncées, disposées en rayures transversales : celui de la ssp. nord-européenne *F. p. calidus* est entièrement blanc, celui de la ssp. de l'Europe centrale *F. p. peregrinus* légèrement brunâtre, la poitrine de la ssp. sud-européenne *F. p. brookei* est brun-roux clair. ♂ < ♀. L'oiseau juv. a le haut du corps noir-brun et des plumes à bords plus clairs, le bas du corps est légèrement brunâtre, parsemé de taches foncées, disposées en rayures longitudinales. ✦ Il vole haut, alterne des battements d'ailes détendus avec de courtes périodes de vol plané, accélère très vivement sa vitesse et attaque sa proie en piquant sur elle à une vitesse foudroyante. Il décrit parfois des cercles. Il va se percher sur des endroits élevés. ⊙ Sur les aires de nidification, il fait entendre un «kikiki» sonore. ♋ Quelques espèces lui ressemblent : Le Faucon Gerfaut (*F. rusticolus* — 4) qui vit en Europe septentrionale, le Faucon sacré (*F. cherrug* — 5) qui vit en Europe orientale et le Faucon lanier (*F. biarmicus* — 2) qui vit en Europe méridionale. Il faut veiller à ne pas confondre le Faucon pélerin avec des Rapaces du type Faucon de taille moindre.

Ecologie ◈ Il vit dans les forêts, dans la toundra, dans la steppe et les zones cultivées. ∞ Pour repérer l'aire de nidification, il faut surveiller la présence des oiseaux, leurs va-et-vient incessants et leurs manifestations vocales ; pour trouver le nid, il faut inspecter les lieux ; les aires de nidification sont permanentes. En dehors de la saison des nids, observer ses déplacements au-dessus des terrains découverts.

Vie et mœurs ↔ C'est un oiseau partiellement migrateur qui séjourne sur les aires de nidification en II.—VIII. ☋ Il niche dans les falaises, exceptionnellement dans les vieux nids de Corneilles installés dans les arbres, par endroits à même le sol. La femelle pond 3 à 4 œufs jaunâtres, parsemés de nombreuses taches brunes (51,4 × 40,4 mm) en III.—IV. Il niche 1× l'an et couve durant 30 jours. Les deux parents prennent soin des petits : 40 jours au nid et 60 autres jours hors du nid. ◐ Il se nourrit d'oiseaux allant jusqu'à la taille d'un Canard qu'il chasse en vol.

Protection C'est une espèce très fortement menacée. Il faut assurer sa protection complète, sauvegarder les aires de nidification, pratiquer son élevage et la réimplanter dans la nature.

1

Chouette effraie
Tyto alba

Détermination
✳ C'est une Chouette de taille moyenne (34 cm). Elle a une grosse tête ronde à voilette, de larges ailes rondes et une queue courte. L'oiseau ad. (1) est jaune-blanc-gris clair, son «visage» est recouvert d'une voilette blanche, le bas du corps de la ssp. sud-européenne *T. a. alba* est blanc, celui de la ssp. de l'Europe centrale *T. a. guttata* est jaunâtre et tacheté. ♀ est souvent plus tachetée que ♂. Juv. = ad. ✦ Elle vole en ligne droite, sans faire de bruit, avec un battement d'ailes lent, très bas au-dessus du sol. La Chouette effraie est active le soir et la nuit, et elle reste près du nid ou à l'abri pendant la journée. ⊙ Elle lance un «kryï» rauque et sonore. ♋ Grâce à son aspect et à sa voix, on ne peut la confondre avec une autre espèce. Toutefois, lorsqu'on l'observe à la tombée de la nuit, il faut veiller à ne pas la confondre avec les Chouettes de taille semblable.
Ecologie ◆ Elle vit dans les régions agricoles à basse altitude, dans les rochers et même dans les localités. ∞ Ses appels nocturnes permettent de la découvrir généralement près de son nid. Il est nécessaire, durant toute l'année, d'inspecter les greniers, les clochers et autres endroits semblables : on pourra y découvrir les nids ou les oiseaux eux-mêmes, ainsi qu'une assez grande quantité de rejets caractéristiques sur le sol.
Vie et mœurs ↔ C'est un oiseau sédentaire ou erratique qui vit seul. ☋ Les nids sont installés dans les cavités des rochers et, de nos jours, assez souvent dans les greniers des églises, dans les granges, etc. La femelle pond 4 à 10 œufs blancs (39,7 × 30,7 mm) en II.—XI. Elle niche 1 à 3× l'an, séparément, et couve durant 30 jours. Les deux parents prennent soin des petits : 50 jours au nid et 28 autres jours hors du nid. ◉ Elle se nourrit presque exclusivement de menus mammifères qu'elle chasse en volant bas au-dessus du sol.
Protection Le nombre des Chouettes effraies, peu important, est en voie de régression. Elles capturent quantité de rongeurs nuisibles, les campagnols en particulier. Il faut assurer une protection totale de l'espèce ainsi que la sauvegarde des aires de nidification.

1

Hibou grand-duc
Bubo bubo

Détermination
✳ C'est le plus grand nocturne d'Europe (70 cm, envergure des ailes 1,7 m). Il a une grande tête ronde, des oreilles, des ailes larges et arrondies, une queue courte. L'oiseau ad. (1) est jaune-brun, tacheté de brun foncé, ses iris sont orange. ♂ = ♀. L'oiseau juv. a de petites oreilles et sa poitrine est pratiquement dépourvue de taches. ✦ Le Hibou grand-duc est actif pendant la nuit. Son vol est silencieux, les battements d'ailes lents alternent avec le vol plané. Il se tient à l'abri dans les falaises ou dans les arbres pendant la journée. ⊙ Pendant la parade nuptiale, il émet fréquemment, durant toute la nuit, un «hou-ou» qui rappelle l'aboiement (♂) et un «hou» bref (♀). ♋ On ne peut le confondre avec une autre espèce. Toutefois, en Europe septentrionale, on rencontre des Chouettes de taille identique, fort ressemblantes.
Ecologie ◆ Il recherche les régions boisées à falaises et à sites découverts. ∞ Pendant la parade nuptiale (I.—IV.), c'est la voix des oiseaux qui indique les aires de nidification. Cependant, les oiseaux peuvent émettre des cris et ne pas nicher. Pour trouver le nid et les oisillons, il faut inspecter les lieux fréquentés. Les rochers à proximité des nids sont souillés de fiente. En dehors de la saison des nids, on ne voit le Hibou grand-duc que fortuitement, il est parfois trahi par les cris d'alarme des autres oiseaux.
Vie et mœurs. ↔ C'est un oiseau sédentaire qui, en dehors de la saison des nids erre à proximité des aires de nidification. ◡ Il niche dans les cavités des rochers, exceptionnellement au sol ou dans les vieux nids sur les arbres. La femelle pond 1 à 4 œufs blancs (60,2 × 49,4 mm) en II.—IV. Il niche 1× l'an, séparément, et ♀ couve durant 35 jours. Les deux parents prennent soin des petits : 55 jours au nid et 100 autres jours hors du nid. ◉ Il se nourrit de vertébrés allant jusqu'à la taille d'un lièvre qu'il chasse au cours de ses vols nocturnes.
Protection ● C'est une espèce vulnérable. Son nombre est très peu important, l'espèce a disparu dans certaines parties de l'Europe occidentale et a été réintroduite par endroits. Le Hibou grand-duc cause des dégâts dans les régions à élevage intensif de menu gibier qui ne sont pas très éloignées de ses aires de nidification. Il faut assurer une protection totale de l'espèce et veiller à la sauvegarde des aires de nidification.

1

Chouette harfang
Nyctea scandiaca

Détermination
✳ C'est une Chouette robuste (60 cm) de la taille d'un Hibou. Sa tête est grande et ronde, ses ailes sont larges et arrondies, sa queue est courte et ses iris sont jaunes. L'oiseau ad. ♂ est d'un blanc immaculé, parsemé de taches noir-brun sur le haut du corps. ♀ (1) porte des taches rouge-brun, disposées en rayures transversales, sur la quasi-totalité du corps. Les oiseaux juv. sont semblables à ♀ mais ils sont plus fortement tachetés. ♂ < ♀. ✦ La Chouette harfang est active toute la journée. Elle bat des ailes d'un mouvement lent et détendu, mais attaque sa proie avec adresse. On la voit souvent perchée sur tout endroit ou objet élevé. ⊙ Sur les aires de nidification, ♂ émet un «kraou aou» sonore. ♋ On ne peut la confondre avec une autre espèce. En Europe septentrionale, deux espèces lui ressemblent : la Chouette épervière (*Surnia ulula* — 2) et la Chouette lapone (*Strix nebulosa*).
Ecologie ◈ Elle vit dans la toundra et, en dehors de la saison des nids, dans des régions découvertes. ∞ La présence constante et les va-et-vient incessants des oiseaux, d'habitude très farouches, permettent de repérer l'aire de nidification. Pour trouver le nid, il faut observer les oiseaux adultes et inspecter les lieux. En dehors de la période de nidification, on la voit sur des terrains découverts.
Vie et mœurs ↔ C'est un oiseau partiellement migrateur et erratique qui séjourne sur les aires de nidification en III.—IX. La Chouette harfang vit seule. ⍨ Le nid se trouve à même le sol. La femelle pond 3 à 9 œufs blancs (57,0 × 45,0 mm) en V.—VI. Elle niche 1× l'an, séparément, et ♀ couve durant 32 jours. Les deux parents prennent soin des petits : 45 jours au nid et 25 autres jours hors du nid. ◔ Elle se nourrit de vertébrés allant jusqu'à la taille d'un lapin, de lemmings et de campagnols en particulier qu'elle chasse en volant bas au-dessus du sol.
● **Protection** C'est une espèce rare. Une protection systématique par la loi semble efficace.

2

1

Chouette chevêchette
Glaucidium passerinum

Détermination
✱ C'est la plus petite Chouette d'Europe (17 cm), de la taille d'un Bouvreuil. Elle a une tête assez grande et aplatie, des ailes courtes et rondes, la queue est également courte. L'oiseau ad. (1) est brun foncé à taches claires et fines. ♂ = ♀. La Chouette chevêchette juv. est plus foncée et plus mate, le haut du corps, les couvertures alaires et les côtés bruns de la poitrine sont dépourvus de taches. ✦ Son activité est essentiellement nocturne, parfois diurne. Elle vole vite, alterne battements d'ailes rapides et vol plané, les ailes rabattues. Elle se tient cachée dans les cavités ou sur les arbres ; lorsqu'elle est excitée, elle secoue sa queue par saccades. ⊙ Sur les aires de nidification, ♂ émet des cris sifflants : «tyii tyii», doux et monotones, ♀ pousse des cris identiques, plus aigus. ♋ Sa voix rappelle celle du Bouvreuil pivoine *(Pyrrhula pyrrhula)*. Deux autres espèces lui ressemblent ; la Chouette de Tengmalm *(Aegolius funereus)* et la Chouette chevêche *(Athene noctua)*. Elles sont cependant de taille plus grande et leurs voix sont différentes. Le Hibou petit-duc (*Otus scops* — 2) de l'Europe méridionale est également proche par l'aspect mais il vit dans un milieu différent.
Ecologie ◈ Elle vit dans les grandes et anciennes forêts de conifères, dans ses parties humides, souvent dans les forêts de montagne. ∞ Sur les aires de nidification (en II.—IV., parfois même en IX.—XI.), on la reconnaît grâce à sa voix, le soir et le matin surtout. On peut provoquer ses cris en l'imitant ou en passant un enregistrement. Le nid est signalé par le cri de ♀, on trouve sous celui-ci le duvet et les plumes des petits oiseaux. En dehors de la période de nidification, on ne la rencontre que par hasard.
Vie et mœurs ↔ C'est un oiseau sédentaire qui erre, en dehors de la saison des nids, à proximité des aires de nidification. Elle vit seule. ◡ Elle niche dans les trous des arbres creusés par des grimpeurs. La femelle pond 3 à 7 œufs blancs (28,5 × 23,2 mm) en IV.—V. Elle niche 1× l'an, séparément, ♀ couve durant 29 jours. Les deux parents prennent soin des petits : 30 jours au nid et 25 autres jours hors du nid. ◕ Elle se nourrit de petits oiseaux et de mammifères qu'elle chasse dans les couronnes des arbres ou à terre.
Protection C'est une espèce rare. La sauvegarde des forêts anciennes dans les régions qu'elle fréquente conditionne sa présence.

2

1

Chouette chevêche
Athene noctua

Détermination
∗ C'est une petite Chouette (22 cm) de la taille d'un Merle. Elle a une grande tête plate, des ailes courtes et rondes, une queue également courte. L'oiseau ad. (1) est gris-brun, finement tacheté de blanc. ♂ = ♀. L'oiseau juv. est plus pâle, moins tacheté, le sommet de la tête est totalement dépourvu de taches. ✦ Son activité est essentiellement nocturne, parfois diurne. Elle est souvent perchée sur les arbres, sur les édifices et on la voit souvent posée sur le sol. Lorsqu'elle est excitée, elle fait des révérences. Elle vole vite et alterne quelques coups d'ailes rapides avec de courtes périodes de vol plané. ⊙ Sur les aires de nidification, elle émet un «hou hou» sonore et plaintif, lorsqu'elle est excitée un «kif kef» et autres sons. ♋ Sa voix ne peut pratiquement pas être confondue avec celle d'un autre oiseau. On rencontre par endroits une espèce voisine : la Chouette de Tengmalm, qui vit en Europe. Elle est cependant plus grande, sa tête est ronde, ses yeux et son bec forment un triangle équilatéral, elle vit dans un milieu différent et sa voix est autre.
Ecologie ◈ Elle recherche des régions cultivées à bosquets, champs, prés, allées, bâtiments et localités à basse altitude. ∞ Sur les aires de nidification, on la repère au printemps (II.—VI.) grâce à sa voix. Pour trouver le nid, il faut inspecter les cavités et les creux des arbres. Pour l'effaroucher, il suffit de frapper sur les troncs d'arbres. En dehors de la saison des nids, on ne la voit que par hasard.
Vie et mœurs ↔ C'est un oiseau sédentaire qui vit seul. ◡ La Chouette chevêche niche dans les creux des arbres, par endroits dans les trous du sol. La femelle pond 4 à 6 œufs blancs (34,8 × 29,3 mm) en III.—V. Elle niche 1× l'an, séparément, ♀ couve durant 27 jours. Les deux parents prennent soin des petits : 35 jours au nid et 30 autres jours hors du nid. ◉ Elle se nourrit de gros insectes, de petits oiseaux et mammifères qu'elle chasse en volant bas au-dessus du sol ou à terre.
Protection Cette espèce connaît actuellement une forte diminution. Une protection complète est nécessaire. Il est souhaitable de favoriser sa nidification en installant des nichoirs.

1

Chouette hulotte
Strix aluco

Détermination
⁎ C'est une Chouette de taille moyenne (38 cm, envergure des ailes 1 m), à la tête grosse et ronde, bien caractéristique. Le plumage de l'oiseau ad. (1) est gris ou roux-brun, parsemé de taches brun-noir (2 — plume de la poitrine, 4 — plume de la queue). ♂ = ♀ = juv. ✦ La nuit, elle est active. Le jour, elle reste cachée dans les branches, dans les cavités des arbres, dans les cheminées des maisons forestières. Son vol est lent, et elle se montre adroite lorsqu'elle chasse. ⊙ Sur les aires de nidification, elle émet fréquemment un «hou hou hou» (♂) sonore et mélancolique, un «kioi-vitt» (♀) strident, les oisillons hors du nid poussent des piaillements plaintifs. ♋ Nous citerons deux espèces voisines : la Chouette de l'Oural *(Strix uralensis)*, un peu plus grande et moins tachetée, sur la poitrine (3) et la queue (5) en particulier, et la Grande Chouette lapone *(Strix nebulosa)* dont la grande tête porte un dessin foncé bien visible (6).

Ecologie ◆ Elle vit dans les forêts, dans les parcs et même dans les vieux jardins des villes. ∞ Sur les aires de nidification, on la découvre grâce à ses cris (XII. —IV.) à la tombée de la nuit, parfois même dans la journée, et en V.—VI. grâce aux cris des oisillons. Pour trouver le nid, il est nécessaire d'inspecter les aires de nidification et contrôler les cavités qui peuvent abriter des nids. Pour effaroucher l'oiseau, il ne suffit pas toujours de frapper sur l'arbre. En dehors de la saison des nids, on ne la rencontre que par hasard, elle est parfois trahie par les cris d'alarme des petits oiseaux. Sous les endroits où se perchent les Chouettes hulottes, on peut voir des rejets de couleur grise assez importants.

Vie et mœurs ↔ C'est un oiseau sédentaire. En dehors de la saison des nids, il erre à proximité des aires de nidification. Les couples restent ensemble toute l'année. ☫ La Chouette hulotte niche dans les creux des arbres ou dans les constructions forestières. La femelle pond 3 à 5 œufs blancs (47,4 × 39,1 mm) en II.—V. Elle niche 1× l'an. La ♀ couve durant 29 jours. Les deux parents prennent soin des petits : 35 jours au nid et 90 autres jours hors du nid. ◕ Elle se nourrit de menus mammifères et oiseaux qu'elle chasse en volant bas au-dessus du sol ou entre les arbres.

Protection C'est un prédateur qui chasse de petits mammifères. Une protection complète de l'espèce est nécessaire. On peut faciliter sa nidification en préparant des nichoirs d'assez grande taille.

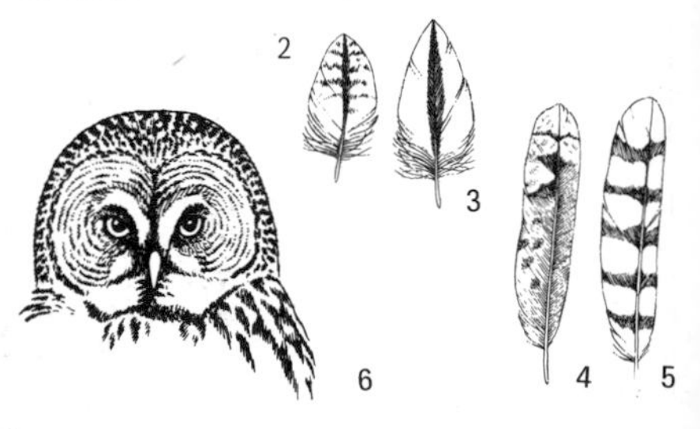

1

Hibou moyen-duc
Asio otus

Détermination
✳ Le Hibou moyen-duc est de la taille de la Chouette hulotte (36 cm). Il a un corps svelte, une tête ronde dotée de longues oreilles, des ailes arrondies, une queue courte et des iris jaunes. L'oiseau ad. (1) est jaune-brun, parsemé de taches foncées, disposées en rayures longitudinales. ♂ = ♀. L'oiseau juv. a des oreilles plus petites, un plumage plus gris et une voilette plus foncée. ✦ Il est actif la nuit. Il vole bas, en zigzaguant, avec un battement d'ailes lent et des volte-face subites en direction du sol lorsqu'il aperçoit une proie. Perché sur un arbre, le corps à la verticale, il reste à l'abri pendant la journée. ⊙ Sur les aires de nidification, il émet un grave «hoump» étouffé et répété toutes les trois secondes, les oisillons poussent des piaillements. ♋ Le Hibou des marais *(A. flammeus)* qu'on rencontre dans toute l'Europe, est une espèce semblable. Il est cependant plus clair, ses oreilles sont plus petites (2) et il évolue dans les champs, dans les prés humides ou dans les marécages. Une autre espèce voisine, le Hibou des marais africain *(A. capensis)*, peut être occasionnellement rencontré en Espagne du Sud.
Ecologie ◈ Il vit dans les régions pittoresques à petites forêts, dans les parcs des villes, dans les cimetières, les plaines jusqu'à la limite supérieure de la forêt. ∞ Sur les aires de nidification, on le repère grâce à sa voix (III.—VI.). Au cours de la parade nuptiale, ♂ claque également des ailes. Pour effaroucher les oiseaux qui nichent, il faut frapper sur les arbres. Sur les lieux d'hivernage, il faut observer les oiseaux lors de leur envol du soir et chercher à repérer leurs rejets sous les arbres.
Vie et mœurs ↔ C'est un oiseau partiellement migrateur. Il vit en groupes importants pendant l'hiver. ◡ Il niche dans les vieux nids de Corneilles et de Rapaces. La femelle pond 3 à 6 œufs blancs (40,0 × 32,4 mm) en II.—VI. Il niche 1 (—2× ?) l'an, séparément, et ♀ couve durant 27 jours. Les deux parents prennent soin des petits : 30 jours au nid et 60 autres jours hors du nid. ◉ Il se nourrit de menus mammifères qu'il chasse en volant très bas au-dessus du sol.
Protection C'est un grand prédateur qui chasse de petits rongeurs, les campagnols en particulier. La protection totale de l'espèce est indispensable.

2

1
2
3
4
5

Les oiseaux chanteurs
(ou les Passereaux chanteurs)

Les chanteurs forment le groupe d'oiseaux le plus riche qui soit. Ils sont tous pourvus d'un organe vocal caractéristique appelé le syrinx, qui leur permet de produire toute une gamme de sons pouvant être très riche chez certaines espèces. Chaque espèce a un chant qui la caractérise. Celui-ci flatte agréablement l'oreille humaine et facilite, grâce à son accent particulier, la détermination de l'espèce donnée. Un autre trait commun aux Chanteurs est leur petite taille. Le Grand Corbeau est le plus grand Passereau d'Europe alors que les Roitelets sont les plus petits oiseaux européens qui soient. Les Passereaux chanteurs ont généralement des pattes et un bec courts, mais leur aspect et leur coloration sont très variés.

On trouve, parmi les Passereaux chanteurs, un grand nombre d'espèces très voisines, comme les Pouillots ou les Rousserolles. Il est parfois quasiment impossible de distinguer certains couples d'espèces les uns des autres (on les appelle espèces doubles, «sibling species»), comme la Rousserolle verderolle et la Rousserolle effarvatte, ou le Grimpereau des bois et le Grimpereau des jardins. Toutefois, dans la plupart des cas, les espèces peuvent être identifiées grâce à leurs manifestations vocales, le chant en particulier.

Le Moineau domestique (2), à pattes et à queue courtes, à bec en forme de cône court, est l'exemple type des espèces granivores. La Bergeronnette grise (5) représente les insectivores : son bec est assez long et fin, ses pattes courtes et fines, sa queue allongée. La Sittelle torchepot (4) a un bec droit et puissant, des pattes et une queue courtes, faites pour grimper sur les troncs d'arbres. Le Merle noir (3) est le type même de Passereau chanteur de taille moyenne, sans adaptations morphologiques particulièrement bien marquées, capables de prendre leur nourriture dans différents milieux. La Corneille mantelée (1) est le type même de Passereau chanteur universel mais de taille plus grande.

1

Hirondelle de cheminée
Hirundo rustica

Détermination
✳ L'Hirondelle de cheminée atteint la taille d'un Moineau (19 cm), mais elle est plus svelte. Elle a des ailes découpées et pointues caractéristiques et une queue assez longue et fourchue (3,4). Le front et le menton de l'oiseau ad. (1) sont rouge-brun, le dessus du corps est noir, le dessous est blanc ou rougeâtre, traversé d'une bande foncée sous le menton. ♂ = ♀. Les oiseaux juv. sont plus mats, les plumes latérales de la queue sont plus courtes. ✦ Elle est souvent perchée sur les fils électriques, elle descend parfois sur le sol. Elle vole avec agilité, souvent assez bas au-dessus du sol, par temps froid au ras de l'eau. Elle passe la nuit en grandes troupes dans les roselières. ⊙ On entend fréquemment son cri d'appel «tsvouit», son cri d'alarme «bivist» et son chant qui est un mélange de gazouillis et de trilles qui se termine par un «dzérrz» long. ♋ On rencontre, en Europe méridionale, l'Hirondelle rousseline *(H. daurica)*, très voisine par l'aspect. A grande distance ou à grande vitesse de vol, l'Hirondelle de cheminée peut être confondue avec l'Hirondelle de fenêtre qui a cependant une queue courte, le bas du corps blanc et un croupion blanc bien marqué (2,5).

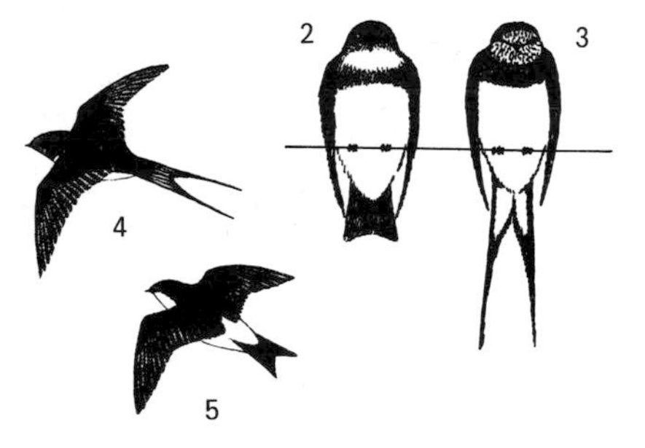

Ecologie ◈ Elle vit dans les régions découvertes et cultivées qui s'étendent des plaines jusqu'à la montagne, souvent à proximité des eaux. ∞ Pour repérer l'espèce, il faut observer les oiseaux et écouter leur chant. Le comportement des oiseaux adultes conduit aux nids qu'il faut toutefois vérifier.

Vie et mœurs ↔ C'est un oiseau migrateur qui séjourne sur les aires de nidification en IV.—X ⚲ Les nids sont installés en hauteur, près des plafonds à l'intérieur des bâtiments, rarement à l'extérieur ; ils sont maçonnés de boue, en forme de bol ouvert, et garnis de duvet. La femelle pond 3 à 6 œufs blancs, parsemés de nombreuses taches foncées (19,4 × 13,7 mm) en IV.—VIII. Elle niche 1—2× l'an, séparément, ♀ couve durant 16 jours. Les deux parents prennent soin des petits qui restent au nid pendant 22 jours. ◕ Elle se nourrit de menus arthropodes, d'insectes en particulier, qu'elle chasse en vol.

Protection Le nombre d'Hirondelles de cheminée est en régression par endroits. Il est nécessaire d'assurer l'accès des endroits qui conviennent au nids. L'Hirondelle de cheminée utilise même des nids artificiels de forme identique.

1

Hirondelle de fenêtre
Delichon urbica

Détermination
✳ L'Hirondelle de fenêtre est plus petite que l'Hirondelle de cheminée (13 cm), ses ailes sont plus courtes et plus larges, sa queue est courte, légèrement échancrée. L'oiseau ad. (1) a le dessus du corps bleu-noir, le croupion blanc bien marqué ; le dessous du corps ainsi que les pattes emplumées sont blancs. ♂ = ♀. Le sommet de la tête de l'oiseau juv. est brunâtre. ✦ Elle vole avec agilité, monte en biais avec un battement d'ailes très rapide et redescend en lignes courbes en pratiquant le vol à voile. Elle est souvent perchée sur les lignes électriques, en compagnie d'autres hirondelles. On la voit à terre près des flaques d'eau en quête de boue pour la construction de son nid. ⊙ On l'entend fréquemment : elle émet un «brite» d'appel, un «ssière-ssière» d'alarme ; son chant est un gazouillis discret, plus monotone que celui de l'Hirondelle de cheminée. ♋ L'Hirondelle de rivage lui ressemble par son aspect, l'Hirondelle de cheminée par sa coloration et, en Europe méridionale, on peut rencontrer l'Hirondelle rousseline, très ressemblante également.
Ecologie ◆ Elle vit dans les agglomérations aussi bien en plaine qu'en montagne. Elle va parfois chercher sa nourriture à grande distance. ∞ On la repère facilement grâce à sa voix et en observant attentivement le milieu. Pour trouver le nid, il faut observer le comportement des oiseaux adultes ou inspecter les lieux.
Vie et mœurs ↔ C'est une espèce migratrice. En dehors de la saison des nids, elle vit en groupes libres. Elle séjourne sur les aires de nidification en IV.—X. ⍦ Le nid est maçonné et fermé, avec un orifice au sommet. Il est placé à l'extérieur des bâtiments, sous une corniche, dans l'embrasure d'une fenêtre, quelquefois dans les falaises. La femelle pond 3 à 5 œufs blancs (18,3 × 13,1 mm) en V.—VIII. Elle niche 1—2 × l'an, souvent en colonies, et couve durant 15 jours. Les deux parents prennent soin des petits qui sont capables de prendre leur envol dès le 26ème jour. ◑ Elle se nourrit de menus arthropodes, en particulier d'insectes, qu'elle chasse en vol.
Protection Il ne faut pas détruire les nids qu'elle installe sur divers édifices. Elle accepte même des nids artificiels de forme identique. C'est une espèce qui reste nombreuse.

1

Pipit rousseline
Anthus campestris

Détermination
✳ Le Pipit rousseline est de la taille d'un Moineau (16 cm). Il a un corps svelte, un bec et une queue assez longs. Le plumage de l'oiseau ad. (1) est gris-brun, les ailes et la queue sont plus foncées, les côtés de la queue sont blancs, le dessous du corps est quasiment blanc, la poitrine est rosée et dépourvue de taches foncées. ♂ = ♀. L'oiseau juv. est tacheté de brun foncé à la poitrine. ✦ Il court à terre avec vivacité, se redresse à l'arrêt. Il rappelle la Bergeronnette printanière *(Motacilla flava)*. Il vole peu et à petite distance. Les mâles pratiquent un vol plané ondulé tout en chantant. Il est parfois perché sur les lignes électriques. ⊙ Son cri d'appel est une sorte de «tsirp», son chant un «zirlouï-zirlouï» répété. ♋ En dehors de la période de nidification, d'autres Pipits fréquentent les mêmes lieux, mais tous ont le dessous du corps tacheté et leur voix est différente. Le Pipit de Richard *(A. novaeseelandiae)*, rare en Europe, diffère par la taille.
Ecologie ◈ Il vit dans les friches herbeuses clairsemées, sur des terrains sablonneux et caillouteux en particulier, à basse altitude, et en dehors de la saison des nids, même dans les champs. ∞ Pour le repérer, il faut l'observer dans son milieu et écouter son chant. Le comportement des oiseaux lors du nourrissage des petits et l'inspection des lieux permettront la découverte du nid.
Vie et mœurs ↔ C'est un oiseau migrateur, qui vit seul en dehors de la période de nidification. Il séjourne sur les aires de nidification en IV.—X. ◡ Le nid est au sol, dans l'herbe basse. La femelle pond 4 à 5 œufs grisâtres, parsemés de taches brunes (21,5 × 15,7 mm) en IV.—VII. Il niche 1 (2?) × l'an, séparément, et ♀ couve durant 14 jours. Les deux parents prennent soin des petits qui sont capables de prendre leur envol dès le 14ème jour. ◐ Il se nourrit de menus invertébrés qu'il se procure au sol.
Protection C'est une espèce rare dont le nombre ne cesse de diminuer. Les moyens de protection ne sont pas connus.

1

Pipit des arbres
Anthus trivialis

Détermination
✳ Le Pipit des arbres atteint la taille d'un Moineau (15 cm). Le plumage de l'oiseau ad. (1) est brun tacheté, la queue étant blanche sur les côtés. ♂ = ♀. L'oiseau juv. est plus brun et plus fortement tacheté. ✦ Il est souvent perché sur les arbres, parfois au sommet, ou sur les lignes électriques. Il marche à terre ou sur les grosses branches d'arbres d'un pas alerte. Son vol est rapide et ondulé. Le ♂ qui chante s'envole de l'arbre, monte de biais, puis redescend sur l'arbre ou tout autre endroit élevé, les ailes à demi déployées, la queue ouverte et pointée obliquement vers le haut. ⊙ On l'entend souvent : son cri d'appel est un «pssib» doux et perçant, son cri d'alarme un «ssit ssit» expressif ; son chant est sonore, composé de différents trilles qui se terminent par un «tsia-tsiatsiaa» descendant. ♋ On citera deux espèces voisines : le Pipit des prés *(A. pratensis)* au plumage tirant sur le brun olive, plus fortement tacheté, au cri plus perçant et qui vit dans d'autres milieux, et le Pipit spioncelle (*A. spinoletta*), maritime, plus gris, à la poitrine dépourvue de taches, à la voix différente et qui vit dans les montagnes ou sur les rivages de l'Europe septentrionale.

Ecologie ◈ Il vit dans les forêts peu denses, dans les clairières, dans les bosquets ou dans les régions découvertes qui s'étendent des plaines à la limite supérieure de la forêt. En dehors de la saison des nids, il vit dans les champs et autres milieux semblables. ∞ En période de nidification, il est facile à découvrir grâce à son chant. Pour trouver le nid, il faut inspecter les lieux, effaroucher l'oiseau qui couve ou observer le comportement des oiseaux adultes lors du nourrissage des oisillons en particulier. Hors de la saison des nids, on le repère grâce à sa voix ou en l'effarouchant.

Vie et mœurs ↔ C'est un oiseau migrateur qui séjourne sur les aires de nidification en IV.—IX. ◡ Le nid est au sol, caché dans les herbes ou sous un buisson. La femelle pond 4 à 6 œufs blanchâtres, parsemés de nombreuses taches foncées (20,4 × 15,4 mm) en IV.—VIII. Il niche 1—2× l'an, séparément, et ♀ couve durant 13 jours. Les deux parents prennent soin des petits qui sont capables de prendre leur envol dès le 12ème jour. ◐ On est relativement peu renseigné à ce sujet. Le Pipit des arbres se nourrit essentiellement de menus arthropodes qu'il se procure au sol.

Protection Le Pipit des arbres est un oiseau des forêts célèbre pour l'excellence de son chant. Dans le passé, on l'élevait en cage. L'espèce ne nécessite aucune protection particulière.

1

Pipit des prés
ou **Farlouse**
Anthus pratensis

Détermination
∗ Le Pipit des prés est de la taille d'un Moineau (15 cm). Son corps est élancé et sa queue est longue. Le plumage de l'oiseau ad. (1) est brun olive, à taches foncées, le dessous du corps est blanchâtre, la poitrine et les flancs portent des taches bien visibles, le croupion est uni (3). ♂ = ♀. L'oiseau juv. a le dessous du corps jaunâtre. ✦ Il marche et court à terre en hochant la tête. Son vol est rapide, saccadé et légèrement ondulé. Lorsqu'il est effarouché, il lance un cri d'appel et survole son territoire en décrivant des cercles.Il chante généralement en vol, tout en glissant de biais vers le sol, termine sa descente à la verticale. ⊙ On l'entend souvent. Il émet un cri d'appel perçant : «ist-ist» ou un cri d'alarme répété «ist-ist-ist». Son chant est une répétition accélérée d'une note fine terminée par un trille flûté. ♋ Quelques espèces lui ressemblent : le Pipit des arbres *(A. trivialis)*, au plumage plus jaune, qui émet un cri d'appel plus doux et vit dans un autre milieu, le Pipit spioncelle /maritime *(A. spinoletta)* au plumage gris olive (sur le dessus du corps), au bas du corps quasiment sans taches, qui émet un appel monosyllabique et achève son chant en atterrissant de biais. En Europe septentrionale, on rencontre le Pipit à gorge rousse *(A. cervinus)*, très ressemblant. La formule de son aile (4) est toutefois différente de celle du Pipit des prés (2), son plumage est plus fortement tacheté, y compris sur le croupion (5).
Ecologie ◆ Il recherche les prairies humides et les terrains marécageux qui s'étendent des plaines à la montagne de type subalpin. En dehors de la saison des nids, on le voit évoluer dans les champs. ∞ Il faut inspecter les lieux qu'il fréquente, effaroucher les oiseaux et le chercher d'après sa voix sur les aires de nidification. Pour trouver le nid, observer les oiseaux qui nourrissent leurs petits, inspecter les lieux ou effaroucher les oiseaux qui couvent.
Vie et mœurs ↔ C'est un oiseau essentiellement migrateur qui vit en petites troupes libres. Il séjourne sur les aires de nidification en III.—X. ◡ Le nid est au sol, caché dans les herbes épaisses. La femelle pond 4 à 5 œufs brunâtres, parsemés de nombreuses taches foncées (19,5 × 14,5 mm) en IV.—VII. Il niche 1—2× l'an, séparément, ♀ couve durant 13 jours. Les deux parents s'occupent des petits qui sont capables de prendre leur envol dès le 14ème jour. ◑ Il se nourrit principalement de menus invertébrés qu'il se procure au sol.
Protection C'est une espèce nombreuse. La protection consiste essentiellement à sauvegarder les aires de nidification.

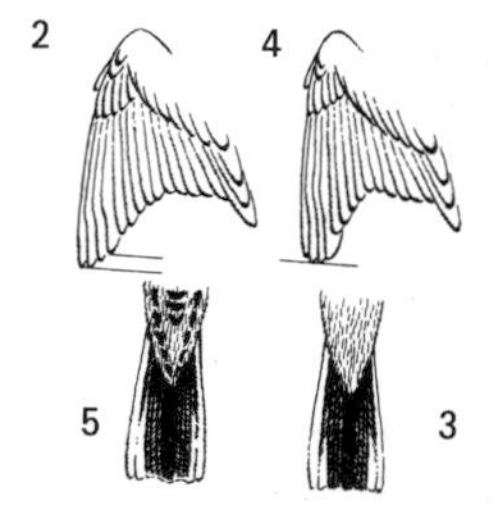

1

Pipit spioncelle maritime
Anthus spinoletta

Détermination
✳ Le Pipit spioncelle / maritime atteint la taille d'un Moineau (16 cm). Les oiseaux ad. du Spioncelle montagnard (*A. s. spinoletta* —1), qui vit en Europe centrale et méridionale, ont le dessus du corps gris-brun à taches foncées, le bas du corps est rougeâtre, presque dépourvu de taches en période de nidification, et gris-jaune clair en dehors de cette période. La queue est blanche sur les côtés, les pattes sont rouge-brun. Les oiseaux ad. du Pipit maritime *(A. s. littoralis/petrosus/kleinschmidti),* qui vit en Europe septentrionale, sont de couleur olive foncé, le bas du corps étant fortement tacheté, la queue grise sur les côtés, ♂ = ♀. L'oiseau juv. est plus fortement tacheté. ✦ Il marche et court à terre en hochant la tête, se perche sur les arbres et les rochers. Son vol est rapide et ondulé. Le ♂ s'envole d'un endroit élevé et redescend à terre de biais tout en chantant. ⊙ Son appel est un «dïyp» monosyllabique, son chant une répétition accélérée d'une note fine terminée par un trille flûté. ♋ On citera deux espèces semblables : le Pipit des prés, au plumage couleur olive, au bas du corps tacheté, aux pattes jaunâtres, qui lance un appel polysyllabique, et le Pipit des arbres au bas du corps tacheté, aux pattes jaunâtres, qui lance un appel plus doux.

Ecologie ◆ Il vit dans les prairies rocailleuses au-delà de la limite supérieure de la forêt (le Spioncelle montagnard) et les côtes rocheuses (le Pipit maritime). En dehors de la saison des nids, les oiseaux des deux variantes fréquentent les bords de l'eau. ∞ Il est facilement repérable sur les aires de nidification grâce à sa voix et à son chant. Pour trouver le nid, il faut observer les oiseaux pendant le nourrissage des petits ou inspecter les lieux et effaroucher l'oiseau qui couve. En dehors de la période de nidification, on le repère grâce à sa voix ou lors d'une observation fortuite.

Vie et mœurs ↔ C'est un oiseau essentiellement migrateur qui séjourne sur les aires de nidification en III.—X. ⍵ Le nid est au sol, à proximité d'une pierre le plus souvent. La femelle pond 3 à 5 œufs gris, parsemés de nombreuses taches foncées (21,4 × 15,7 mm) en IV.—VII. Il niche 1—2× l'an, séparément, et ♀ couve durant 14 jours. Les deux parents prennent soin des oisillons qui sont capables de prendre leur envol dès le 14ème jour. ◑ Il se nourrit essentiellement de menus arthropodes qu'il se procure au sol.

Protection C'est une espèce qui n'est répandue que par endroits. Elle ne nécessite pas de mesures de protection particulières.

Bergeronnette printanière
Motacilla flava

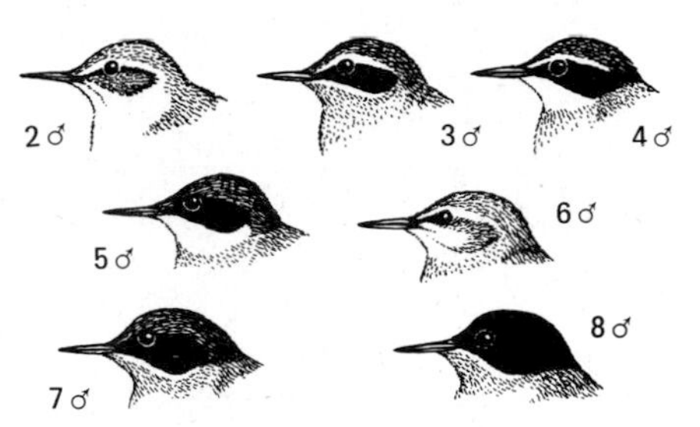

Détermination
✳ La Bergeronnette printanière est de la taille d'un Moineau (16 cm). Elle a une queue longue et fine. L'oiseau ad. a le dessus du corps vert olive, le dessous jaune. Pendant la période de nidification, ♂ (1) est d'un jaune lumineux, ♀ est toujours d'un jaune terne, le dessin de la tête est simple. L'oiseau juv. est plus pâle que ♀, son plumage tire sur le brun, le cou porte des taches foncées. Un grand nombre de sous-espèces européennes se distinguent entre elles essentiellement par la coloration de la tête des ♂♂ alors que ♀♀ et les oiseaux juv. sont identiques. Les sourcils blanchâtres caractérisent ♂♂ des sous-espèces suivantes : *M. f. flavissima* (2), répandue en Europe occidentale et en Grande-Bretagne, qui a la tête jaune, *M. f. flava* (3), en Europe centrale, qui a le sommet de la tête gris, la région auriculaire sombre et le menton jaune, *M. f. iberiae* (4), dans la péninsule ibérique, qui a le sommet de la tête gris foncé, la région auriculaire noire et le menton blanc, et *M. f. beema* (6), dans la partie européenne de l'U. R. S. S., qui a le sommet de la tête et la région auriculaire gris clair et le menton blanc. Les ♂ ♂ des sous-espèces suivantes sont dépourvus de sourcils clairs : *M. f. thunbergi* (7), répandue en Europe septentrionale, qui a le sommet de la tête gris, la région auriculaire noire et le menton jaune, *M. f. cinereocapilla* (5), en Europe méridionale, qui a la sommet de la tête gris, la région auriculaire noire et le menton blanc, et *M. f. feldegg* (8), dans le sud-est de l'Europe, qui a le sommet de la tête et la région auriculaire noirs, et le menton jaune. Les individus hybrides sont souvent impossibles à distinguer. ✦ Elle marche et court à terre, hoche la tête et se perche souvent sur de grandes tiges. Son vol est rapide et ondulé. ⊙ Elle lance fréquemment un cri d'appel «ptyïkh», son chant est composé d'un «tsip-tsip-tsip-tsipsi», bref et simple. ♋ En Europe orientale vit la Bergeronnette citrine *(M. citreola)* qui diffère par la formule de l'aile (9 — B. printanière, 10 — B. citrine). La Bergeronnette printanière pourrait être confondue avec la Bergeronnette des ruisseaux *(M. cinerea)* qui a une très longue queue, un menton foncé et qui vit dans un milieu différent.

Ecologie ◆ Elle vit sur des terrains découverts, dans les prairies humides et les tourbières en particulier, dans les plaines ou dans les collines. ∞ La Bergeronnette printanière est facilement reconnaissable grâce à sa voix et à son comportement. Le nid est bien caché. Pour le trouver, il faut surveiller les oiseaux adultes lors du nourrissage des petits ou inspecter les lieux. L'oiseau qui couve s'envole au moindre bruit, même à distance.

Vie et mœurs ↔ C'est un oiseau migrateur. Hors de la saison des nids, il vit en petites troupes libres. La Bergeronnette printanière séjourne sur les aires de nidification en III.—IX. ◡ Le nid est installé dans l'herbe. La femelle pond 4 à 6 œufs gris-jaune, parsemés de taches foncées (17,8×14,4 mm) en IV—VII. Elle niche 1—2× l'an, séparément et ♀ couve durant 14 jours. Les deux parents prennent soin des petits qui sont capables de prendre leur envol dès le 11ème jour. ◕ Elle se nourrit de menus invertébrés qu'elle ramasse sur le sol ou dans l'herbe.

Protection Par endroits, la Bergeronnette printanière connaît une forte régression. Les raisons de cet état de fait ainsi que les moyens d'une protection efficace ne sont pas connus. Il est indispensable de sauvegarder les aires de nidification de l'espèce.

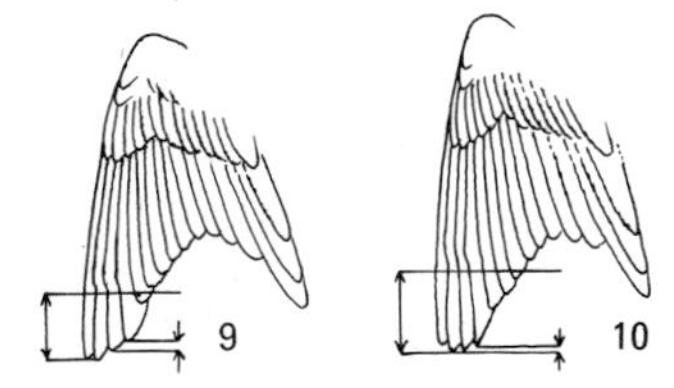

1

Bergeronnette des ruisseaux
Motacilla cinerea

Détermination
✳ La Bergeronnette des ruisseaux est plus grande qu'un Moineau (18 cm), sa queue est fine et très longue. L'oiseau ad. a la tête et le dos gris, la queue foncée est blanche sur les côtés, le bas du corps est jaune. Le menton du ♂ en livrée nuptiale (1) est noir, celui de ♀ est blanc. En livrée simple, la coloration est identique, seule la poitrine du ♂ est d'un jaune plus intense. Les oiseaux juv. ressemblent aux adultes en livrée simple mais leur plumage est d'un ton plus clair, tire sur le brun, et la gorge est tachetée. ✦ Elle court ou stationne sur les rives, sur des pierres en particulier, sa queue se balance sans cesse. Elle vole vite, en «vagues» profondes, souvent au-dessus de l'eau, et pratique de temps à autre le vol battu sur place. ⊙ Elle lance fréquemment un appel monosyllabique perçant : «tsiss-tsiss», un cri d'alarme : «tsizit». Son chant est une sorte de gazouillis aux tons flûtés. ⑤ Deux espèces lui ressemblent : la Bergeronnette printanière (son menton n'est jamais noir, elle lance un appel plus doux et vit dans d'autres milieux) et la Bergeronnette citrine qui vit en Asie et n'apparaît que très rarement en Europe.

Ecologie ◈ Elle vit au bord des eaux, sur les rives caillouteuses des torrents de montagne en particulier. ∞ On peut facilement l'observer et l'entendre sur les petits cours d'eau, ; pour trouver le nid, il faut inspecter les lieux ou observer les adultes lors du nourrissage des oisillons. En dehors de la saison des nids, on la voit également au bord des eaux dormantes.

Vie et mœurs ↔ C'est un oiseau partiellement migrateur qui vit seul. Il séjourne sur les aires de nidification en III.—X. ᴗ Le nid est installé dans les cavités de rochers, dans les ravins, sous les ponts, et sur les berges. Son diamètre est assez grand (il peut atteindre 18 cm). La femelle pond 4 à 6 œufs couleur crème, parsemés de taches rouge-brun (18,7×14,3 mm) en IV.—VII. La Bergeronnette des ruisseaux niche 1—2× l'an, séparément, et couve durant 12 jours. Les deux parents prennent soin des petits : 14 jours au nid et 10 autres jours hors du nid. ◐ Elle se nourrit d'insectes aquatiques et de leurs larves qu'elle se procure sur les rives.

Protection La Bergeronnette des ruisseaux ne nécessite pas de protection particulière si ce n'est la conservation des cours d'eau naturels, ou l'installation de nichoirs à demi fermés sur les rives moins adaptées à la nidification.

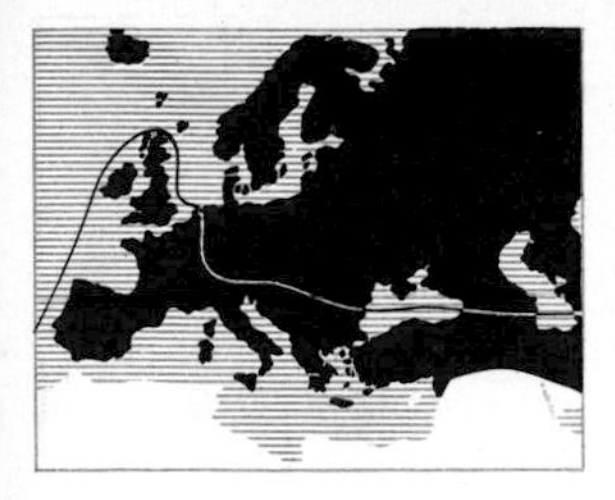

1

Bergeronnette grise
Motacilla alba

Détermination
✳ La Bergeronnette grise est de la taille de la Bergeronnette des ruisseaux (18 cm), son corps est svelte, sa queue très longue. L'oiseau ad. est noir, gris et blanc. En livrée nuptiale, ♂ (1) a le menton, la gorge et la poitrine noires, ♀ a la tête noire et le front blanc mêlés de gris. En livrée simple, ♂ a une bande noire sur la poitrine, le menton et la gorge sont blancs, ♀ conserve la coloration de la livrée nuptiale. Les oiseaux de la sous-espèce *M. a. yarrelli* (2), originaire des îles Britanniques ont, en livrée nuptiale, le dos noir, en livrée simple, une large bande noire au travers de la gorge. Les oiseaux juv. ont la poitrine blanche, tirant légèrement sur le gris-jaune. ✦ Elle marche et court à terre, balance sa queue sans arrêt. Son vol est rapide et ondulé, elle pratique le vol vibré sur place de temps en temps. Les Bergeronnettes grises se réunissent pour la nuit dans les roseaux, dans les arbres et même à l'intérieur des bâtiments. ⊙ On l'entend souvent. Son appel est un «jivliss» sonore et perçant, son cri d'alarme un «tsiziss» sec. Son chant, peu fréquent, est un gazouillis faible. ♋ On ne peut la confondre avec une autre espèce.
Ecologie ◈ Elle recherche des terrains découverts au sol marécageux ou sablonneux, des rives plates, qui s'étendent des plaines à la limite supérieure de la forêt. ∞ On peut facilement l'observer et l'écouter. Pour trouver le nid, il faut inspecter les cavités ou observer le comportement des oiseaux, des petits en particulier.
Vie et mœurs ↔ C'est un oiseau partiellement migrateur qui séjourne sur les aires de nidification en III.—X. ◡ Le nid est installé dans les cavités, souvent dans les rochers ou dans les bâtiments. La femelle pond 4 à 6 œufs gris-bleu parsemés de nombreuses taches foncées (20,0×15,1 mm) en IV.—VII. Elle niche 1—3× l'an, séparément, et couve durant 13 jours. Les deux parents élèvent les petits qui restent au nid durant 14 jours. ◉ Elle se nourrit de menus invertébrés qu'elle se procure au sol ou en volant bas au-dessus des terrains.
Protection C'est une espèce nombreuse qui ne nécessite aucune mesure de protection particulière.

2

1

Jaseur boréal
Bombycilla garrulus

Détermination
✳ Le Jaseur boréal est plus grand qu'un Moineau (18 cm). Son corps est trapu, sa tête porte une huppe plate sur la nuque, sa queue est courte. L'oiseau ad. (1) est gris-brun, les ailes et l'extrémité de la queue portent des taches de couleur vive : rouges, jaunes, blanches. ♂ et ♀ présentent une petite tache sombre sur le menton, mais celle de ♀ est plus petite que celle du ♂ et ne se termine pas par une ligne aussi nette côté gorge. Juv. = ad. ✦ Il est perché sur les arbres, presque immobile, tourne, autour des branches extérieures en vol vibré, descend fréquemment au bord de l'eau. En vol, il ressemble à l'Etourneau, ses ailes sont triangulaires. Les Jaseurs boréals volent en troupes serrées. ⊙ Il émet, souvent, un «sirr» discret. ♋ On ne peut le confondre avec une autre espèce. En vol. il diffère de l'Etourneau et par la coloration et par la voix.
Ecologie ◑ Il vit dans la taïga du Nord. En dehors de la période de nidification, il fréquente des forêts, des terrains découverts à bosquets et même des agglomérations. ∞ Sur les aires de nidification, on le reconnaît à sa voix, ou bien on observe les oiseaux et leur va-et-vient. Le nid est difficile à trouver même si on passe du temps à observer les oiseaux. En dehors de la saison des nids, on peut le voir lors de ses déplacements ou sur les arbres où il picore des baies (sorbes et gui en particulier).
Vie et mœurs ↔ C'est un oiseau migrateur. En dehors de la saison des nids, il vit occasionnellement en grandes troupes. Il séjourne sur les aires de nidification en IV.—IX. ◡ Le nid est une construction impressionnante, placée à la cime d'un conifère. La femelle pond 3 à 6 œufs bleuâtres, parsemés de quelques taches foncées (23,8×15,5 mm) en V.—VI. Il niche 1× l'an, séparément et ♀ couve durant 14 jours. Les deux parents prennent soin des petits (la durée de cette période n'est pas connue). ◕ Il se nourrit de menus invertébrés en été et de baies diverses le reste de l'année.
Protection Le Jaseur boréal ne nécessite pas de protection particulière.

1

Cincle plongeur
Cinclus cinclus

Détermination
✳ Plus grand qu'un Moineau (18 cm), le Cincle plongeur a un corps trapu, un cou et une queue courts. Le dessus de l'oiseau ad. est noir-brun, le menton, la gorge et la poitrine sont blancs, le ventre est noir-brun (chez la ssp. *C. c. cinclus*, de l'Europe septentrionale) ou rouge-brun (chez la ssp. *C. c. aquaticus* — 1, de l'Europe centrale et méridionale essentiellement). ♂ = ♀. Les oiseaux juv. sont gris, les plumes du dos étant bordées de gris foncé. ✦ Il est souvent perché sur les pierres qui émergent de l'eau, ou au bord de l'eau, et secoue sa queue par saccades. C'est un très bon nageur qui sait également plonger. Il vole au ras de l'eau. ⊙ Il fait fréquemment entendre, lors de l'envol en particulier, un «zit zit» perçant. Son chant est composé de sons brefs et flûtés. ♂ chante même en hiver. ♋ On ne peut le confondre avec une autre espèce.
Ecologie ◈ Le Cincle plongeur vit sur des torrents à fonds pierreux, et sur d'autres cours d'eau en dehors de la période de nidification. ∞ Pour le trouver, il faut longer les cours d'eau et observer les grosses pierres qui émergent de l'eau, assez éloignées. Sa présence est signalée par les déjections qu'on peut voir au sommet des pierres. L'oiseau effarouché vole tout droit, au ras de l'eau et, dès qu'il a atteint la limite de son territoire, il revient en volant très haut, en lançant des cris fréquents. Le nid peut être découvert par l'inspection des aires de nidification ou par l'observation des oiseaux qui nourrissent leurs petits.
Vie et mœurs ↔ C'est un oiseau sédentaire et solitaire. Par endroits, il se déplace pour l'hiver vers les eaux qui ne gèlent pas. ❦ Le nid est une construction en forme de grande boule, ouverte par devant, faite de mousse à l'extérieur et de feuilles à l'intérieur, placée dans une cavité rocheuse, sous les ponts ou entre les racines des arbres, toujours au-dessus de l'eau. La femelle pond 4 à 6 œufs blancs (25,6×18,6 mm) en III.—IV. Il niche 1—2× l'an, ♀ couve durant 17 jours. Les deux parents s'occupent des petits pendant 24 jours au nid et les oisillons sortent du nid dès le 14ème jour lorsqu'ils sont dérangés. A partir du 42ème jour, ils sont indépendants. ◉ Il se nourrit de menus animaux aquatiques qu'il se procure au fond de l'eau ou sur les pierres qui émergent.
Protection Lorsque les aires de nidification sont insuffisantes, il est possible de placer au bord des eaux des nichoirs dont on a eu soin d'enlever préalablement la paroi de devant. On ne connaît actuellement aucun autre moyen de protection.

1

Troglodyte
Troglodytes troglodytes

Détermination
✳ C'est un très petit oiseau (10 cm), bien plus petit qu'un Moineau. Il a un corps rondelet. Le cou, les pattes et la queue sont courts. Le Troglodyte ad. (1) est brun, à taches foncées, le bas de son corps est plus clair. ♂ = ♀. Les oiseaux juv. portent des rayures ondulées transversales sur tout le bas du corps. ✦ Il se faufile très adroitement dans les branches et racines enchevêtrées et toute végétation dense, et ne s'en éloigne que rarement. Il tient sa queue à la verticale et balance souvent son petit corps. Il ne se déplace en vol qu'à petite distance. Il vole vite et en ligne droite. ⊙ On l'entend souvent. Son cri d'appel est un «tek-tek» sonore, son cri d'alarme un «terr-terr» perçant et son chant est une succession rapide de sons flûtés et stridents. ♋ On ne peut le confondre avec une autre espèce. Le chant du Troglodyte rappelle le chant du Grimpereau des bois (*Certhia familiaris*) mais il est plus sonore et plus dur.

Ecologie ◈ Il vit dans les régions boisées qui s'étendent des plaines à la limite supérieure de la forêt, dans les forêts de conifères le plus souvent. En dehors de la période de nidification, il fréquente également les jardins et les agglomérations. ∞ On le repère grâce à sa voix, car il chante toute l'année. Pour trouver le nid, il faut observer les oiseaux et leur comportement, en période de nourrissage des petits en particulier, et inspecter les lieux favorables à la nidification.

Vie et mœurs ↔ C'est un oiseau essentiellement sédentaire ou erratique, seules les populations les plus septentrionales migrent un peu plus au sud. Il séjourne sur les aires de nidification en III.—X. Il vit seul. ◡ Le nid est une construction en forme de boule ouverte sur le devant ; il est confectionné de feuilles, d'herbes et de mousse et placé dans les racines des arbres déracinés, dans les cavités des berges et des talus, sur les bâtiments ou près des troncs d'arbres. La femelle pond 6 à 7 œufs blancs, parsemés de points rouge-brun (16,6×12,6 mm) en IV.—VII. Il niche 1—2× l'an, séparément, et ♀ couve durant 16 jours. Les deux parents prennent soin des petits : 16 jours au nid et 18 autres jours hors du nid. ◉ Il se nourrit presque exclusivement de menus insectes qu'il se procure au sol.

Protection C'est une espèce nombreuse qui ne nécessite pas de mesures de protection particulières.

1

Accenteur mouchet
Prunella modularis

Détermination
✻ L'Accenteur mouchet atteint la taille d'un Moineau (15 cm). Il a un corps svelte et une queue légèrement échancrée. L'oiseau ad. (1) a le haut du corps brun, à taches foncées, les côtés de la tête et le bas du corps bleu-gris. ♂ = ♀. Les oiseaux juv. sont plus pâles, pratiquement dépourvus de couleur bleue, et plus fortement tachetés. ✦ Solitaire, il vit près du sol, dans les taillis et les buissons. Il vole vite, en ligne droite, et ne couvre qu'une petite distance. Il chante, souvent perché à la cime de l'arbre, et disparaît dans les branches inférieures lorsqu'il est effarouché. ⊙ Son cri d'appel est un «tsiït tsit» perçant, aigu et relativement discret. Son chant est une succession rapide de sons flûtés aigus, voire perçants, que sa durée rend quelque peu monotone. ♋ Lorsque la visibilité est bonne, l'Accenteur mouchet ne peut être confondu avec une autre espèce. Son chant rappelle un peu celui du Troglodyte, du Grimpereau des bois ou du Bruant fou.
Ecologie ◐ Il habite les forêts qui s'étendent des plaines jusqu'aux pins alpestres où il est courant. On le voit aussi dans les taillis, dans les jardins et même dans les agglomérations. ∞ On le repère grâce à sa voix que l'on entend de III.—VII., tout au long de la journée. Le nid n'est pas facile à repérer, il se trouve généralement à proximité du ♂ qui chante. On le découvre souvent par hasard, en effarouchant l'oiseau qui couve, ou en observant le comportement des oiseaux. En dehors de la saison des nids, on reconnaît l'Accenteur mouchet grâce à son appel ou en observant les oiseaux qui se dissimulent dans les taillis et les buissons.
Vie et mœurs ↔ C'est un oiseau partiellement migrateur. Il séjourne sur les aires de nidification en III.—X. ⌣ Le nid est installé assez bas, dans les taillis, dans les buissons mais aussi dans les arbres ou au sol. La mousse est un des matériaux essentiels du nid. La femelle pond 4 à 5 œufs bleu-vert foncé (19,5×14,5 mm) en IV.—VII. Il niche 1—3× l'an, ♀ couve durant 13 jours. Les deux parents s'occupent des petits. Les oisillons restent au nid pendant 23 jours et le quittent, encore incapables de voler. ◕ Il se nourrit essentiellement de menus invertébrés en été, de graines végétales en hiver, nourriture qu'il se procure au sol ou dans la végétation tout près du sol.
Protection L'Accenteur mouchet ne nécessite pas de protection particulière.

1

Accenteur alpin
Prunella collaris

Détermination
✳ L'Accenteur alpin est plus grand qu'un Moineau (18 cm). Il a un corps trapu, un cou, un bec, et une queue courts. Le haut du corps des oiseaux ad. (1) est gris-brun tacheté, la tête et le bas du corps sont bleu-gris couleur pavot, le menton est blanc, parsemé de taches foncées. ♂ = ♀. L'oiseau juv. a le haut du corps plus brun, le bas étant d'un jaune roux, rayé de brun. ✦ Il sautille à terre, le corps ramassé, et se perche au sommet des blocs de pierre. Il vole assez vite, en se balançant, assez bas au-dessus du sol et ne couvre que de petites distances. ⊙ Il lance de temps à autre un appel «troui-troui» montant. Le chant est flûté et rappelle celui de l'Alouette des champs. ♋ On ne peut le confondre avec une autre espèce.
Ecologie ◆ Il vit sur les versants rocheux à touffes d'herbes, dans les éboulis, jusqu'aux neiges. En dehors de la période de nidification, il vit dans les rochers à plus basse altitude, souvent à proximité des refuges de montagne. ∞ Il faut observer les oiseaux qui sont perchés sur des blocs de pierre ou survolent le terrain, à la limite supérieure de la forêt ou au-delà, et se laisser guider par leur voix. Pour trouver le nid, il faut observer le comportement des oiseaux, pendant le nourrissage des petits en particulier, ou inspecter minutieusement les lieux. En dehors de la période de nidification, on ne le voit que par hasard.
Vie et mœurs ↔ En hiver, il migre vers les régions à plus basse altitude, parfois même bien loin des aires de nidification. Il séjourne sur les aires de nidification en III.—X. ◡ Le nid est généralement installé dans une fissure de rocher, parfois sous un bloc de pierre, et il arrive qu'on le voie même sur des bâtiments. La femelle pond 3 à 6 œufs d'un bleu clair vif (20,0×16,6 mm) en IV.—VII. Il niche 1—2× l'an et couve durant 14 jours. Les deux parents prennent soin des petits qui quittent le nid au bout de 16 jours, encore incapables de voler avec aussurance. ◉ Il se nourrit de menus invertébrés et de graines qu'il ramasse ou chasse au sol, ou qu'il cherche dans les déchets.
Protection L'Accenteur alpin est assez nombreux sur les aires de nidification ; ailleurs, son nombre est fluctuant. Il faut assurer une protection totale de l'espèce et adapter les mesures aux conditions locales.

1

Rouge-gorge
Erithacus rubecula

Détermination
* Le Rouge-gorge est plus petit qu'un Moineau (14 cm). Il a une grande tête ronde et de grands yeux caractéristiques. Les oiseaux ad. (1) ont le haut du corps brun, le front et le plastron sont rouge-brun. ♂ = ♀. Les oiseaux juv. sont très différents : le haut du corps est brun foncé, le bas brun clair, parsemé de taches claires en forme d'écailles. ✦ Il court à terre, les ailes pendantes, la queue à demi dressée, s'arrête et balance son petit corps rondelet. Son vol est ondulé, il ne couvre que de petites distances. Il chante, perché sur les branches des arbres. ⊙ Il émet fréquemment un appel bien sonore : «tsiks», le cri d'alarme est un «ssikhss» fin et perçant. Il chante presque toute l'année, au printemps on l'entend surtout le soir. Son chant est court, composé de sons flûtés et mélancoliques. ♋ On ne peut le confondre avec une autre espèce.
Ecologie ◆ Il vit dans les forêts de différents types, dans les parcs, dans les jardins qui s'étendent des plaines jusqu'à la limite supérieure de la forêt. Il recherche les buissons, les haies et les taillis. En dehors de la saison des nids, il fréquente la végétation des bords de l'eau. ∞ On le repère tout au long de l'année grâce à sa voix et à son aspect. Pour trouver le nid, et les oisillons qui ont quitté le nid, il faut observer les oiseaux, ceux qui nourrissent leur progéniture tout particulièrement, et inspecter les lieux.
Vie et mœurs ↔ C'est un oiseau partiellement migrateur qui vit seul tout au long de l'année. ◡ Le nid est placé dans une cavité du sol, dans les talus, parfois dans l'herbe, au sol, sur un arbre ou sur les bâtiments. La femelle pond 5 à 7 œufs blanc cassé, parsemés de fines taches rouge-brun (19,8×15,1 mm) en IV.—VII. Il niche 1—4× l'an, ♀ couve durant 14 jours. Les deux parents s'occupent des petits : 14 jours au nid et 8 autres jours hors du nid. ◕ Il se nourrit de menus invertébrés, d'insectes et de leurs larves en particulier, voire d'abeilles, moins fréquemment de fruits et de graines. Il se procure sa nourriture au sol, dans les buissons et même dans l'eau. Il ramasse fruits et graines sur les buissons et les arbres en particulier.
Protection C'est une espèce importante par le nombre. Elle ne nécessite pas de mesures de protection particulières.

1

Rossignol philomèle
Luscinia megarhynchos

Détermination
✳ Le Rossignol philomèle est plus grand qu'un Moineau (17 cm). Le plumage de l'oiseau ad. (1) est brun, sa queue est d'un roux rougeâtre. ♂ = ♀. Le plumage de l'oiseau juv. est plus foncé, parsemé de taches en forme d'écailles. ✦ Il vit dissimulé dans les broussailles et ne se montre guère. Lorsqu'il est à terre, il court vite, les ailes à demi pendantes ; la queue, relevée, s'ouvre et se balance. ⊙ Il lance son cri d'appel «tak-tak» étouffé et fréquent ; quand il est dérangé à proximité du nid et des petits, il lance un «fit» ou «fit-krr-krr» sonore. Son chant célèbre et très sonore varie selon les régions et les individus. Il commence par une série de notes dans un crescendo bien marqué «ty-ty-ty» qui se transforment en trilles «tiou tiou tiou tiou» auxquels succèdent des motifs mélodieux typiques. ♂ perché sur une branche, chante toute la journée et même à la mi-journée, mais on l'entend tout particulièrement la nuit. ♋ Dans la partie nord-est de l'Europe, au-delà la ligne formée par l'Elbe, l'Oder, la Theiss et le Danube, vit le Rossignol progné *(L. luscinia)* qui diffère du Rossignol philomèle (2) par la formule de l'aile (3). Le chant nocturne peut être confondu avec le chant de l'Alouette lulu.

Ecologie ◈ Il vit dans les bois et taillis feuillus, souvent à proximité de l'eau, aussi bien dans les plaines que dans les collines. ∞ On le reconnaît à son chant (IV.—VII.), la proximité du nid et des petits est trahie par son cri d'alarme. Le ♂ qui chante n'est pas forcément en train de nicher, surtout en période plus tardive. Le nid est difficile à trouver : il faut inspecter minutieusement la végétation du lieu et observer les oiseaux lors du nourrissage des petits en particulier.

Vie et mœurs ↔ C'est un oiseau migrateur qui séjourne sur les aires de nidification en IV.—IX. ⌣ Le nid, fait de feuilles mortes, est installé dans la végétation au sol. La femelle pond 3 à 5 œufs vert olive, parsemés de nombreuses taches brunes (21,0×16,01 mm) en IV.—VI. Il niche 1 (—2?) × l'an, séparément, et ♀ couve durant 13 jours. Les deux parents prennent soin des petits : 11 jours au nid et 10 autres jours hors du nid. ◕ Il se nourrit de menus arthropodes, et de fruits juteux à l'automne. Il se procure sa nourriture au sol ou dans les herbes et les broussailles.

Protection Le nombre des Rossignols philomèle est important par endroits. La protection de l'espèce passe essentiellement par la sauvegarde des buissons et des haies sur les aires de nidification.

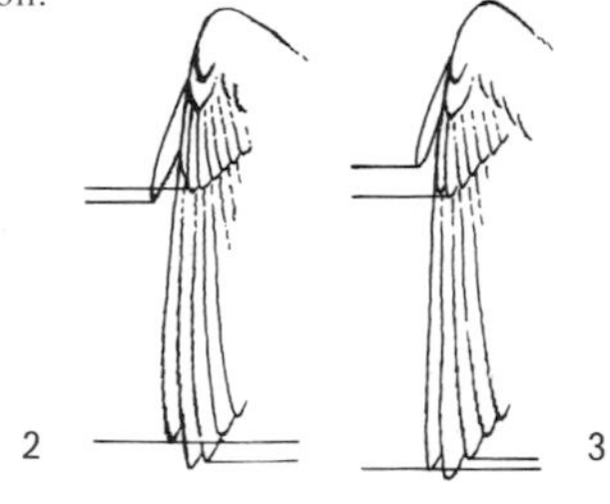

1

Gorge-Bleue
Luscinia svecica

Détermination
✳ Le Gorge-bleue est plus petit qu'un Moineau (14 cm). En livrée nuptiale, le haut du corps du ♂ est brun, la queue est roussâtre à la racine, le bas du corps est clair, une bavette bleu vif à tache rousse (ssp. *L. s. svecica* — 1, originaire de l'Europe septentrionale) ou blanche (ssp. *L. s. cyanecula*, originaire de l'Europe centrale) descend jusqu'à la poitrine. Certains individus sont dépourvus de taches. En livrée simple, la gorge est plus claire, parsemée de taches foncées, ♀ ♀ des deux sous-espèces ont, dans les deux livrées, la gorge blanchâtre, bordée par une bande de taches noir-brun. Les oiseaux juv. ressemblent à ♀, les plumes du dos sont à bords blanchâtres. ✦ Il vit en solitaire, dissimulé dans la végétation épaisse, souvent au bord de l'eau. ⓣ Le chant du Gorge-bleue est très varié : il commence par quelques notes détachées («dyp-dyp-dyp») et continue par un potpourri de sons flûtés et expressifs. Il chante assez peu souvent, généralement perché au sommet de la végétation, parfois s'envole et revient en vol vibré. Son cri d'appel est un «tak tak» dur ou un «fit» doux, et son cri d'alarme un «toerrk» guttural. ♋ On ne peut le confondre avec une autre espèce.
Ecologie ◆ Il vit dans les terrains marécageux et humides, sur les bords de l'eau couverts de végétation, qui s'étendent des plaines jusqu'à la zone subalpine. ∞ En période de nidification, il se trahit par son chant ou bien on le rencontre par hasard. Le nid est difficile à découvrir: il faut inspecter les lieux avec soin et observer les oiseaux qui nourrissent leurs petits. En dehors de la période de nidification, on observe le Gorge-bleue au hasard d'une rencontre, plus fréquemment lors d'une capture.
Vie et mœurs ↔ C'est un oiseau migrateur qui hiverne en Afrique. Il séjourne sur les aires de nidification en III.—X. Il vit seul. ♉ Le nid est dissimulé au sol ou dans la couche inférieure de la végétation. La femelle pond 4 à 6 œufs vert olive foncé, parsemés de nombreuses taches noir-brun (18,8×14,2 mm) en IV.—VII. Il niche 1—2× l'an, séparément, et ♀ couve durant 14 jours. Les deux parents prennent soin des petits : 14 jours au nid et 14 autres jours hors du nid. ◉ Il se nourrit de menus invertébrés et de fruits en automne, de baies en particulier. Il se procure sa nourriture au sol.
Protection Le nombre des Gorges-bleues n'est pas très important, il est actuellement en voie de régression. Il faut veiller à la sauvegarde des aires de nidification des populations habitant en plaine.

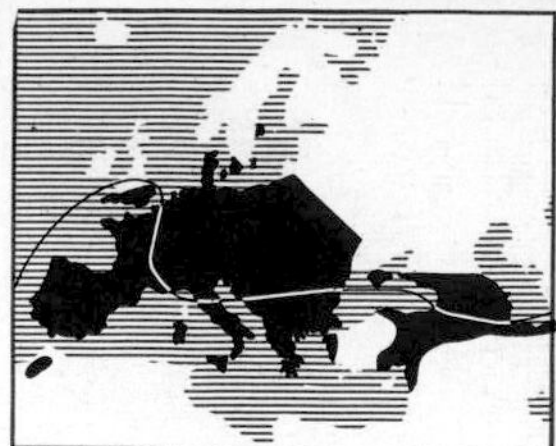

1

Rouge-queue noir
Phoenicurus ochruros

Détermination
✳ Le Rouge-queue noir est plus petit qu'un Moineau (14 cm). Il a une grande tête, une queue assez longue et de grandes pattes. L'oiseau ad. (1) ♂ est gris, la poitrine est parfois noire, les ailes présentent une grande tache blanche, la queue est rousse. La ♀ est toujours grise et dépourvue de tache blanche. L'oiseau juv. est semblable à ♀, le bas de son corps est parsemé de taches foncées. ✦ Il est souvent perché au sommet des bâtiments ou des rochers, sa queue oscille sans cesse, il se balance tel un ressort, descend à terre où il court et sautille à grande vitesse. Il vole vite, avec agilité, et pratique des volte-face subites lorsqu'il poursuit des insectes. ⊙ On l'entend souvent. Son cri d'appel est un «fit» incisif, il émet un «fik-tek-tek» lorsqu'il est excité, son chant (III.—IX.) est un mélange bref et sonore de sons grinçants et rauques au début, mélodieux par la suite. Le ♂ chante perché au faîte d'un toit ou au sommet d'un rocher. ⑤ On ne peut le confondre avec une autre espèce. Seuls les oiseaux juv. ressemblent aux jeunes du Rouge-queue à front blanc *(P. phoenicurus)*, le bas du corps de ceux-ci est cependant jaune-brun clair, le haut du corps porte des taches plus sombres. La formule de l'aile est également différente (Rouge-queue noir — 3, Rouge-queue à front blanc — 2).
Ecologie ◈ Il vit dans les rochers, des plaines à la zone subalpine, et dans les agglomérations. ∞ On le reconnaît facilement grâce à son chant et à son cri, il est fréquemment perché sur les rochers ou sur les bâtiments. Le nid est à chercher à proximité de l'endroit où il chante ou alors il faut observer les oiseaux ad., assez peu farouches.
Vie et mœurs ↔ C'est un oiseau partiellement migrateur qui séjourne sur les aires de nidification en III.—X. Il vit seul. ◡ Le nid est installé dans les cavités des rochers, dans les embrasures des bâtiments, habituellement pas très haut. La femelle pond 4 à 6 œufs blancs, parfois parsemés de petites taches rouge-brun (19,5×14,5 mm) en IV.—VII. Il niche 1—3× l'an, séparément, et ♀ couve durant 14 jours. Les deux parents prennent soin des petits : 16 jours au nid et 14 autres jours hors du nid. ◕ Il se nourrit, au printemps, presque exclusivement d'insectes, d'araignées, de mollusques et de vers, en automne, également de baies. Il se procure sa nourriture au sol ou en vol.
Protection Le nombre des Rouges-queues noirs est important et l'espèce ne nécessite pas de mesures de protection particulières. On peut aider les oiseaux à nicher en disposant des nichoirs ouverts.

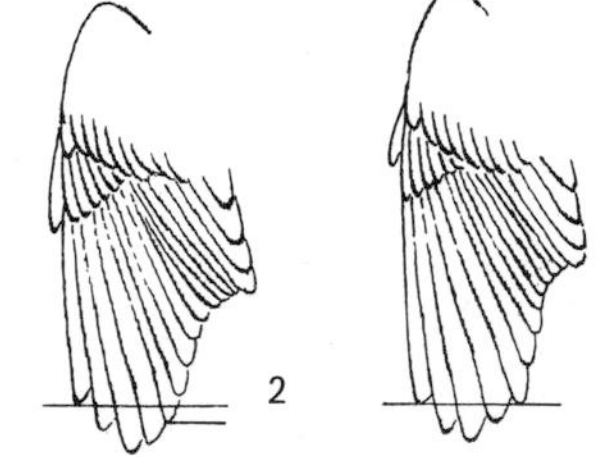

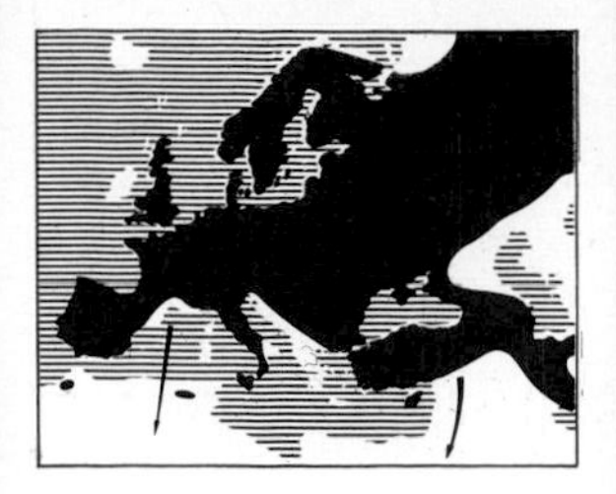

1

Rouge-queue à front blanc
Phoenicurus phoenicurus

Détermination
⁎ Le Rouge-queue à front blanc est de la taille du Rouge-queue noir (14 cm). Il a un corps svelte et de grandes pattes. L'oiseau ad. ♂ (1) a le dessus du corps gris, le front blanc, la face noire, la poitrine et la queue d'un rouge roux. ♀ a le dessus du corps gris-brun, le bas blanchâtre et la poitrine ocre. L'oiseau juv. ressemble à ♀ mais son plumage est parsemé de taches foncées, et la queue est caractérisée par deux rectrices centrales brun-gris. ✦ C'est un oiseau remuant : il se perche sur les branches d'arbres, se balance, fait osciller sa queue, descend souvent à terre. Son vol est ondulé, léger et rapide, il pourchasse très agilement les insectes. ⊙ Il fait souvent entendre un cri d'appel «fouid-tik-tik» ou un «flouid» flûté ; son chant est doux et bref : il commence par une note longue et aiguë, puis suivent deux notes brèves et plus graves et quelques trilles aigus terminent la ligne musicale. ♋ ♂ ne peut être confondu avec une autre espèce. ♀ et oiseaux juv. ressemblent à ♀ et juv. du Rouge-queue noir, plus foncés, de couleur gris ardoise et dépourvus de taches sur le dessus du corps.

Ecologie ◆ Il vit dans les forêts clairsemées, feuillues en particulier, dans les jardins et parcs des agglomérations, des plaines à la montagne. ∞ Il est facile à reconnaître grâce à son chant et, en dehors de la saison des nids, grâce à son appel et à son comportement. On peut repérer le nid en observant les oiseaux adultes, surtout lors du nourrissage des petits, et en inspectant les cavités qui se prêtent aux nids.

Vie et mœurs ↔ C'est un oiseau migrateur qui séjourne sur les aires de nidification en IV.—IX. Il vit seul. ⍥ Le nid est installé dans les creux ou semi-creux des arbres, parfois à découvert, sur les bâtiments, à même le sol ou encore dans les nichoirs. La femelle pond 5 à 7 œufs d'un bleu-vert vif (18,7×13,9 mm) en IV.—VI. Il niche 1—2× l'an, séparément, et ♀ couve durant 13 jours. Les deux parents prennent soin des petits : 14 jours au nid et 13 autres jours hors du nid. ◐ Il se nourrit de menus arthropodes, d'insectes en particulier et de fruits en automne. Il se procure sa nourriture au sol, moins souvent sur les branches d'arbres.

Protection C'est une espèce en voie de régression. On ne connaît pas à l'heure actuelle de moyens de protection efficaces. Il est cependant recommandé de disposer des nichoirs.

1

Traquet tarier
Saxicola rubetra

Détermination
✳ Le Traquet tarier est plus petit qu'un Moineau (13 cm). Il a une grande tête élancée, une queue courte et d'assez grandes pattes. L'oiseau ad. a le dessus du corps foncé et tacheté, les sourcils blancs, une queue foncée, blanche à l'extrémité et à la racine. ♂ (1, à gauche) a des joues foncées, le haut des ailes est noir-brun, doté d'une tache blanche, ♀ (1, à droite) présente un dessin sur les joues et le haut de ses ailes est plus clair. L'oiseau juv. resemble à ♀, ses ailes sont dépourvues de bande blanche, la poitrine présente des taches brunes. ✦ Il est souvent perché sur des endroits élevés, sur de grandes tiges en particulier, il descend à terre, balance son petit corps, secoue ses ailes et sa queue déployée. Son vol est ondulé. Il ne couvre que de petites distances et affectionne le vol vibré sur place. ⊙ Il lance souvent un cri d'appel sonore «yiv» ; lorsqu'il est excité, il lance un «fitik-tik» claquant. Son chant est bref, composé de sons flûtés, grinçants et stridulents, ♂ chante haut perché. ♋ On citera une espèce voisine : le Traquet pâtre *(S. torquata)*, ♀ et oiseaux juv. en particulier, toutefois leur tête est plus foncée et la racine de la queue est foncée.
Ecologie ◆ Il vit dans les prairies humides qui s'étendent des plaines jusqu'à la zone subalpine. En dehors de la saison des nids, il fréquente également les terrains cultivés. ∞ Il est facile à trouver grâce à sa voix. Le nid est très bien caché, le comportement des oiseaux conduit au nid. ♀ qui couve part chercher sa nourriture à la tombée de la nuit, puis revient au nid. On peut également inspecter les lieux qu'il fréquente et effaroucher l'oiseau qui couve.
Vie et mœurs ↔ C'est un oiseau migrateur qui séjourne sur les aires de nidification en IV.—IX. ᪤ Le nid est installé au sol, dissimulé dans les herbes denses. La femelle pond 5 à 6 œufs bleu-vert foncé, quelquefois parsemés de taches rouge-brun (19,1 × 14,6 mm) en IV.—VII. Il niche 1 (—2?) × l'an, séparément, et ♀ couve durant 13 jours. Les deux parents prennent soin des petits : 14 jours au nid et 12 autres jours hors du nid. ◕ Il se nourrit essentiellement d'insectes et d'autres invertébrés qu'il capture au sol ou en vol.
Protection Le nombre des Traquets tariers est assez important, mais il diminue par endroits. Il faut absolument sauvegarder les lieux de nidification.

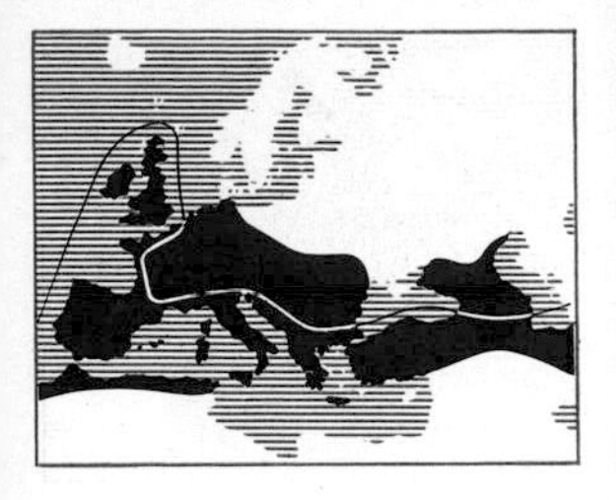

1

Traquet pâtre
Saxicola torquata

Détermination
✳ Le Traquet pâtre est plus petit qu'un Moineau (14 cm). Sa tête est ronde et sa queue courte. L'oiseau ad. (1) a le haut du corps, la tête et la queue noirs, le croupion est blanc, taché de noir et d'ocre, les côtés du cou sont blancs et le bas du corps est roussâtre. Chez ♀ la couleur noire est remplacée par la teinte brun clair, parsemée de taches foncées. Le haut du corps de l'oiseau juv. est brun foncé à taches claires, le bas est brun clair à taches foncées. ✦ Il se perche bien droit sur tout endroit élevé, secoue nerveusement les ailes et la queue, se pose souvent à terre. Son vol est bas, saccadé et ondulé. Il ne couvre que de petites distances. ⊙ Il lance fréquemment un cri d'appel «fit» ou «fit-tek-tek» bref, ou un «fit-kr-kr» d'alarme. Son chant est un gazouillis grinçant, bref et assez monotone. Il chante haut perché. ♋ Le Traquet tarier est une espèce très voisine. Son plumage est cependant plus clair, la racine de la queue est blanche, le chant est plus sonore et mélodieux.
Ecologie ◆ Il recherche des friches, des prairies sèches, des pâturages, des talus le long des routes, dans les plaines comme sur les plateaux. En dehors de la saison des nids, on le voit même dans les champs. ∞ La voix et les oiseaux haut perchés, le long des routes surtout, sont faciles à identifier. Le nid est bien dissimulé : il faut inspecter les lieux, observer les oiseaux lors du nourrissage des petits ou effaroucher ♀ qui couve. Les oisillons quittent le nid encore partiellement nus.
Vie et mœurs ↔ C'est un oiseau essentiellement migrateur qui séjourne sur les aires de nidification en III.—X. ◡ Le nid est au sol, dissimulé dans les herbes épaisses. La femelle pond 4 à 6 œufs bleu-vert foncé, parsemés de fines taches rouge-brun (18,4×14,2 mm) en III.—VII. Il niche 1—4× l'an, séparément, et ♀ couve durant 14 jours. Les deux parents prennent soin des petits : 16 jours au nid et quelques autres jours hors du nid. ◕ Il se nourrit de menus insectes et autres invertébrés qu'il se procure au sol ou en vol.
Protection C'est une espèce en voie de régression. On ne connaît actuellement aucun moyen de protection efficace.

1

Traquet motteux
Oenanthe oenanthe

Détermination
✳ Le Traquet motteux atteint la taille d'un Moineau (15 cm). Il a une grande tête ronde, une queue courte et de grandes pattes. L'oiseau ad. est entièrement gris, les ailes sont noir-brun et le croupion d'un blanc lumineux. ♂ (1, 2) a le dos gris et un bandeau noir sur les yeux. ♀ a le dessus du corps gris-brun, le bas ocre et les sourcils blancs. L'oiseau juv. est semblable à ♀ et porte des taches foncées. ✦ C'est un oiseau solitaire. Très actif, il court à terre, fait des révérences, agite sa queue déployée et se perche sur des blocs de pierre élevés. Son vol est léger, tout en courbes, et il ne couvre que de petites distances ; il s'envole parfois à la poursuite des insectes. ⊙ Il lance, de temps à autre, un «yiv-yiv» d'appel, un «tek-tek-yiv» lorsqu'il est excité. Son chant est bref, des gazouillis grinçants se mêlent aux sons flûtés. ♋ En Europe méridionale, on pourrait le confondre avec le Traquet oreillard (*O. hispanica* — 5), avec le Traquet isabelle (*O. isabellina* — 3) ou le Traquet pie (*O. pleschanka* — 4) et dans le sud-ouest de l'Europe la confusion est possible avec le Traquet rieur (*O. leucura* — 6).

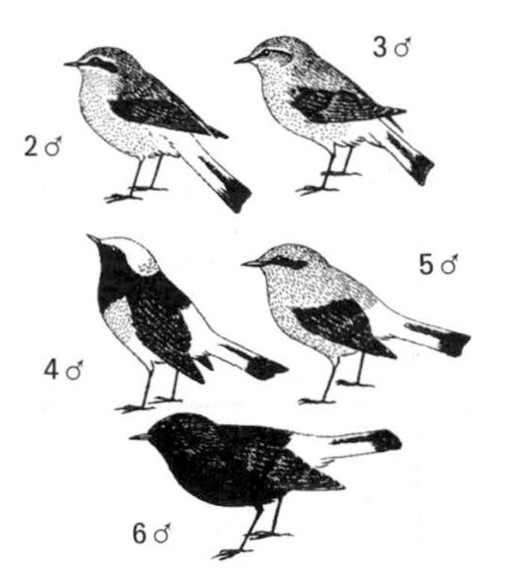

Ecologie ◈ Il recherche des terrains rocheux et sablonneux à végétation modeste qui s'étendent des plaines à la zone subalpine. On le voit souvent sur des chantiers. En dehors de la saison des nids, il fréquente également des terres cultivées. ∞ On le reconnaît à sa voix et en observant des oiseaux perchés sur des blocs de pierre. Pour trouver le nid, il est nécessaire d'observer les oiseaux, en particulier lors du nourrissage des petits.

Vie et mœurs ↔ C'est un oiseau migrateur qui séjourne sur les aires de nidification en III.—X. ⊗ Le nid est installé dans une cavité du sol. La femelle pond 5 à 6 œufs bleu-clair (20,6×15,6 mm) en IV.—VI. Il niche 1—2 fois l'an, séparément et ♀ couve durant 13 jours. Les deux parents s'occupent de leurs petits : 15 jours au nid et quelques autres jours hors du nid. ◉ Il se nourrit de menus arthropodes, d'insectes en particulier qu'il se procure au sol ou en volant bas au-dessus du terrain.

Protection C'est une espèce qui connaît une forte régression. Actuellement on ignore les moyens de la protéger efficacement.

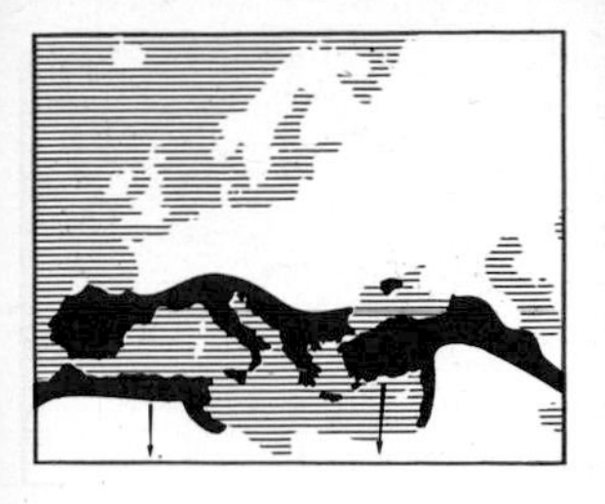

1

Merle de roche
Monticola saxatilis

Détermination
✳ Le Merle de roche est de taille plus petite que le Merle noir (19 cm), mais ressemble à la Grive musicienne, à petite queue. L'oiseau ad. ♂ (1) a la tête et le dos gris-bleu, le ventre et la queue sont d'un rouge roux, le croupion est blanc. ♀ a le dessus du corps gris-brun, le bas est couleur ocre, à taches claires et foncées, la gorge blanchâtre. L'oiseau juv. ressemble à ♀ mais son plumage est parsemé de taches claires bien marquées. ✦ C'est un oiseau particulièrement farouche. Il se tient dressé sur des rochers, descend à terre pour capturer des insectes, court avec rapidité, fait des révérences, agite ses ailes à demi baissées et étale sa queue. Son vol est bas, léger, rapide. Il vole à l'horizontale en dessinant une ligne ondulée. ⊙ Il chante haut perché ou en vol. Son chant est puissant, mélodieux et varié, de durée limitée. Son cri d'appel est un «yur-yur», son cri d'alarme un «tek-tek». ♋ En Europe méridionale, on pourrait le confondre avec le Merle bleu *(M. solitarius)* dont le ventre n'est pas gris.
Ecologie ◆ Il vit sur des versants rocheux, ensoleillés et herbeux, des plaines à la zone subalpine, parfois sur des terrains fréquentés (carrières, agglomérations). En dehors de la période de nidification, on peut le voir même sur des terres cultivées. ∞ Il faut chercher à repérer sa voix et observer, à l'aide de jumelles, les oiseaux perchés au sommet des rochers, sur les aires de nidification présumées. L'observation doit être d'une durée assez importante. Le comportement des oiseaux, lors du nourrissage des petits en particulier, et l'inspection des cavités et trous permettront la découverte du nid. En dehors de la période de nidification, on ne le voit que fortuitement.
Vie et mœurs ↔ C'est un oiseau migrateur qui séjourne sur les aires de nidification en IV.—IX. ◡ Le nid est installé dans une cavité rocheuse. La femelle pond 4 à 5 œufs bleu-vert (25,7×19,3 mm) en IV.—VI. Il niche 1—2× l'an, séparément, et ♀ couve durant 14 jours. Les deux parents prennent soin des petits : 15 jours au nid et quelques autres jours hors du nid. ◐ Il se nourrit essentiellement d'insectes qu'il chasse au sol et en volant au ras du sol, d'araignées, de mollusques et de vers. En été et en automne, il se nourrit aussi de fruits qu'il trouve au sol, dans les buissons ou sur les arbres.
Protection C'est une espèce en voie de régression qui ne vit que dans certains endroits. Il faut lutter contre la chasse au Merle de roche, sur les aires de nidification surtout. On ne connaît pas d'autres moyens de protection efficaces.

1

Merle à plastron
Turdus torquatus

Détermination
✳ Il est plus petit que le Merle noir (23 cm), mais très ressemblant. Le plumage de l'oiseau ad. ♂ est noir, il porte sur la poitrine un croissant blanc (ssp. *T. t. torquatus*, originaire de l'Europe septentrionale) ou brunâtre, à contours indécis (ssp. *T. t. alpestris*, originaire de l'Europe centrale), une bande claire traverse les ailes. ♀ (1) a le dessus du corps brun-noir, le bas parsemé de taches claires en forme d'écailles, le croissant clair émaillé de taches gris sale. L'oiseau juv. est dépourvu de croissant et son plumage porte des taches blanchâtres. ✦ Il vit à l'abri des regards, sautille à terre, vole vite et ne couvre que de petites distances. ⊙ Son cri d'alarme «tak-tak-tak» rappelle celui du Merle noir. Son chant est flûté, court, varié, accompagné d'un «tschéré-tschivi-ti-tscho-o». ♋ On ne peut le confondre avec une autre espèce. Son cri d'alarme ressemble cependant à celui du Merle noir.
Ecologie ◈ Il vit dans la végétation: en Europe septentrionale, dans la toundra à végétation éparse (arbres et buissons), en Europe centrale, dans les forêts de conifères situées en montagne. ∞ Sur les aires de nidification, on le repère grâce à son chant et à ses cris, ailleurs grâce à sa coloration et à son comportement. Pour trouver le nid, il faut inspecter les lieux ou observer les oiseaux lors du nourrissage des petits. En dehors de la période de nidification, on ne le voit que par hasard.
Vie et mœurs ↔ C'est un oiseau migrateur qui séjourne sur les aires de nidification en IV.—IX. ◡ Le nid est installé dans les arbres, assez bas, près du tronc, en Europe septentrionale, dans les touffes de végétation situées au sol. La femelle pond 3 à 5 œufs verts, parsemés de nombreuses taches rouge-brun (29,8×21,6 mm) en IV.—VI. Il niche 1—2 × l'an, séparément, et ♀ couve durant 14 jours. Les deux parents prennent soin des petits : 15 jours au nid et quelques autres jours hors du nid. ◑ Il se nourrit de menus arthropodes et de fruits saisonniers qu'il se procure au sol ou sur les arbres.
Protection Le nombre des Merles à plastron est assez important par endroits. L'espèce ne nécessite pas de protection particulière.

1

Merle noir
Turdus merula

Détermination
∗ C'est un oiseau courant de taille moyenne (25 cm). L'oiseau ad. ♂ est noir ; en livrée nuptiale (1) le bec est jaune-orange. ♀ est rouge-brun, le bas du corps est plus clair et tacheté. L'oiseau juv. est brun, parsemé de taches foncées ; les rémiges primaires sont, au cours de la deuxième année, brun clair, bien visibles, même sur l'aile repliée. ✦ Il vit seul. On le voit souvent sautiller à terre. Son vol est lent, il alterne quelques coups d'ailes avec de courtes périodes de vol plané. En dehors de la période de nidification, les Merles noirs se retrouvent ensemble pour la nuit. Les luttes territoriales sont fréquentes au printemps. ⊙ On l'entend souvent. Il lance un cri d'alarme «tix-tix» et un autre cri d'alarme perçant. Son chant est renommé pour ses accents sonores et mélodieux. ♂ chante haut perché, tôt le matin et dans la soirée en particulier. ♋ On ne peut le confondre avec une autre espèce. Toutefois, il faut veiller à ne pas le confondre avec le Merle à plastron qui se distingue de lui par un croissant blanc sur la poitrine et qui vit dans les forêts de montagne.
Ecologie ◈ Il vit dans les régions boisées qui s'étendent des plaines à la montagne et de nos jours, dans les agglomérations. ∞ On le trouve sans peine dans les villes. Dans les forêts, c'est sa voix et son chant qui nous guident (II.—VII.). Le nid est facile à trouver : il suffit d'observer le comportement des oiseaux, lors du nourrissage des petits en particulier.
Vie et mœurs ↔ C'est un oiseau partiellement migrateur. Les populations des villes hivernent sur tout le territoire. Il vit seul tout au long de l'année. ☋ Il installe son nid dans les buissons, dans les arbustes ou sur les bâtiments. La femelle pond 3 à 5 œufs à couleur variable, verts le plus souvent, parsemés de nombreuses taches rouge-brun (29,4×21,6 mm) en III.—VII. Il niche 1—4× l'an et ♀ couve durant 13 jours. Les deux parents s'occupent des petits : 14 jours au nid et 18 autres jours hors du nid. ◕ Sa nourriture varie avec les saisons. Au printemps, il se nourrit essentiellement de menus invertébrés, en été et en automne de fruits et de baies, en hiver, de déchets. Il se procure sa nourriture au sol, dans les buissons ou dans les arbres.
Protection Le nombre des Merles noirs est très important. Dans les jardins il cause des dégâts dans les fruits et légumes. L'espèce ne nécessite aucune protection.

1

Grive litorne
Turdus pilaris

Détermination
∗ La Grive litorne atteint la taille d'un Merle (25 cm) ; c'est une Grive typique. L'oiseau ad. (1) a le sommet de la tête et le croupion gris, le dos brun, le bas du corps brun, à taches brun-noir bien marquées. ♂ a le haut de la tête gris, à taches noires, et la queue noire. ♀ a le haut de la tête taché de brun-noir et la queue noir-brun. L'oiseau juv. est plus fortement tacheté sur l'ensemble du corps. ✦ A terre, elle court et sautille, elle se perche sur les branches des arbres. En vol, elle alterne quelques coups d'ailes détendus avec des périodes de vol plané, les ailes serrées contre le corps. ⊙ On l'entend fréquemment. Elle émet, en vol également, un «chak-chak» rude et caractéristique, son cri d'appel est un «ssikh» faible, son chant est un gazouillis sifflant et grinçant à la fois, ♂ chante au repos et en vol. ♋ On ne peut la confondre avec une autre espèce.
Ecologie ◈ Elle vit dans des bosquets plus ou moins importants à la lisière de la forêt, à proximité des pâturages et prairies humides, qui s'étendent des plaines à la limite supérieure de la forêt. En dehors de la saison des nids, on la rencontre également dans des régions découvertes, dans les champs, jardins ou allées. ∞ Les oiseaux sont faciles à repérer grâce à leur voix et à leur nombre souvent important. Les Grives litornes ne s'éloignent pas beaucoup des nids qui sont découverts. Les oiseaux lancent des cris d'alarme : il est donc facile de les découvrir. En dehors de la saison des nids, on peut observer des troupes de Grives litornes sur des arbres ou lors de leurs déplacements. Elles volent en troupes serrées et allongées.
Vie et mœurs ↔ C'est un oiseau partiellement migrateur qui niche et vit le plus souvent en nombre important. ◡ Les nids sont installés dans les creux des branches d'arbres. La femelle pond 4 à 6 œufs verdâtres, parsemés de nombreuses taches brun roux (30,6×22,1 mm) en IV.—VI. Elle niche 1—2× l'an et ♀ couve durant 14 jours. Les deux parents prennent soin des petits : 14 jours au nid et 14 autres jours hors du nid. ◑ Elle se nourrit de petits mollusques, d'annélides, d'insectes et de fruits qu'elle se procure au sol ou sur les arbres.
Protection Le nombre des Grives litornes est important. L'espèce se répand régulièrement. Elle ne nécessite pas de mesures de protection particulières.

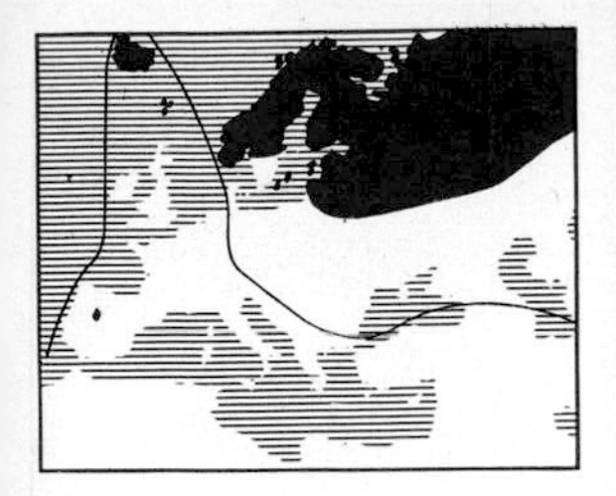

1

Grive mauvis
Turdus iliacus

Détermination
✳ Plus petite qu'un Merle (20 cm), la Grive mauvis a l'aspect typique d'une Grive. L'oiseau ad. (1) est caractérisé par des sourcils blancs bien marqués, les joues sont délimitées dans leur partie inférieure par une ligne claire, les flancs et les couvertures inférieures sont d'un rouge roux. ♂ = ♀. Le plumage de l'oiseau juv. porte des taches foncées, les parties rouges sont plus mates. ✦ Elle est assez farouche. Elle est souvent perchée sur les branches d'arbres ou sautille à terre. Les Grives mauvis se retrouvent ensemble dans les forêts pour la nuit. ⊙ Sur les aires de nidification, les oiseaux, perchés sur les cimes des arbres, chantent individuellement, mais au printemps les Grives mauvis chantent en chœur sur les gîtes de nuit. Son chant est un gazouillis aux sons flûtés moins sonore que celui de la Grive musicienne *(T. philomelos)*, c'est un «try-try try-trz-tri». Son cri d'appel est un «tsizr» perçant ou un «tsiih» plus discret (on l'entend même au cours de ses déplacements nocturnes), son cri d'alarme un «tschitak» dur. ♋ La Grive musicienne est très proche par l'aspect. Toutefois, elle n'a pas de sourcils blancs, ses flancs et la face intérieure de ses ailes sont fauves et sa voix est différente.

Ecologie ◈ Elle vit dans les régions découvertes à demi boisées, dans les prairies et les allées à proximité de l'eau, qui s'étendent des plaines à la limite supérieure de la forêt. ∞ Sur les aires de nidification, on la repère essentiellement grâce à son chant. Pour trouver le nid, il faut observer le comportement des oiseaux lors du nourrissage des petits en particulier, et inspecter les lieux. La Grive mauvis niche souvent dans les colonies des Grives litornes *(T. pilaris)*. Au printemps, toutes les Grives mauvis chantent, même celles qui ne nichent pas. En dehors de la saison des nids, on la trouve dans les allées, dans les buissons à baies ou dans les bosquets. C'est essentiellement sa voix qui nous guide.

Vie et mœurs ↔ C'est un oiseau migrateur qui vit généralement en troupes. La Grive mauvis séjourne sur les aires de nidification en IV.—X. ⌣ Le nid, bâti de fines branches et d'herbes mélangées à de l'argile, est installé dans les arbres ou dans les buissons. La femelle pond 5 à 6 œufs bleu-vert (25,1×19,0 mm), parsemés de nombreuses taches rouge-brun, en V.—VII. Elle niche 1—2× l'an, séparément, et ♀ couve durant 12 jours. Les deux parents prennent soin des petits : 10 jours au nid et quelques autres jours hors du nid. ◉ Sa nourriture est identique à celle des autres Grives.

Protection Le nombre des Grives mauvis est important et ne cesse d'augmenter. L'espèce ne nécessite aucune protection particulière.

Grive musicienne
Turdus philomelos

Détermination
* La Grive musicienne est plus petite qu'un Merle (23 cm). Son aspect est typique : corps robuste, bec puissant, pattes fortes, grands yeux et queue longue. L'oiseau ad. (1) a le dessus du corps brun, le bas beige, parsemé de taches brunes. ♂ = ♀. L'oiseau juv. a le haut du corps parsemé de taches claires en forme d'écailles. ✦ Elle est souvent perchée sur les arbres, le mâle recherchant la cime pour chanter. Elle sautille à terre. En vol, elle alterne quelques coups d'ailes détendus avec de courtes périodes de vol plané, les ailes serrées contre le corps. ⊙ On l'entend fréquemment. Son cri d'appel est un «tsik tsik» perçant, son chant est sonore et persévérant. Il ressemble au chant du Merle mais il est composé de motifs variés et répétés : «houidib houidib kredit kredit». ♋ La Grive mauvis *(T. iliacus)*, répandue dans toute l'Europe, lui ressemble beaucoup. Elle diffère cependant par les sourcils blancs, par les flancs et la face intérieure des ailes rouge-brun et par la voix. En Europe, on rencontre très rarement, en VIII.—XII., quelques espèces de Grives originaires de l'Asie occidentale comme la Grive à ailes rousses (*T. naumanni eunomus* — 2), la Grive de Naumann (*T. naumanni naumanni* — 3), la Grive à gorge noire (*T. r. ruficollis atrogularis* — 4), caractérisée par sa gorge noire, et la Grive à gorge rousse *(T. ruficollis)*, très rare, caractérisée par sa gorge rouge. Ces Grives correspondent à la grive musicienne par la taille mais elles diffèrent par la coloration.

Ecologie ◈ Elle vit dans les forêts, des plaines à la montagne, dans les régions à bosquets, dans les jardins et dans les parcs des villes. ∞ Sur les aires de nidification, en III.—VII. on la repère facilement grâce à son chant, le nid est installé dans la couche inférieure de la végétation, et pour le trouver il suffit d'inspecter les arbres et les buissons épais. En dehors de la période de nidification, on la reconnaît la nuit, grâce à son cri d'appel et, le jour, au cours d'une rencontre fortuite.

Vie et mœurs ↔ C'est un oiseau essentiellement migrateur. En dehors de la période de nidification, il vit également en groupes libres. La Grive musicienne séjourne sur les aires de nidification en III.—IX. ❦ Le nid est installé dans les buissons ou dans les branches basses des arbres. On le reconnaît à sa construction bien particulière (5). Les parois extérieures sont faites de tiges sèches et de brins d'herbes entrelacés et l'intérieur est enduit d'un mélange d'argile, de fragments végétaux, de débris de bois et de salive. L'intérieur du nid n'est pas garni. La femelle pond 4 à 5 œufs bleu-vert, parsemés de points noirs (27,2×20,5 mm) en IV.—VII. Elle niche 1—3× l'an, séparément, et ♀ couve durant 13 jours. Les deux parents prennent soin des petits : 13 jours au nid et 18 autres jours hors du nid. ◉ Elle se nourrit de menus invertébrés, de fruits et de baies saisonniers qu'elle se procure au sol ou dans les branches.

Protection Le nombre des Grives musiciennes est important. L'espèce ne nécessite aucune mesure de protection particulière.

1

Grive draine
Turdus viscivorus

Détermination
✳ C'est la plus grande Grive d'Europe, elle est plus grande qu'un Merle noir (28 cm). L'oiseau ad. (1) a le dessus du corps brun, le bas parsemé de taches foncées, arrondies et bien marquées, la face intérieure des ailes est blanche. ♂ = ♀. Les oiseaux juv. ont le dessus du corps tacheté. ✦ Elle se perche au sommet des arbres, en hiver elle recherche des arbres à gui et laurentie. Son vol est rapide, long, légèrement ondulé. A terre, elle se déplace en sautillant. ⊙ Elle lance fréquemment, même en vol, un cri d'alarme rauque «tserrr», et un cri d'appel doux «ssii». Son chant sonore, mélodieux et flûté rappelle celui du Merle noir. Toutefois ses phrases sont plus courtes. ♋ On citera une espèce voisine : la Grive musicienne. Néanmoins celle-ci est d'une taille plus petite et sa voix est différente.
Ecologie ◆ Elle recherche des régions boisées de toutes sortes qui s'étendent des plaines à la limite supérieure de la forêt, généralement à proximité des terrains découverts à prairies et pâturages, parfois dans les agglomérations. ∞ On la reconnaît à sa voix, car la Grive draine chante dès l'hiver, en dépit de la neige. Pour trouver le nid, il faut inspecter l'aire de nidification présumée et observer le comportement des oiseaux lorsqu'ils apportent les matériaux pour la construction du nid par exemple.
Vie et mœurs ↔ C'est un oiseau partiellement migrateur qui séjourne sur les aires de nidification en II.—IX. Il vit seul. ◡ Le nid est installé haut, dans une enfourchure d'arbre. Il est fait d'argile et d'autres matériaux. La femelle pond 4 à 5 œufs jaune-vert, parsemés de taches brunroux (30,8×22,3 mm) en III.—VI. Elle niche 1—2× l'an, séparément, et ♀ couve durant 14 jours. Les deux parents prennent soin des petits : 15 jours au nid et 20 autres jours hors du nid. ◉ Elle se nourrit d'invertébrés et de baies qu'elle se procure au sol ou sur les branches d'arbres et de buissons. En hiver, sa nourriture est constituée en grande partie de boules de gui et de laurentie.
Protection Le nombre des Grives draines est assez important. L'espèce ne nécessite aucune protection particulière.

1

Locustelle tachetée
Locustella naevia

Détermination
✳ La Locustelle tachetée est plus petite qu'un Moineau (13 cm), sa tête est fine, son corps élancé, sa queue courte. L'oiseau ad. (1) est brun olive, parsemé de taches foncées disposées en rayures, le bas du corps est blanchâtre, la gorge porte des taches foncées. ♂ = ♀. Le plumage de l'oiseau juv. tire sur le brun. ✦ Elle vit bien dissimulée. Elle se faufile très adroitement dans les broussailles et les herbes épaisses et court vite à terre. Son vol ne dure qu'un court moment, dès qu'elle est dérangée, elle se laisse glisser au sol le long de la végétation. ⊙ Elle chante fréquemment, pendant la nuit et à l'aube le plus souvent. ♂ se perche dans un buisson ou sur une tige végétale pour chanter. Son chant est un trille métallique et monotone «ssirrrr» souvent prolongé. Son cri d'appel est un «tak-tak» discret, son cri d'alarme un «tsitt» aigu. ♋ On connaît deux espèces voisines : la Locustelle luscinioïde *(L. luscinioides)* à la voix semblable mais plus grave, et la Locustelle fluviatile *(L. fluviatilis)*, proche par son aspect, mais non tachetée et à la voix différente.
Ecologie ◆ Elle recherche les prairies humides à buissons et végétation basse et épaisse, parfois les clairières broussailleuses, des plaines à la montagne. En dehors de la période de nidification, elle vit également dans les roselières, dans les champs et autres endroits semblables ∞ On la repère facilement grâce à son chant (V.—VII.) : en dehors de la saison des nids, sa présence doit être confirmée par la capture de l'oiseau. Le nid est difficile à trouver car les oiseaux sont très discrets ; lorsqu'ils apportent la nourriture, ils descendent au sol, encore loin du nid, et y reviennent en se faufilant entre les herbes et les broussailles. Ils descendent directement au nid par temps pluvieux.
Vie et mœurs ↔ C'est un oiseau migrateur qui séjourne sur les aires de nidification en IV.—IX. Pendant la période de nidification et en dehors de cette période, la Locustelle tachetée vit seule. ◡ Le nid est installé dans le fouillis végétal près du sol. Il est bâti de grosses feuilles à l'extérieur, de feuilles plus fines et de brins d'herbe à l'intérieur. La femelle pond 5 à 6 œufs rougeâtres, parsemés de taches foncées (17,6×13,6 mm) en V.—VII. Elle niche 1—2 (3?) × l'an et couve durant 13 jours. Les deux parents prennent soin des petits : 10 jours au nid et quelques autres jours hors du nid. ◕ Elle se nourrit de menus annélides, peu mobiles, d'insectes en particulier qu'elle se procure au sol ou dans la végétation près du sol.
Protection Le nombre des Locustelles tachetées est assez important. L'espèce ne nécessite aucune protection particulière.

1

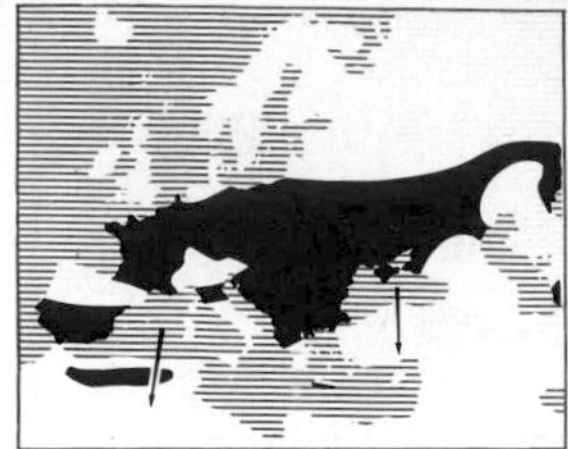

Locustelle luscinioïde
Locustella luscinioides

Détermination
✳ La Locustelle luscinioïde est plus petite qu'un Moineau (14 cm). Elle a un corps élancé et une queue courte. L'oiseau ad. (1) est entièrement brun. ♂ = ♀. Le plumage de l'oiseau juv. est à peine plus foncé. ✦ La Locustelle luscinioïde vit bien cachée. Elle se perche sur les tiges de roseaux, descend dans la couche inférieure de la végétation dès qu'elle est dérangée et ne couvre en vol que de petites distances. Elle se faufile avec agilité à travers la couche inférieure des roseaux, du carex et autres végétaux. ⊙ On l'entend souvent, même la nuit. ♂ chante perché en biais sur une tige de roseau, jamais au sommet. Son chant est métallique, long et monotone comme une stridulation d'insecte, introduit par des sons assez graves «pte-pte-eurrrrr». Son cri d'appel est un «tsik» discret, son cri d'alarme un «pit» explosif. ♋ Le chant de la Locustelle tachetée est proche mais il est plus aigu, plus bruyant et on ne l'entend que peu souvent dans les roselières. La Locustelle fluviatile chante différemment.

Ecologie ◈ Elle recherche les roselières ou autres sites à végétation marécageuse, en plaines comme dans les collines. En dehors de la période de nidification, on la rencontre même dans les champs. ∞ On la reconnaît grâce à sa voix et surtout à son chant ; en dehors de la saison des nids, l'observation ne peut être faite qu'en capturant l'oiseau. Le nid est difficile à trouver car les oiseaux sont très discrets et nourrissent leurs petits à l'abri de tout regard. Le plus souvent, il est nécessaire d'écarter les tiges et les brins de végétation au ras du sol et effaroucher l'oiseau qui couve.

Vie et mœurs ↔ C'est un oiseau migrateur qui séjourne sur les aires de nidification en IV.–IX. Il vit seul. ◡ Le nid est installé dans la végétation dense au-dessus de l'eau. Il est fait de feuilles sèches plates. La femelle pond 4 à 5 œufs blancs, parsemés de taches brunes (19,7×14,6 mm) en IV.–VIII. Elle niche 1–2× l'an, séparément, et couve durant 13 jours. Les deux parents prennent soin des petits : 10 jours au nid et quelques autres jours hors du nid. ◕ Elle se nourrit de petits invertébrés peu mobiles, principalement d'insectes qu'elle trouve sur les feuilles au sol ou à la surface de l'eau.

Protection La Locustelle luscinioïde n'est nombreuse que par endroits. Il faut sauvegarder ses aires de nidification. L'espèce ne nécessite aucune mesure de protection particulière.

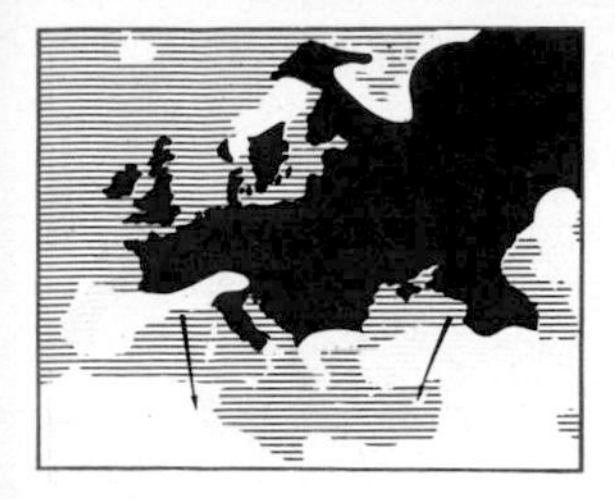

1

Phragmite des joncs
Acrocephalus schoenobaenus

Détermination
✱ Le Phragmite des joncs est plus petit qu'un Moineau (12 cm). Sa tête est grande. L'oiseau ad. (1) est brun, le haut de son corps porte des taches foncées, le bas est jaune blanc. Il est caractérisé par un sourcil blanc bien marqué et une calotte à rayures ocres et brunes (2) . ♂ = ♀. Le haut de la poitrine et les côtés de la gorge de l'oiseau juv. sont tachés de brun. ✦ Il grimpe sur les tiges de roseaux par bonds successifs, survole fréquemment les roselières d'un vol bas, brusque et légèrement ondulé. Lorsqu'il chante, ♂ se perche au sommet d'un roseau ou s'envole au-dessus de la roselière et redescend de biais. ⊙ Il chante fréquemment. Son chant est une suite variée de sons flûtés, grinçants ou stridulents, auxquels se mêle un trille typique «voïd-voïd». Son cri d'appel est un «tèk-tèk» dur, son cri d'alarme un «tètètèk» explosif. ♋ Quelques petites Rousserolles à plumage tacheté lui ressemblent ; le P. aquatique *(A. paludicola)* qui diffère par le dessin de la tête (3) et la Lusciniole à moustaches *(A. melanopogon)* qui vit en Europe méridionale et dont la tête est bien foncée.
Ecologie ◈ Il recherche la végétation des marécages comme les roseaux, les joncs et le grand carex. ∞ Il est facile à reconnaître grâce à sont chant (IV.—VII.). En dehors de la période de nidification, on l'observe au hasard d'une rencontre ou en le capturant. Pour trouver le nid, inspecter avec soin les couches végétales basses, les orties très souvent, ou observer le comportement des oiseaux.

Vie et mœurs ↔ C'est un oiseau migrateur qui séjourne sur les aires de nidification en IV.—IX. Il vit seul. ◡ Le nid, souvent garni de duvet, est installé tout au bas de la végétation dense. La femelle pond 4 à 6 œufs jaunâtres, parsemés de taches brunes (18,0×13,5 mm) en V.—VII. Il niche 1—2 × l'an, séparément, ♀ couve durant 13 jours. Les deux parents prennent soin des petits : 15 jours au nid et quelques autres jours hors du nid. ◑ Il se nourrit de menus arthropodes, d'insectes en particulier, qu'il se procure dans la végétation ou en vol.
Protection Le nombre des Phragmites des joncs est important par endroits. L'espèce ne nécessite aucune autre protection si ce n'est la conservation des milieux humides.

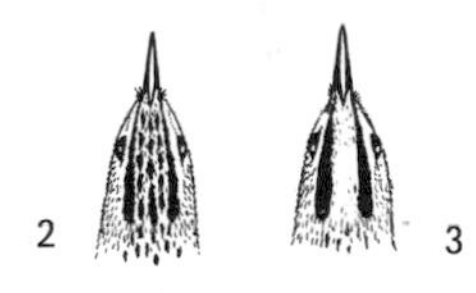

1

Rousserolle effarvatte
Acrocephalus scirpaceus

Détermination
✳ La Rousserolle effarvatte est plus petite qu'un Moineau (13 cm). Sa tête est fine, sa queue courte. Le dessus du corps de l'oiseau ad. (1) est brun foncé, le dessous blanchâtre à nuance ocre. ♂ = ♀ = juv. ✦ Elle vit dissimulée dans les roselières, grimpe sur les roseaux, survole les roselières d'un vol bas, brusque et légèrement ondulé, la queue étalée étant abaissée. ♂ se perche sur les tiges de roseaux, à l'intérieur de la végétation, pour chanter. ⊙ Son chant, fréquent, peu sonore, est composé de motifs distincts et répétés «tyri-tyri-tcherk-tcherk-tchihy-tchihy» et ainsi de suite. Son cri d'appel est un «tcharr» grave, son cri d'alarme un «schkarrr» sonore. ♋ Son chant ressemble à celui de la Rousserolle turdoïde mais il est beaucoup moins sonore. Il diffère également de celui de la Lusciniole à moustache par l'absence de sons montants. La Rousserolle effarvatte ressemble par l'aspect à la Rousserolle verderolle *(A. palustris)*, à la Rousserolle des buissons *(A. dumetorum)* et à la Rousserolle isabelle *(A. agricola)*, ces deux dernières vivant en Europe orientale. Toutes ces espèces se distinguent de la Rousserolle effarvatte par la formule de l'aile (R. effarvatte — 2, R. des buissons — 3, R. verderolle — 4, R. isabelle — 5).
Ecologie ◈ Elle vit dans les roselières de toutes tailles. ∞ On la reconnaît sur les aires de nidification grâce à sa voix. En dehors de la période de nidification, il est nécessaire de la capturer. Le nid est facile à trouver : il suffit d'inspecter les roselières et d'écouter les oiseaux qui lancent des cris d'avertissement à côté du nid.
Vie et mœurs ↔ C'est un oiseau migrateur qui vit seul. Il séjourne sur les aires de nidification en IV. — IX. ⌣ Le nid est fixé sur des tiges de roseaux, assez près du sol. La femelle pond 3 à 5 œufs verdâtres, parsemés de taches brunes (17,9×13,1 mm) en V.—VIII. Elle niche 1—2× l'an, séparément, et couve durant 12 jours. Les deux parents prennent soin des petits : 11 jours au nid et 12 autres jours hors du nid. ◉ Elle se nourrit essentiellement de petits insectes qu'elle se procure au bas des roselières, dans les arbres et même en vol.
Protection Le nombre des Rousserolles effarvattes est important par endroits. L'espèce ne nécessite aucune protection particulière.

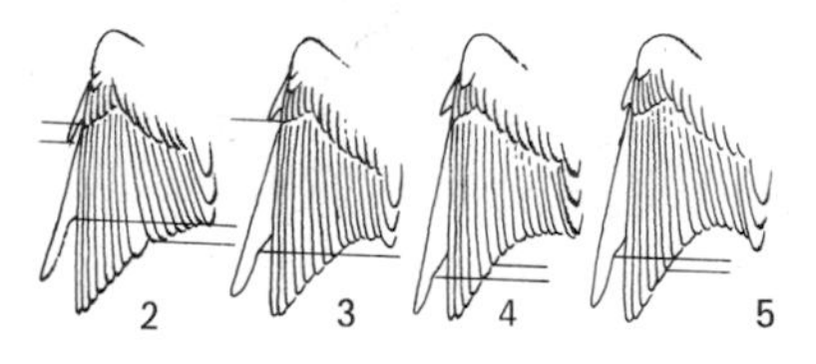

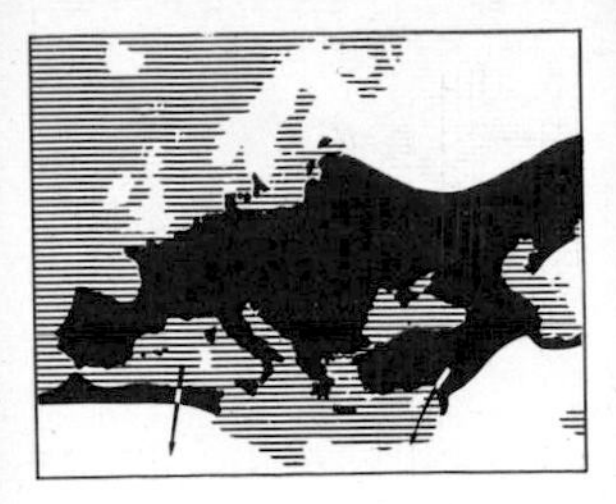

1

Rousserolle turdoïde
Acrocephalus arundinaceus

Détermination
✳ La Rousserolle turdoïde est plus petite qu'un Merle noir (19 cm). Elle a une tête effilée bien caractéristique, un bec puissant et des pattes robustes. L'oiseau ad. (1) est brun, le bas de son corps est quasiment blanc, les sourcils sont clairs. ♂ = ♀. L'oiseau juv. a les sourcils jaunâtres, le bas de son corps tire sur l'ocre, dépourvu de toute couleur blanche. ✦ Elle se pose dans les roselières où elle grimpe sur les tiges des roseaux, elle se perche assez souvent sur les arbres. Elle survole bas les roselières, les ailes à demi déployées et la queue abaissée, elle va même au-delà de leurs limites. ♂ chante perché assez bas sur une tige de roseau ou sur les branches d'arbres. ⊙ On l'entend souvent. Son chant est très sonore, perçant même, il répète des sons râpeux «karré-karré-kit-kit-kurr-kurr». Son cri d'appel est une sorte de «tak-tak» et son cri d'alarme un «krrr» rude. ♋ Elle est bien plus grande que toutes les autres Rousserolles. Son chant ressemble à celui de la Rousserolle effarvatte. Elle chante, installée dans les mêmes endroits, mais son chant est plus puissant. Le chant des Hypolaïs est également voisin, celui de l'Hypolaïs des oliviers *(Hippolais olivetorum)* et de l'Hypolaïs bottée ou russe *(H. caligata)* en particulier.
Ecologie ◑ Elle recherche les roselières au bord des eaux, les anciennes en particulier, mais on peut la voir même dans les champs environnants. ∞ Sur les aires de nidification, on la repère facilement grâce à sa voix. Pour trouver le nid, il faut inspecter les roselières et écouter les voix des oiseaux adultes qui lancent des cris d'avertissement à proximité de leurs nids. En dehors de la saison des nids, on ne peut l'observer que lors d'une capture.
Vie et mœurs ↔ C'est un oiseau migrateur qui séjourne sur les aires de nidification en IV.—IX. Elle vit seule. ◡ Le nid est suspendu aux roseaux, aux massettes et autres plantes. La femelle pond 3 à 6 œufs bleu-vert, parsemés de taches brunes bien visibles (22,5×16,1 mm) en V.—VII. Elle niche 1—2× l'an, ♀ couve durant 14 jours. Les deux parents prennent soin des petits : 12 jours au nid et 11 autres jours hors du nid. ◕ Elle se nourrit d'insectes qu'elle se procure dans la végétation ou à la surface de l'eau.
Protection C'est une espèce en forte régression. On ne connaît actuellement aucun moyen de protection efficace.

1

Hypolaïs ictérine
Hippolais icterina

Détermination
✳ L'Hypolaïs ictérine est plus petite qu'un Moineau (13 cm). Elle a un corps svelte et un large bec aplati à l'horizontale. L'oiseau ad. (1) a le dessus du corps vert, le sourcil et le bas du corps jaune pâle. ♂ = ♀ = juv. ✦ Elle se meut dans la couronne des arbres, ♂ chante d'habitude perché sur une branche extérieure, la tête toute ébouriffée et droite, et le bec grand ouvert découvre un gosier orange. Son vol est rapide, ondulé et horizontal : elle va d'un arbre à l'autre. ⊙ Elle chante très souvent. Son chant, sonore et agréable, est une succession de sons flûtés, grinçants et rauques, composé de strophes brèves et répétées, par exemple «tchididym-tchididym-dyierr-dyierr» ou autres sons semblables. Son cri d'appel est un «tchotchovikh» ou «houïd», son cri d'alarme un «tèktèk-err». ♋ En Europe occidentale vit l'Hypolaïs polyglotte *(H. polyglotta)* très voisine par l'aspect, mais la formule de son aile (2) est différente de celle de l'Hypolaïs ictérine (3).
Ecologie ◈ Elle vit dans les régions boisées, dans les jardins, dans les parcs, à la lisière des forêts, dans les fourrés et dans la végétation des bords de l'eau, des plaines jusqu'au pied des montagnes. ∞ Sur les aires de nidification, on la reconnaît grâce à son chant (V.—VI.). En dehors de la période de nidification, on l'observe au hasard d'une rencontre ou lors d'une capture. Pour trouver le nid, il faut inspecter avec soin l'aire de nidification présumée ou observer le comportement des oiseaux lors du nourrissage des petits en particulier.
Vie et mœurs ↔ C'est un oiseau migrateur qui séjourne sur les aires de nidification en V.—VIII. Elle vit seule. ⊗ Le nid, petit et profond, est installé bas dans les buissons ou dans les arbres, habituellement suspendu entre les branches. Il est bâti d'écorces d'arbres, de bouts de papier et de toiles d'araignées. La femelle pond 4 à 6 œufs roses, parsemés de quelques taches foncées (18,4×13,5 mm) en V.—VII. Elle niche 1 (—2?) × l'an, et couve durant 13 jours. Les deux parents prennent soin des petits qui restent au nid pendant 13 jours. ◉ Elle se nourrit de menus invertébrés, principalement d'insectes et, en automne, de fruits. Elle se procure sa nourriture sur les branches et feuilles végétales.
Protection Le nombre des Hypolaïs ictérines est assez élevé. L'espèce ne nécessite aucune protection particulière.

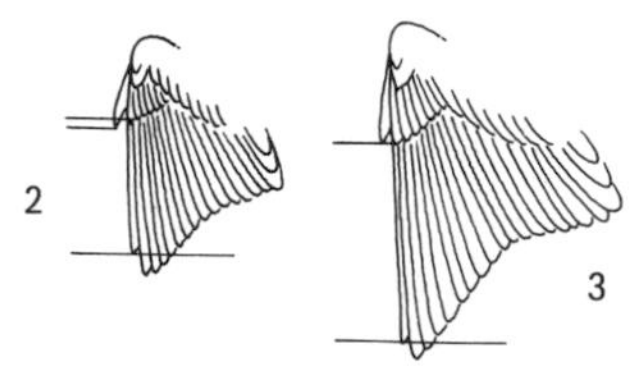

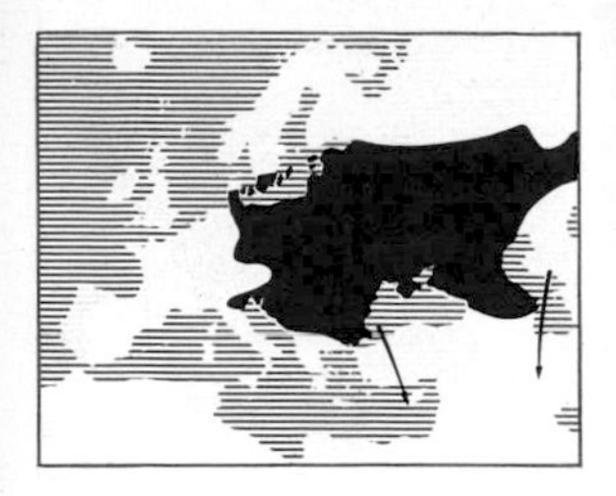

1

Fauvette épervière
Sylvia nisoria

Détermination
✳ La Fauvette épervière est aussi grande qu'un Moineau (15 cm), sa tête est assez grande et ronde, sa queue est courte. L'oiseau ad. ♂ (1) a le dessus du corps gris, le bas blanchâtre barré de petits croissants gris foncé et ses yeux sont jaunes. ♀ a des yeux gris et le bas de son corps est barré de façon discrète. L'oiseau juv. est d'un gris-brun presque uni, le bas de son corps est d'un blanc cassé, non barré. Ses yeux sont bruns. ✦ Assez farouche, elle se faufile à travers les buissons, se meut dans les couronnes d'arbres parfois. Son vol est bref, rapide, bas, elle exécute une volte-face subite en se posant. ♂ chante dans les broussailles, monte en l'air et revient au même endroit, tout en chantant. ⊙ On l'entend fréquemment, son chant est sonore, les strophes sont assez longues, composées de sons flûtés et de crécelles roulées, interrompues de temps à autre par des cris d'appel râpeux «tcherrr». Son cri d'alarme est un «tèk tèk» dur. ♋ Son chant rappelle celui de la Fauvette des jardins *(S. borin)* qui est cependant plus doux et ne fait pas entendre de «tcherrr» râpeux.
Ecologie ◐ Elle recherche des talus broussailleux, des clairières, les lisières des forêts, souvent en compagnie de la Pie-grièche écorcheur *(Lanius collurio)*. ∞ Sur les aires de nidification, on la reconnaît grâce à son chant (V.—VI.) et à ses cris d'avertissement. En dehors de cette période, on ne la voit que fortuitement. Pour trouver le nid, inspecter les broussailles dans le territoire des nids.

Vie et mœurs ↔ C'est un oiseau migrateur qui vit seul. Il séjourne sur les aires de nidification en IV.—IX. ◡ Le nid est installé assez bas, dans les buissons épais, souvent épineux, ses parois sont très fines. La femelle pond 4 à 5 œufs jaunâtres, parsemés de taches grises (20,9×15,5 mm) en V.—VI. Elle niche 1× l'an, séparément, et couve durant 14 jours. Les deux parents prennent soin des petits : 14 jours au nid et quelques autres jours hors du nid. ◕ Elle se nourrit d'insectes ramassés sur les branches et les feuilles des arbres, et de fruits en automne.
Protection C'est une espèce en voie de régression, malgré une population assez forte en certains endroits. On ne connaît actuellement aucun moyen de protection efficace si ce n'est la conservation des terrains broussailleux.

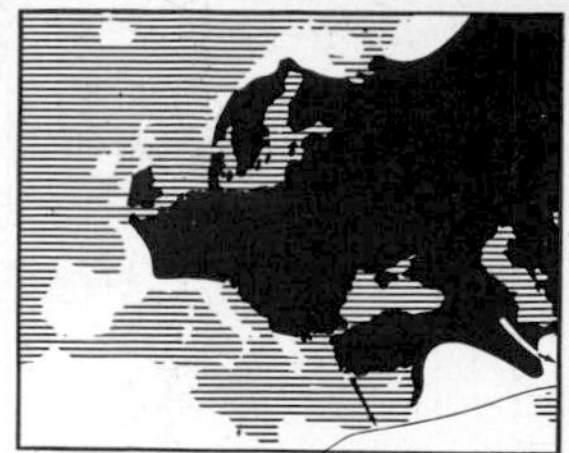

1

Fauvette babillarde
Sylvia curruca

Détermination
✱ C'est un oiseau très élancé, plus petit qu'un Moineau (13 cm). L'oiseau ad. (1) a le haut de la tête gris, un bandeau noir sur les yeux et la gorge blanche. ♂ = ♀. L'oiseau juv. a le sommet de la tête plus foncé, le bas du corps plutôt brun, les couvertures alaires ont des bords clairs. ✦ Elle se dissimule dans les buissons, se faufile dans l'enchevêtrement des branches, couvre de petites distances en vol rapide et bas. Elle chante tout en escaladant les broussailles, souvent au bord de la végétation. ⊙ On l'entend très souvent. Son chant est un babil doux et discret audible de très près, un trille très sonore s'en détache de temps à autre, «lilililil». Son cri d'appel est un «tèk-tèk» sec, son cri d'alarme un «terrtèk» dur. ♋ Parmi les espèces voisines, on citera la Fauvette grisette *(S. communis)* qui est cependant plus grande, dépourvue de bandeau noir et sa voix est différente.

Ecologie ◆ Elle recherche les buissons des jardins, les clairières des forêts, des plaines à la zone des pins alpestres. ∞ Sur les aires de nidification, on la découvre sans peine grâce à son chant (IV.—VII.). Pour trouver le nid, il faut inspecter minutieusement les buissons et les haies ou bien observer le comportement des oiseaux qui ne conduit pas toujours au nid. En dehors de la période de nidification, on peut la découvrir grâce à son cri d'appel ou lors d'une capture.

Vie et mœurs ↔ C'est un oiseau migrateur qui séjourne sur les aires de nidification en IV.—IX. La Fauvette babillarde vit seule. ⊗ Le nid, très fin, est installé au bas des buissons ou des arbustes. La femelle pond 4 à 5 œufs bleuâtres, parsemés de taches foncées (17,0×12,8 mm) en IV.—VI. Elle niche 1—2× l'an, séparément, et couve durant 12 jours. Les deux parents prennent soin des petits : 13 jours au nid et quelques autres jours hors du nid. ◐ Elle se nourrit principalement d'insectes, de leurs larves et chrysalides, en été et en automne de fruits également. Elle se procure sa nourriture sur les branches et feuilles (d'arbres et de buissons).

Protection Le nombre des Fauvettes babillardes est assez élevé. L'espèce ne nécessite aucune protection particulière.

1

Fauvette grisette
Sylvia communis

Détermination
* La Fauvette grisette est à peine plus petite qu'un Moineau (14 cm). Sa queue est assez longue. L'oiseau ad. (1) a le dessus du corps gris-brun, les côtés de la queue sont blancs, les rémiges bordées de roux forment de grandes taches claires sur les ailes ; la gorge et le ventre sont blancs. ♂ a une calotte grise, ♀ une calotte brune. Les oiseaux juv. sont plus pâles, la gorge et les côtés de la queue tirent sur le beige. ✦ Elle vit principalement dans les buissons et les hautes herbes épaisses. Perchée sur les branches de buissons, elle se tient recroquevillée et un peu penchée. Son vol est rapide et légèrement ondulé. Elle ne couvre que de petites distances. Lorsqu'elle chante, elle s'envole de son buisson et y plonge à nouveau. ⊙ On l'entend très souvent. Son chant bref s'achève sur un «herrot» interrogatif. Son cri d'appel est un «ved ved» ou un tchèk» simple, son cri d'alarme un «varr». ♋ On rencontre en Europe deux espèces voisines : la Fauvette babillarde, de taille plus petite, caractérisée par un bandeau noir sur les yeux et un chant différent, et la Fauvette à lunettes *(S. conspicillata)* originaire du sud-est de l'Europe, caractérisée par des cercles orbitaux blancs, une calotte et un dos gris-noir.
Ecologie ◈ Elle recherche les buissons et les fourrés dans les champs et les clairières qui s'étendent des plaines jusqu'à la zone des pins alpestres. ∞ Sur les aires de nidification, on la repère aisément grâce à son chant. Pour trouver le nid, il faut se laisser guider par la voix de l'oiseau et inspecter les buissons et les broussailles. En dehors de la période de nidification, on la reconnaît à son appel ou en la capturant.
Vie et mœurs ↔ C'est un oiseau migrateur qui séjourne sur les aires de nidification en IV.—IX. ⊗ Le nid, à paroi fine, est installé assez bas dans l'enchevêtrement de buissons ou de grandes herbes. La femelle pond 4 à 5 œufs vert-gris, parsemés de larges taches gris foncé (18,1×14,0 mm) en IV.—VII. Elle niche 1—2× l'an, séparément, et couve durant 13 jours. Les deux parents prennent soin des petits : 12 jours au nid et quelques autres jours hors du nid. ◉ Elle se nourrit principalement d'insectes, en été et en automne de fruits également. Elle se procure sa nourriture sur les branches et les feuilles d'arbustes.
Protection L'espèce est nombreuse, mais connaît néanmoins une diminution. Il faut conserver les buissons, fourrés et haies dans la campagne.

1

Fauvette des jardins
Sylvia borin

Détermination
∗ La Fauvette des jardins est à peine plus petite qu'un Moineau (14 cm). Elle a un corps svelte, un bec plutôt puissant et une assez longue queue. L'oiseau ad. (1) a le dessus du corps d'un gris-brun discret, le bas brunâtre et tirant sur le blanc, ne présentant aucun dessin de couleur particulier. ♂ = ♀. Le dessus du corps de l'oiseau juv. a une nuance verdâtre, le bas du corps étant jaunâtre. ✦ Elle se faufile à couvert à travers les broussailles et les couronnes d'arbres, vole bas et vite, et ne couvre que de petites distances. ♂ chante en escaladant la végétation. ⊙ On l'entend fréquemment. Son chant est sonore et mélodieux, il est composé de strophes longues, les tons sont assez uniformes et harmonieux. Son cri d'appel est un «tchik-tchik», son cri d'alarme un «tcharr» grave. ♋ Son chant rappelle celui de la Fauvette épervière. Il est cependant moins aigu et dépourvu du «tcherrr» râpeux.

Ecologie ◈ Elle recherche les broussailles et les taillis des forêts de conifères humides, les terrains à rivières et ruisseaux, et, moins souvent, les parcs et cimetières abandonnés, retournés à l'état sauvage. ∞ Sur les aires de nidification, on la reconnaît sans peine, grâce à son chant (IV.—VII). Pour trouver le nid, il faut inspecter les buissons sur l'aire de nidification. En dehors de le saison des nids, il faut la capturer pour pouvoir l'identifier.

Vie et mœurs ↔ C'est un oiseau migrateur qui vit seul. La Fauvette des jardins séjourne sur les aires de nidification en IV.—X. ⊗ Le nid à paroi fine est installé assez bas dans les broussailles et les hautes herbes. La femelle pond 4 à 5 œufs jaunâtres, parsemés de taches grises (19,9×14,7 mm) en IV.—VII. Elle niche 1—2× l'an, séparément, et couve durant 12 jours. Les deux parents prennent soin des petits : 11 jours au nid et quelques autres jours hors du nid.
◐ Elle se nourrit principalement d'insectes et de leurs larves, en été et en automne de fruits pulpeux. Elle se procure sa nourriture sur les branches et les feuilles des arbustes.

Protection Le nombre des Fauvettes des jardins est assez important. L'espèce ne nécessite aucune protection particulière.

1

Fauvette à tête noire
Sylvia atricapilla

Détermination
✻ La Fauvette à tête noire est plus petite qu'un Moineau (14 cm). Son corps est élancé, sa tête assez grande. L'oiseau ad. est gris-brun, le bas du corps est clair, la queue n'a pas de rectrices externes blanches. ♂ (1) a une calotte noire, ♀ une calotte rouge-brun. L'oiseau juv. est semblable à ♀, tout en étant plus mat. ✦ Elle se faufile assez vite à travers les broussailles et les couronnes d'arbres, elle vole bas, avec agilité, son vol est horizontal et ondulé. ♂ chante dans les couronnes des arbres. ⊙ On l'entend fréquemment. Son chant est très sonore et mélodieux, composé de longues strophes avec une modulation finale montante, subite et typique. Son cri d'appel est un «tèk-tèk» dur et tranchant, son cri d'alarme un «tchrèn» discret. ♋ Il est pratiquement impossible de la confondre avec une autre espèce, mais il faut faire attention au chant tout à fait particulier de certains individus. On pourrait la confondre, en Europe méridionale, avec certaines Fauvettes à tête noire, avec la Fauvette orphée *(S. hortensis)*, en particulier ; son chant est différent, sa calotte est plus grande et ses iris sont clairs. La Fauvette mélanocéphale *(S. melanocephala)*, la Fauvette de Rüppel *(S. rueppelli)*, et la Fauvette de Ménétries *(S. mystacea)* lui ressemblent également.
Ecologie ◆ Elle recherche les forêts clairsemées à broussailles et à taillis, les parcs et les jardins, qui s'étendent des plaines jusqu'à la zone des pins alpestres. ∞ Sur les aires de nidification, on la reconnaît sans peine grâce à son chant (IV.—VII.) et son cri d'appel permet son identification même en dehors de la saison des nids. Pour trouver le nid, il suffit généralement d'inspecter les buissons et les taillis de l'aire de nidification.
Vie et mœurs ↔ C'est un oiseau essentiellement migrateur qui vit seul. La Fauvette à tête noire séjourne sur les aires de nidification en IV.—IX. ⌣ Le nid à paroi fine est installé assez bas dans les buissons ou sur les jeunes arbres. La femelle pond 4 à 6 œufs jaunâtres parsemés de taches brunes (19,6×14,7 mm) en IV.—VI. Elle niche 1—2× l'an, séparément, et couve durant 12 jours. Les deux parents prennent soin des petits : 14 jours au nid et quelques autres jours hors du nid. ◑ Elle se nourrit essentiellement d'insectes à tous les stades de leur évolution, trouvés sur les arbres et les buissons, et en automne de fruits pulpeux, de baies de sureau en particulier.
Protection Le nombre des Fauvettes à tête noire est important. L'espèce ne nécessite aucune protection particulière.

1

Pouillot siffleur
Phylloscopus sibilatrix

Détermination
✳ Le Pouillot siffleur est plus petit qu'un Moineau (12 cm). Il a un corps svelte et une queue courte. L'oiseau ad. (1) est vert olive, ses ailes et sa queue sont plus foncées, ses sourcils et sa gorge sont jaune soufre, son ventre est blanc. ♂ = ♀. L'oiseau juv. est un peu plus terne. ✦ Il se meut sur les branches inférieures des arbres et descend souvent à terre. ♂ chante perché sur une branche, ses ailes pendantes et sa queue tremblent et il ne cesse de chanter tout en passant d'une branche à l'autre. ⊙ On l'entend fréquemment. Son chant est une série de sons stridulents et accélérés «ssi ssi ssississirrr». Son cri d'appel est un «dykh» doux et très sonore, ou un «vit-vit». ♋ Il est très différent des autres Pouillots par la voix et par l'aspect. En Europe du sud, on peut entendre le chant du Pouillot de Bonelli *(P. bonelli)* qui a des accents semblables.

Ecologie ◈ Il recherche les forêts à hauts fûts, les forêts feuillues en particulier (les hêtraies de préférence), à sous-bois clairsemés, qui s'étendent des plaines jusqu'aux montagnes, plus rarement les parcs et les vieux jardins. ∞ Sur les aires de nidification, on le reconnaît sans peine grâce à sa voix (IV.—VII.). En dehors de la période de nidification, on peut l'observer au hasard d'une rencontre ou lors d'une capture. Pour trouver le nid, il faut observer le comportement des oiseaux, lors du nourrissage des petits en particulier, ou bien inspecter avec soin les lieux qu'ils fréquentent.

Vie et mœurs ↔ C'est un oiseau migrateur qui séjourne sur les aires de nidification en IV.—IX. Il vit seul. ⌣ Le nid est généralement installé sur une pente herbeuse. Il a une forme arrondie et sa garniture ne comporte pas de duvet. La femelle pond 5 à 7 œufs blancs, parsemés de taches brunes (16,0×12,5 mm) en IV.—VI. Il niche 1 (—2?)× l'an, séparément, et ♀ couve durant 13 jours. Les deux parents prennent soin des petits : 12 jours au nid et quelques autres jours hors du nid. ◕ Il se nourrit de menus invertébrés, ramassés sur les feuilles au sommet des arbres, et de baies en automne.

Protection Le nombre des Pouillots siffleurs est important et son aire de répartition ne cesse de s'agrandir. L'espèce ne nécessite aucune protection particulière.

1

Pouillot véloce
Phylloscopus collybita

Détermination
✳ C'est un petit oiseau élancé, bien plus petit qu'un Moineau (11 cm). Le plumage de l'oiseau ad. (1) est vert-brun olive, le bas du corps est blanchâtre, le sourcil, peu prononcé, est jaunâtre, les pattes sont noir-brun. ♂ = ♀ = juv. ✦ Il se faufile avec adresse dans les couronnes des arbres, il fait vibrer ses ailes à l'extrémité des branches, et vole vite d'un arbre à l'autre. Il se déplace dans les arbres tout en chantant.
⊙ On l'entend fréquemment tout au long de l'année. Son chant est une répétition stéréotypée et sonore de deux syllabes : «tsilp-tsalp-tsilp-tsalp». Son cri d'appel est un «huït» ou un «touït» assez sonore, son cri d'alarme un «vyhit», et, au printemps, il émet un «trrrt-trrrt» discret. ♋ Il ressemble essentiellement au Pouillot fitis *(P. trochilus),* répandu dans toute l'Europe, les autres espèces de Pouillot étant plus rares. La Formule de l'aile est un moyen de détermination très sûr : 2 — Pouillot verdâtre *(P. trochiloides)*, 3 — P. boréal *(P. borealis)*, 4 — P. fitis *(P. trochilus)*, 5 — P. véloce *(P. collybita)*, 6 — P. siffleur *(P. sibilatrix)*. Son chant ne peut être confondu avec celui d'un autre oiseau.
Ecologie ◐ Il vit dans les forêts clairsemées, dans les clairières, dans les vieux jardins et parcs, qui s'étendent des plaines à la limite supérieure de la forêt. En dehors de la saison des nids, on le voit même dans les buissons ou dans les roselières. ∞ Sur les aires de nidification, et même en dehors de cette période, on le repère facilement grâce à son chant. Pour trouver le nid, il faut inspecter les lieux fréquentés ou observer le comportement des oiseaux lors de la construction des nids ou lors du nourrissage des petits.
Vie et mœurs ↔ C'est un oiseau essentiellement migrateur qui séjourne sur les aires de nidification en III.—X. ◡ Le nid est installé au sol, dans l'herbe peu dense, ou dans les buissons. Il est de forme arrondie, garni de duvet dans la plupart des cas. La femelle pond 4 à 6 œufs blancs, parsemés de quelques taches brunes (15,2 × 11,9 mm), en IV.—VII. Il niche 1—2 × l'an, séparément ; et ♀ couve durant 13 jours. Les deux parents prennent soin des petits : 15 jours au nid et 16 autres jours hors du nid. ◕ Il se nourrit de menus insectes et d'arthropodes qu'il se procure sur les feuilles des arbres et des buissons. En été et en automne, il apprécie les baies pulpeuses.
Protection Le nombre des Pouillots véloces est très élevé. L'espèce ne nécessite aucune mesure de protection particulière.

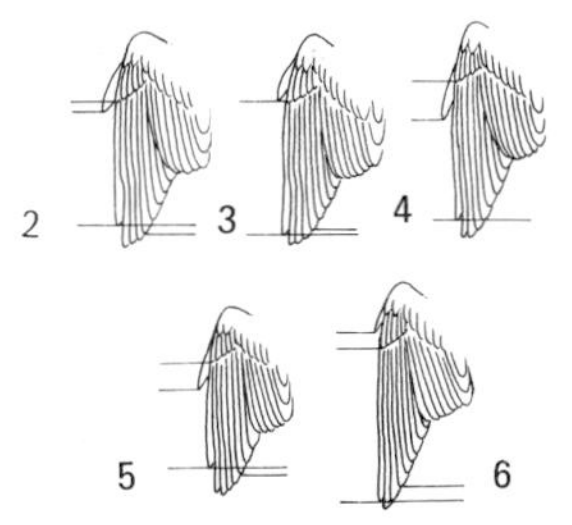

1

Roitelet huppé
Regulus regulus

Détermination
✳ C'est le plus petit oiseau d'Europe (9 cm). Il a une grande tête ronde dotée d'un petit bec. Le plumage de l'oiseau ad. est gris-vert olive, le bas du corps est blanc ; ♂ présente une raie noire au-dessus de l'œil, le sommet de la tête est jaune-orange. Le sommet de la tête de ♀ (1) est simplement jaune. La tête de l'oiseau juv. est dépourvue de tout desssin de couleur. ✦ Très actif, il se faufile dans les branches d'arbres, traverse en vol les couronnes de conifères en particulier, pratique le vol vibré dans les branches extérieures, descend parfois jusqu'au sol. Son vol est rapide, agile et ondulé. En hiver, il vit en petites troupes, en compagnie de mésanges. ⊙ Il émet, de façon presque ininterrompue, un appel doux mais perçant et aigu : «ssi-ssi-ssi-ssii-zi-zi». Son chant, d'abord aigu, passe aux sons grinçants, puis montants et s'achève sur un trille descendant. ♋ Le Roitelet triple-bandeau *(R. ignicapillus)* lui ressemble et par l'aspect et par le cri d'appel. Il a cependant le sourcil blanc.
Ecologie ◆ Il recherche les forêts à hauts fûts, celles de conifères en particulier, qui s'étendent des plaines à la limite supérieure de la forêt. En dehors de la saison des nids, il fréquente également parcs, jardins et autres lieux similaires. ∞ On le repère tout au long de l'année grâce à son appel. Son chant qui retentit tout l'été et même, en hiver, les jours de soleil, permet de le reconnaître sur les aires de nidification. Le nid n'est pas facile à trouver. Il faut observer les oiseaux lors de la construction du nid (♀ descend sur le sol pour ramasser les différents matériaux) ou lors de la couvaison (♂ nourrit la femelle).
Vie et mœurs ↔ C'est un oiseau sédentaire, mis à part les populations de l'Europe septentrionale. En dehors de la saison des nids, il erre en petites troupes même hors des aires de nidification. ◡ Le nid est suspendu sur les branches pendantes (des conifères en particulier), habituellement assez haut. C'est une construction arrondie à paroi épaisse et garnie de duvet. La femelle pond 6 à 10 œufs jaunâtres, parsemés de taches gris-brun (13,5 × 10,4 mm) en IV.—VI. Il niche 1—2 × l'an, séparément, et ♀ couve durant 15 jours. Les deux parents prennent soin des petits : 17 jours au nid et 8 jours hors du nid. ◕ Il se nourrit exclusivement d'insectes, qu'il trouve sur les branches d'arbres.
Protection Le nombre des Roitelets huppés est important. L'espèce ne nécessite aucune mesure de protection particulière.

1

Roitelet triple-bandeau
Regulus ignicapillus

Détermination
∗ Le Roitelet triple-bandeau est, avec le Roitelet huppé, le plus petit oiseau d'Europe (9 cm). Le plumage de l'oiseau ad. est verdâtre, la tête présente un dessin particulier : le sourcil est blanc, surmonté d'une raie noire, et le sommet de la tête est d'un orange vif chez ♂ (1) et jaune chez ♀. Les oiseaux juv. ont le sourcil brunâtre et le sommet de la tête verdâtre comme le dos. ✦ C'est un oiseau actif et remuant. Il se faufile dans les branches d'arbres ou traverse les couronnes des arbres en vol. On le voit souvent pratiquer le vol vibré aux extrémités des branches. Son vol est rapide, ondulé, et il ne couvre que de petites distances. ⊙ Il émet, de façon presque ininterrompue, un appel doux mais aigu et perçant : «ssi-ssi-ssi-ssii-zi-zi». Son chant est une série de tons descendants et accélérés sur la fin ; «ssi ssi ssi ssi ssississi». ♋ Le Roitelet huppé est très voisin par l'aspect mais il n'a pas de sourcil blanc. Son cri d'appel est difficile à distinguer, mais le chant du Roitelet huppé, différent, est plus complexe. Le Pouillot à tête dorée, originaire de l'Asie, et très rare en Europe, lui ressemble également.
Ecologie ◆ Il recherche les forêts à hauts fûts, les zones à parcs qui s'étendent des plaines à la limite supérieure de la forêt. En dehors de la saison des nids, il fréquente également des terrains découverts. ∞ On le reconnaît facilement grâce à son chant (III.—VII.). Son cri d'appel ne suffit pas à lui seul à l'identifier : l'observation du comportement de l'oiseau est nécessaire. Le nid est très difficile à trouver. Il faut suivre la même démarche que pour le Roitelet huppé.
Vie et mœurs ↔ C'est un oiseau essentiellement migrateur qui vit seul. Il séjourne sur les aires de nidification en III.—X. ⌣ Le nid est une construction solide, suspendue dans les hautes branches pendantes des arbres. Il est profond et couvert de quelques plumes plantées sur ses bords. La femelle pond 7 à 11 œufs jaunâtres, parsemés de taches rouge-brun (13,5 × 10,3 mm) en IV.—VII. Il niche 1—2 × l'an, séparément, et ♀ couve durant 15 jours. Les deux parents prennent soin des petits qui restent au nid pendant 20 jours. ◐ Il se nourrit de menus arthropodes qu'il trouve dans les branches des arbres.
Protection La population des Roitelets triple-bandeau est assez nombreuse. L'espèce ne nécessite aucune mesure de protection particulière.

1

Gobe-mouches gris
Muscicapa striata

Détermination
∗ Le Gobe-mouches est à peine plus petit qu'un Moineau (14 cm). Il a une grande tête, de larges ailes arrondies et une queue assez longue. L'oiseau ad. (1) est brun clair, parsemé de taches foncées ; ♂ = ♀ . Le dos des oiseaux juv. porte des taches en forme d'écailles. ✦ Il se perche bien droit et bien en vue, sur un poste de guet, généralement sur les branches d'arbres nues, sur les poteaux, sur les palissades ou sur les fils électriques. Lorsqu'il lance son cri d'appel, il ne cesse de secouer les ailes et la queue. Il s'envole brusquement à la poursuite d'insectes qu'il capture avec un claquement de bec, pratique un vol vibré très agile, puis redescend en vol plané pour se poser au même endroit ou ailleurs. ⊙ Son cri d'appel est un «tsit» ou «pssii» perçant, son cri d'alarme un «tsi-tèk-tèk» répété. Son chant qu'on entend peu souvent, est bref et peu expressif : «ssip-ssip-ssil-ssitti-ssil-ssih». ♋ Le Gobe-mouches brun *(M. latirostris)*, originaire d'Asie, est très voisin par son aspect. On le voit très rarement en Europe.
Ecologie ◈ Il recherche les forêts clairsemées, les jardins, les parcs, qui s'étendent des plaines à la limite supérieure de la forêt. ∞ Sur les aires de nidification, il est facilement repérable grâce à sa voix, à son cri d'appel en particulier. Ailleurs, on peut l'observer sur toutes sortes de postes de guet ou lorsqu'il chasse. Pour trouver le nid, il faut observer le comportement des oiseaux adultes, parfois inspecter les lieux.
Vie et mœurs ↔ C'est un oiseau migrateur qui séjourne sur les aires de nidification en IV.—IX. Il vit seul. ◡ Le nid est installé assez bas, sur un support solide, dans les arbres ou sur les bâtiments, principalement dans les semi-cavités abritées. La femelle pond 4 à 5 œufs grisâtres, parsemés de taches brunes (18,7 × 14,1 mm) en V.—VII. Il niche 1—2 × l'an, séparément, et ♀ couve durant 14 jours. Les deux parents prennent soin des petits : 14 jours au nid et quelques autres jours hors du nid. ◉ Il se nourrit principalement d'insectes qu'il chasse en vol ou qu'il attrappe au sol par temps froid.
Protection Le nombre des Gobe-mouches gris est encore important, mais il est en régression. On ne connaît pas de moyens de protection efficaces.

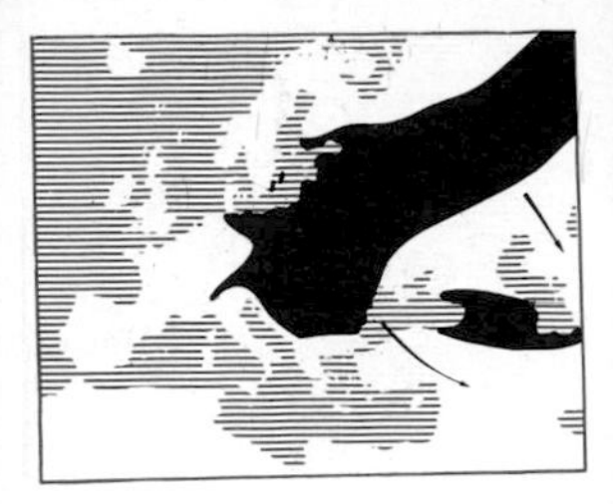

1

Gobe-mouches nain
Ficedula parva

Détermination
✳ Il est plus petit que les autres Gobe-mouches (11 cm) et caractérisé par une grande tête. L'oiseau ad. a le dessus du corps gris-brun, le bas gris-blanc, la queue foncée est blanche sur les parties latérales de la racine (2). ♂ (1) a la gorge rouge, ♀ ♀ et les jeunes ♂ ♂ ont la gorge couleur ocre. L'oiseau juv. est semblable à ♀, mais le haut du corps et la gorge portent des taches foncées. ✦ Il évolue dans les branches inférieures des grands arbres, s'envole à la poursuite des insectes avec agilité, descend même sur le sol par temps froid. ⊙ On l'entend souvent. Son chant, assez sonore et monotone, débute par un motif répété et se termine par un «zii-zr-zii-zr-zii-zrzrzr» descendant. Son cri d'appel est un «zilouii» flûté ou un «tsst» explosif, son cri d'alarme un «tsrrr» roulé. ♋ On ne peut le confondre avec une autre espèce. Le Rouge-gorge *(Erithacus rubecula)*, de coloration similaire, n'a pas la queue blanche à la racine et son comportement est bien différent.

2

Ecologie ◐ Il recherche les forêts (à hauts fûts) à sous-bois clairsemés, surtout les hêtraies, qui s'étendent des plateaux à la limite supérieure de la forêt. En dehors de la saison des nids, il fréquente également des parcs et des jardins. ∞ Sur les aires de nidification, on le repère facilement grâce à son chant mais il est difficile à observer. Pour trouver le nid, il faut suivre les oiseaux, dès leur arrivée sur l'aire de nidification, lorsqu'ils construisent le nid ou lorsqu'ils chassent pour nourrir leurs petits, car ils ne s'éloignent pas à plus de cent mètres du nid. En dehors de la période de nidification, il est moins farouche et donc plus facile à observer.
Vie et mœurs ↔ C'est un oiseau migrateur qui séjourne sur les aires de nidification en V.—IX. ⊗ Le nid est installé assez haut dans les semi-cavités des arbres, construit de mousse et de toiles d'araignées entre autres. La femelle pond 4 à 6 œufs jaunâtres, parsemés de nombreuses taches rouge-brun, (16,6 × 12,7 mm) en V.—VI. Il niche 1—2 × l'an, séparément, et ♀ couve durant 15 jours. Les deux parents prennent soin des petits, 14 jours au nid et 14 autres jours hors du nid. ◕ Il se nourrit principalement d'insectes qu'il se procure sur les troncs et les branches d'arbres, moins souvent en vol ou au sol.
Protection Le Gobe-mouches ne vit que dans certains endroits et son nombre est relativement limité. La destruction des anciennes forêts est une menace pour les aires de nidification de l'espèce : il faut donc les conserver.

1

Gobe-mouches à collier
Ficedula albicollis

Détermination
✳ Le Gobe-mouches à collier est à peine plus petit qu'un Moineau (13 cm). L'oiseau ♂ ad. (1) a le dessus du corps noir, le bas blanc, une grande tache blanche dans l'aile (3) et un collier blanc sur la nuque. ♀ a le dessus du corps gris-brun. L'oiseau juv. ressemble à ♀, le haut du corps est cependant tacheté et la tache blanche des ailes est moins expressive. ✦ En dehors de la période de nidification, il vit caché. Il évolue dans la partie inférieure des couronnes d'arbres, il se perche sur les branches et s'envole à la poursuite des insectes, il se pose même sur les troncs d'arbres. Son vol est rapide et agile : il se faufile entre les arbres. ⊙ Son chant est sonore, bref, composé de tons flûtés, montants et descendants. Son cri d'appel est un «ssib-ssib», sonore, pendant lequel il entrouvre les ailes et étale sa queue. ♀, postée à côté du nid, émet un «ssib-ssib-ssib» d'alarme. ♋ On rencontre dans une grande partie de l'Europe le Gobe-mouches noir *(F. hypoleuca)* ; celui-ci a la nuque noire (2) et une petite tache blanche sur les ailes (4). Au sud-est des Balkans, on rencontre le Gobe-mouches à cou noir *(F. semitorquata)* dont le collier n'est pas entier.
Ecologie ◆ Il recherche les forêts clairsemées, feuillues ou autres, les parcs et les jardins, qui s'étendent des plaines à la montagne. ∞ En période de nidification, il est facile à découvrir et à observer, grâce à sa voix. En dehors de cette période, on ne peut l'observer que par hasard. Pour trouver le nid, il faut inspecter les cavités susceptibles d'abriter les nids ou observer le comportement des oiseaux adultes lors du nourrissage en particulier.
Vie et mœurs ↔ C'est un oiseau migrateur. Il séjourne sur les aires de nidification en IV.—IX. ◡ Le nid est installé dans une cavité d'arbre. La garniture ne contient jamais de duvet. La femelle pond 4 à 7 œufs bleu clair (18,1 × 13,3 mm) en IV.—VI. Il niche 1× l'an, séparément, et ♀ couve durant 14 jours. Les deux parents prennent soin des petits qui restent au nid pendant 17 jours. ◐ Il se nourrit de menus insectes qu'il chasse en vol, au sol ou dans les arbres.
Protection Le nombre des Gobe-mouches à collier est élevé. L'espèce ne nécessite aucune protection particulière. On peut néanmoins faciliter sa nidification en disposant des nichoirs dans les forêts.

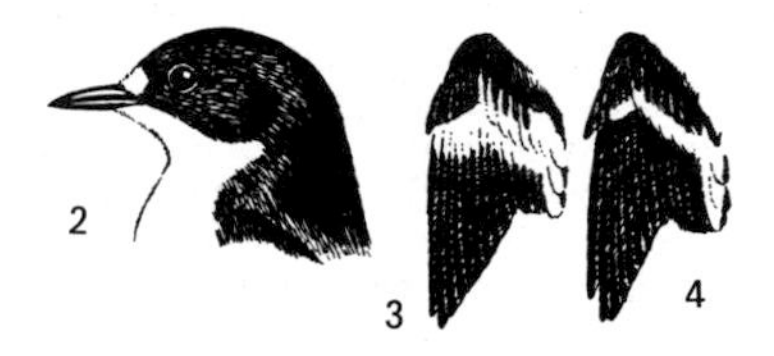

1

Mésange à moustaches
Panurus biarmicus

Détermination
✳ La Mésange à moustaches atteint la taille d'un Moineau (16 cm). Elle a un corps élancé, une tête ronde et une queue caractéristique : longue et étagée. L'oiseau ad. ♂ (1) a la tête gris clair, les moustaches noires, les yeux jaunes. ♀ (2) a la tête brune, dépourvue de moustaches. L'oiseau juv. a le sommet de la tête et le dos bruns, ♂ est caractérisé par une raie noire entre la racine du bec et l'œil, par des yeux jaunes, ♀ par une raie grise et les yeux bruns. ✦ Elle évolue dans les roselières, grimpe le long des tiges de roseaux, souvent entre deux tiges. Son vol est ondulé, saccadé, au ras de la végétation ; elle tient sa longue queue légèrement inclinée vers le sol. ⊙ On l'entend fréquemment, en vol et au repos. Son cri d'appel est un «pink-pink» vibrant ou un «djine-djine», son cri d'alarme un «tchirr». ♋ On ne peut la confondre avec une autre espèce.
Ecologie ◈ Elle vit dans les roselières tout au long de l'année, exceptionnellement même en d'autres lieux. ∞ On la repère grâce à sa voix en toute saison. Pour trouver le nid, il faut inspecter les lieux qu'elle fréquente (les oiseaux s'éloignent peu de leur nid et se manifestent par leurs voix) ou bien observer les oiseaux adultes lors de la construction du nid ou du nourrissage (cependant la recherche de la nourriture peut les conduire loin du nid).
Vie et mœurs ↔ C'est un oiseau sédentaire, erratique ou migrateur selon la situation des territoires des différentes populations. La Mésange à moustaches vit en groupes assez importants. ◡ Le nid est généralement dissimulé dans une touffe végétale au bas des roseaux. Il est de taille modeste, construit de feuilles de roseaux et garni de panicules. La femelle pond 5 à 6 œufs blancs, parsemés de fines taches rouge-brun (18,0 × 14,1 mm) en III.—VII. Elle niche 1—4× l'an, séparément, et couve durant 12 jours. Les deux parents, éventuellement d'autres individus, prennent soin des petits : 12 jours au nid et quelques autres jours hors du nid. ◕ Elle se nourrit principalement d'insectes en été et de graines de roseaux en hiver. Elle se procure toute sa nourriture dans les roselières.
Protection Le nombre des Mésanges à moustaches est élevé par endroits mais il est très variable. L'espèce ne nécessite aucune protection particulière si ce n'est la conservation d'anciennes roselières.

2 ♀

1

Mésange à longue queue
Aegithalos caudatus

Détermination
✳ La Mésange à longue queue est plus petite qu'un Moineau (14 cm). Sa tête ronde est dotée d'un bec court, sa queue est très longue. L'oiseau ad. est blanc-brun-noir-rose. Les populations de l'Europe septentrionale appartenant à la race *A. c. caudatus* ont la tête blanche (3), les populations de l'Europe centrale et occidentale appartenant à la race *A. c. europaeus* ont une raie noire bien marquée au-dessus de l'œil (2), les oiseaux de l'Europe méridionale appartenant à la race *A. c. alpinus* ont une raie noire sur la tête et leur dos est gris (et non noir). Les oiseaux qui vivent à la limite de différentes zones ont une coloration mixte (1). ♂ = ♀. Les oiseaux juv. sont toujours d'un blanc et rose plus mat, les côtés de la tête étant noir-brun. ✦ Elle vit presque exclusivement dans les arbres et les buissons et grimpe sur les branches dans les positions les plus variées. Son vol est rapide, ondulé et sa longue queue est bien visible. ⊙ Elle émet fréquemment son cri d'appel : un «tchrr-tchrr» sonore. ♋ On ne peut la confondre avec une autre espèce.
Ecologie ◈ Elle vit dans les forêts clairsemées et jeunes, dans les terrains à bosquets, dans les jardins qui s'étendent des plaines à la montagne. ∞ On peut l'observer et l'entendre tout au long de l'année. Le nid peut être découvert au moment de sa construction (II.—III.), et lors du nourrissage des oisillons, grâce au comportement des oiseaux adultes ou bien par l'inspection des endroits fréquentés par l'espèce.
Vie et mœurs ↔ Elle est sédentaire et erre en petites troupes autour des aires de nidification en dehors de la saison des nids. ◡ Le nid est une construction en forme de boule avec une ouverture aménagée dans sa partie supérieure. Il est fait de mousse et de lichens, il est garni de duvet. La femelle pond 6 à 12 œufs, légèrement jaunes, parsemés de points rougeâtres (14,2 × 11,1 mm) en III.—VI. Elle niche 1—2× l'an, séparément, et couve durant 12 jours. Les deux parents, parfois d'autres individus, prennent soin des petits : 15 jours au nid et une assez longue période hors du nid. ◉ Sa nourriture est composée principalement de larves ou d'œufs d'insectes et d'araignées qu'elle se procure sur les branches, moins souvent au sol.
Protection Le nombre des Mésanges à longue queue est assez important. L'espèce ne nécessite aucune protection particulière.

2 3

1

Mésange boréale
Parus montanus

Détermination
✳ La Mésange boréale est plus petite qu'un Moineau (11 cm). Sa tête est grande, sa queue courte et étagée (2). L'oiseau ad. (1) a le dessus du corps brun, le bas gris-blanc ; la calotte est d'un noir mat, le menton porte une tache noire et les bordures claires des rémiges forment une tache pâle sur les ailes. ♂ = ♀ = juv. ✦ Assez farouche, elle se faufile avec agilité entre les branches des arbres et des buissons. Son vol est rapide et souple. Elle ne couvre que de petites distances. Elle recherche la compagnie d'autres Mésanges : la Mésange noire *(P. ater)*, la Mésange huppée *(P. cristatus)*, parfois même la Mésange nonnette *(P. palustris)*. ⊙ On l'entend fréquemment. Elle émet un cri d'appel grave «deh-deh» ou un «ssii-ssii-discret. Son chant varie en fonction de la situation géographique. Il est caractérisé par un «ti-tii-tii-ti» ou un «tsi-tsii-tsii-tsi» uniforme ou légèrement montant. ♋ La Mésange nonnette *(P. palustris)* lui ressemble beaucoup : sa calotte est cependant brillante et sa queue n'est pas étagée de manière aussi marquée (3). En Europe septentrionale, on rencontre la Mésange lapone *(P. cinctus)* moins ressemblante, et, dans le sud-est de l'Europe, la Mésange lugubre *(P. lugubris)*.
Ecologie ◈ Elle recherche différents types de forêts qui s'étendent des plaines à la montagne, des terrains humides en particulier. ∞ On la repère tout au long de l'année grâce à son cri d'appel, et, au printemps, sur les aires de nidification (II.—V.) grâce à son chant. Pour trouver le nid, il faut observer les oiseaux lorsqu'ils creusent des cavités ou lorsqu'ils nourrissent leurs petits. Il est également conseillé d'inspecter les cavités pouvant abriter les nids.
Vie et mœurs ↔ C'est un oiseau migrateur qui erre en petites bandes autour des aires de nidification en dehors de la saison des nids. ◡ Le nid est installé dans un creux d'arbres. La Mésange boréale creuse toujours son nid dans un arbre brisé ou mort. La femelle pond 6 à 10 œufs, parsemés de quelques taches rouge-brun (16,1 × 12,3 mm) en IV. — VI. Elle niche 1 (—2?) × l'an, séparément, et ♀ couve durant 15 jours. Les deux parents prennent soin des petits qui restent au nid durant 18 jours. ◉ Elle se nourrit de menus arthropodes et de graines végétales qu'elle se procure sur les arbres ou dans les herbes.
Protection Le nombre des Mésanges boréales est assez important par endroits. L'espèce ne nécessite aucune mesure de protection particulière.

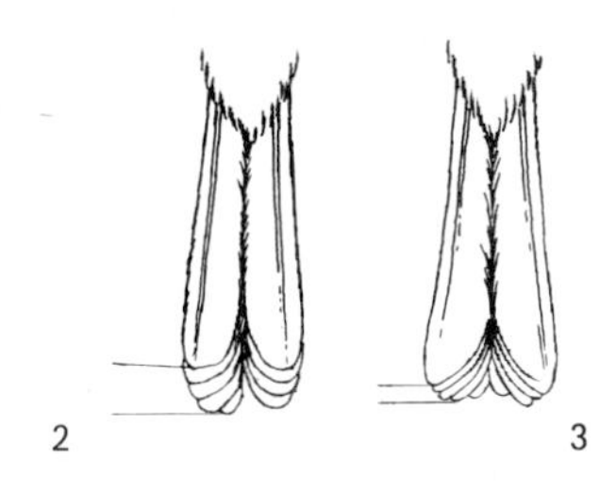

2 3

1

Mésange huppée
Parus cristatus

Détermination
∗ La Mésange huppée est plus petite qu'un Moineau (11 cm). Ses ailes et sa queue sont courtes, la tête porte une huppe pointue. L'oiseau ad. (1) a le dessus du corps brun, le bas blanchâtre, la tête présente un dessin noir-blanc. ♀ est caractérisée par une huppe plus courte. Les oiseaux juv. ont une huppe très courte, le blanc de leur plumage tire sur le brun. ✦ Elle évolue le plus souvent dans les couronnes des arbres, en hiver on la voit fréquemment à terre. Elle vole vite et ne couvre que de petites distances. Elle est très farouche. La nidification une fois achevée, la Mésange huppée s'assemble avec d'autres Mésanges, Grimpereaux des bois, Sittelles et Roitelets. ⊙ Elle émet assez fréquemment un cri d'appel bien caractéristique : «zirrhyt» ou «gyrrr». Son chant est doux, stridulent, mais peu fréquent.
♋ On ne peut la confondre avec une autre espèce.

Ecologie ◈ Elle recherche les forêts de conifères, de sapins ou de pins en particulier, qui s'étendent des plaines à la limite supérieure de la forêt. En dehors de la période de nidification, on la rencontre également dans les forêts de feuillus, dans les jardins, et autres lieux semblables. ∞ Son cri d'appel permet son identification tout au long de l'année. Pour trouver le nid, il faut observer le comportement des oiseaux adultes, lors du nourrissage des petits en particulier, ou bien inspecter les cavités naturelles sur les lieux de séjour.

Vie et mœurs ↔ C'est un oiseau sédentaire qui erre en petits groupes autour des aires de nidification en dehors de la saison des nids. ◡ Le nid est généralement installé dans les creux des vieux arbres peu élevés. La femelle pond 5 à 7 œufs blancs, parsemés de taches rouge-brun (16,4 × 12,8 mm) en III.—VI. La Mésange huppée niche 1—2 × l'an, séparément, ♀ couve durant 16 jours. Les deux parents prennent soin des petits qui restent au nid durant 20 jours. ◉ Elle se nourrit de menus insectes (à tous les stades de leur évolution) et de graines végétales qu'elle se procure sur les arbres, en hiver souvent au sol.

Protection Le nombre des Mésanges huppées est assez important. L'espèce ne nécessite aucune mesure de protection particulière

1

Mésange noire
Parus ater

Détermination
∗ De la taille de la Mésange bleue (11 cm), la Mésange noire a une grande tête ronde et une queue courte. Les oiseaux ad. (1) ont une tête noire à joues blanches et une tache blanche à l'occiput, le haut de leur corps est gris-vert, le bas blanc, légèrement brunâtre. ♂ = ♀. L'oiseau juv. est plus mat : les parties noires du plumage sont d'un brun foncé et les parties blanches tirent sur le jaune. ✦ Elle se déplace dans les couronnes des arbres avec grande agilité et adopte des positions très variées. Son vol est très rapide et ondulé ; elle ne couvre que de petites distances. En dehors de la période de nidification, elle vit en petites troupes avec d'autres espèces de Mésanges. ⊙ Elle se manifeste presque constamment par un cri d'appel très doux «ssi-ssi» ou «douï». Son chant, fréquent, est un «vii-tsé-vii-tsé» sonore et monotone. ♋ Son appel doux est parfois très difficile à distinguer de celui des Roitelets, en compagnie desquels elle vit en hiver. Son aspect et son chant ne peuvent être confondus avec ceux d'une autre espèce.
Ecologie ◆ Elle recherche principalement des forêts de conifères anciennes qui s'étendent des plaines à la limite supérieure de la forêt. En dehors de la saison des nids, elle fréquente également des parcs, des jardins et des crêtes montagneuses. ∞ Elle est facile à découvrir grâce à ses manifestation vocales (I.—VI.) ; elle n'est pas farouche. C'est en observant le comportement des oiseaux adultes que l'on peut découvrir le nid.

Vie et mœurs ↔ C'est un oiseau sédentaire, erratique et partiellement migrateur. Des invasions occasionnelles se font de l'Europe septentrionale en direction du sud. En dehors de la période de nidification, la Mésange noire vit en petites troupes. ◡ Elle installe son nid dans les creux des arbres, dans les cavités du sol, entre les pierres et dans les stères de bois. La femelle pond 6 à 10 œufs blancs, parsemés de taches rouge-brun (14,9 × 11,6 mm) en IV.—VII. Elle niche 1—2 × l'an, séparément, ♀ couve durant 15 jours. Les deux parents prennent soin des petits qui restent au nid pendant 19 jours. ◕ Elle se nourrit de menus insectes, d'araignées et de graines végétales qu'elle se procure dans les arbres et même au sol.
Protection Le nombre des Mésanges noires est important. L'espèce ne nécessite aucune mesure de protection particulière et adopte facilement les nichoirs artificiels.

1

Mésange bleue
Parus caeruleus

Détermination
✳ La Mésange bleue est bien plus petite qu'un Moineau (11 cm). Sa tête est petite, sa queue courte. Les oiseaux ad. (1) ont le sommet de la tête d'un bleu clair, bordé de blanc, une fine raie noire traverse les yeux ; le haut du corps est brun-vert, le bas jaune pâle. Le plumage de ♀ est plus mat. L'oiseau juv. a le dessus de la tête gris olive, les côtés de la tête étant jaune pâle. ✦ Peu farouche, très remuante, elle grimpe sur les branches d'arbres et s'y suspend dans les positions les plus variées. Son vol est assez lent, ondulé ; elle ne couvre que de petites distances. En dehors de la saison des nids, elle vit en petites troupes en compagnie d'autres espèces de Mésanges. ⊙ Elle émet fréquemment un cri d'appel discret : «tsit-tsit» ou «tsit-tsit-hèh-é-hé» ; son cri d'alarme est un «tsérrrètét». Son chant est un «ssississirrr», ♂ chante même en vol. ♋ Son cri d'appel ressemble à celui de la Mésange charbonnière *(P. major)*. La Mésange azurée *(P. cyanus)*, de taille plus grande, originaire de l'Europe orientale, est proche par l'aspect.
Ecologie ◈ Elle recherche les forêts clairsemées, forêts de feuillus en particulier, qui s'étendent des plaines à la montagne, également des parcs et des jardins. ∞ Elle est facile à repérer tout au long de l'année grâce à sa voix et, en hiver, on peut l'observer sur les mangeoires. Le comportement des oiseaux indique l'emplacement du nid, placé parfois dans des nichoirs artificiels.
Vie et mœurs ↔ Elle est généralement sédentaire, mais les populations septentrionales effectuent quelquefois des invasions en direction du sud-ouest. En dehors de la période de nidification, la Mésange bleue vit en petites troupes. ◡ Le nid est installé dans les creux d'arbres, dans les tas de bois, dans les fissures des murs et souvent dans les nichoirs artificiels. Pour construire son nid, elle se sert de mousse, de poils et de duvet. La femelle pond 7 à 12 œufs blancs, parsemés de taches rouge-brun (15,5 × 11,9 mm) en IV.—VII. Elle niche 1—2 × l'an, séparément, ♀ couve durant 14 jours. Les deux parents prennent soin des petits qui restent au nid pendant 20 jours. ◉ Elle se nourrit de menus insectes, d'araignées, de fruits et de graines végétales. Elle se procure sa nourriture dans les branches des arbres et même au sol.
Protection Le nombre des Mésanges bleues est important. L'espèce ne nécessite aucune protection particulière et adopte facilement des nichoirs artificiels.

1

Mésange charbonnière
Parus major

Détermination
✳ La Mésange charbonnière atteint la taille d'un Moineau (14 cm), mais son corps est élancé, sa tête grosse et ronde. L'oiseau ad. (1) a le dessus du corps gris-vert, le bas jaune, la tête et la bande qui descend de la gorge au ventre sont noires ; la tête de ♀ est d'un noir plus mat et la bande pectorale est moins vive et plus étroite. L'oiseau juv. est noir-brun au lieu de noir, son jaune tire sur le vert et la bande pectorale est discrète. ✦ Elle n'est pas farouche et sautille nerveusement sur les branches ou à terre. Elle fréquente les mangeoires. Son vol est rapide, agile et ondulé. En dehors de la période de nidification, elle s'assemble avec d'autres Mésanges et vit en petites troupes. ⊙ Elle se manifeste presque continuellement par un cri d'appel expressif «tvi-tyt» ou «pink-pink» (ne pas confondre avec le Pinson des arbres). Son cri d'alarme est un «tsétser-rète», son chant est un «tsi-tsi-bé tsi-tsi-bé» sonore. Elle émet fréquemment des sons inhabituels. ♋ Sa voix ressemble parfois à celle du Pinson des arbres ou de la Mésange bleue mais son identification est cependant possible après quelques moments d'écoute. Son aspect est bien particulier et elle ne peut être confondue avec une autre espèce.
Ecologie ◆ Elle recherche les forêts de tout type, feuillues et clairsemées en particulier, qui s'étendent des plaines à la montagne, les jardins et les parcs également. ∞ On peut l'entendre et l'observer tout au long de l'année. Pour trouver le nid, il faut observer le comportement des oiseaux lors du nourrissage des petits, ou bien contrôler les lieux propices à la nidification, les nichoirs en particulier.
Vie et mœurs ↔ C'est un oiseau sédentaire et partiellement migrateur dans une grande partie de l'Europe. En dehors de la période de nidification, la Mésange charbonnière vit en groupes. ◡ Le nid est installé dans les creux des arbres, dans les cavités du sol, sur les bâtiments, dans toutes sortes de cylindres, verticaux et non couverts, souvent dans les nichoirs et habituellement à faible hauteur. Il est bâti essentiellement de mousse et garni de poils entre autres. Le femelle pond 5 à 13 œufs blancs, parsemés de quelques taches rouge-brun (17,6×13,4 mm) en IV.—VII. Elle niche 1—2× l'an, séparément, et ♀ couve durant 14 jours. Les deux parents prennent soin des petits : 19 jours au nid et 12 autres jours hors du nid. ◉ Elle se nourrit de menus insectes, d'araignées, de mollusques, de diverses graines et de déchets de graisse. Elle se procure sa nourriture dans les arbres et même au sol.
Protection Le nombre des Mésanges charbonnières est important. L'espèce ne nécessite aucune protection particulière. Elle niche volontiers dans les nichoirs artificiels et accepte d'être nourrie par l'homme.

1

Sittelle torchepot
Sitta europaea

Détermination
✳ La Sittelle torchepot est à peine plus petite qu'un Moineau (13 cm). Elle a une grande tête prolongée par un bec droit, des pattes et une queue très courtes. L'oiseau ad. a le dessus du corps gris-bleu, une raie noire en travers de l'œil ; la couleur du ventre varie selon les sous-espèces (blanche chez les ssp. de la race *S. e. europaea*, originaire de l'Europe septentrionale, rouge-brun chez celles de la race *S. e. caesia*, originaire des autres parties de l'Europe). Les flancs du ♂ sont rouge-brun foncé, les flancs de ♀ roux-brun clair (1). L'oiseau juv. est caractérisé par de fins traits blanchâtres sur le dos, son lorum est brun. ✦ Elle grimpe le long des troncs et des branches d'arbres en toutes directions, sautille de temps à autre à terre, la tête à demi redressée. Elle vole avec rapidité et exécute avec agilité des circonvolutions horizontales. ⊙ On l'entend très souvent : elle émet tout au long de l'année un appel sifflant et sonore «tyt-tyt», un ample «tvèh tvèh» ou un «ssissi», comme les Mésanges ; son chant est constitué de sifflements mélodieux «tyh dyh», de trilles «cricricri», au printemps bien souvent d'un «touih touih». On l'entend frapper et grimper sur l'écorce sèche des arbres. ♋ La Sittelle des rochers de Neumayer *(S. neumayer)*, originaire de l'Europe méridionale, ainsi que la Sittelle corse *(S. whiteheadi)*, qui vit dans les forêts corses, lui ressemblent fortement.
Ecologie ◈ Elle recherche les forêts de feuillus ou mixtes qui s'étendent des plaines à la montagne. En dehors de la période de nidification, on la rencontre même dans les parcs et jardins d'agglomération. ∞ On peut l'entendre et l'observer tout au long de l'année. Pour trouver le nid, il faut observer le comportement des oiseaux lors de la préparation du nid ou du nourrissage, inspecter également le territoire.
Vie et mœurs ↔ C'est un oiseau sédentaire, erratique dans le nord-est de l'Europe au point d'effectuer certaines invasions. La Sittelle torchepot vit seule ou en couples en dehors de la période de nidification. Elle rejoint parfois les troupes de Mésanges. ◡ Le nid est installé dans une cavité creusée par le Pic, souvent même dans les nichoirs, l'ouverture est aménagée à l'aide d'une pâte argileuse, l'oiseau se sert également de fragments d'écorce. La femelle pond 5 à 9 œufs blancs, parsemés de taches rouge-brun (19,6×14,7 mm) en III.—VI. Elle niche 1(—2 ?)× l'an, séparément, ♀ couve durant 16 jours. Les deux parents prennent soin des petits : 24 jours au nid et 8 autres jours hors du nid. ◕ Elle se nourrit de toutes sortes d'insectes qu'elle est capable d'attraper et de manger, et dès l'automne, elle recherche graines et fruits végétaux. Elle se procure sa nourriture sur l'écorce des arbres et même à terre, et fréquente aussi les mangeoires.
Protection Le nombre des Sittelles torchepots est important. L'espèce ne nécessite aucune protection particulière. Elle niche volontiers dans les nichoirs artificiels.

1

Tichodrome échelette
Tichodroma muraria

Détermination
✳ Le Tichodrome échelette est plus grand qu'un Moineau (16 cm). Il a un corps élancé, un bec très long et recourbé, une queue courte et de larges ailes arrondies. L'oiseau ad. (1) est gris et noir-brun, ses ailes sont caractérisées par une grosse tache rouge sur le dessus et des taches blanches sur les bords. En livrée nuptiale, le menton et la gorge du ♂ sont noirs, ceux de ♀ gris-noir. En livrée simple, les deux sexes ont la gorge et le menton blancs. L'oiseau juv. a le front brunâtre et les plumes du dos sont marquées par des bords clairs. ✦ Il grimpe sur les parois rocheuses, de bas en haut, survole le faîte et redescend. Ses mouvements sont saccadés, il ouvre légèrement ses ailes et les secoue. Son vol est vibré et rappelle le vol du papillon. ⊙ On l'entend peu souvent. Il émet un appel sifflant : «dy dy, dy-i-i» ou «dyh». Son chant est un sifflement flûté, mélodieux et montant. ♋ On ne peut le confondre avec une autre espèce.
Ecologie ◈ Il recherche des parois rocheuses de type alpin tout particulièrement. ∞ On le repère avec peine, le plus souvent lors de l'observation des oiseaux qui volent le long des roches. Pour localiser le nid, il faut observer le comportement des oiseaux. Le nid est généralement difficile d'accès.
Vie et mœurs ↔ C'est un oiseau sédentaire qui vit seul. En hiver, certains oiseaux descendent à plus basse altitude et errent souvent très loin de leur territoire. A cette époque, on peut les voir sur les roches, sur les murs des bâtiments anciens, dans les carrières et autres lieux semblables. ◡ Le nid est installé dans une fissure de roche. La femelle pond 3 à 5 œufs blancs, parsemés de taches rouge-brun (21,3×14,3 mm) en V.—VI. Il niche 1× l'an, séparément, et ♀ couve durant 19 jours. Les deux parents prennent soin des petits qui restent au nid pendant 29 jours. ◐ Il se nourrit de menus arthropodes qu'il trouve sur les parois rocheuses et dans les fissures.
Protection Le Tichodrome échelette est une merveille de la nature. Son nombre n'est guère important, même sur les lieux où il séjourne de manière permanente. Il est nécessaire d'assurer la protection des individus et de leurs nids.

1

Grimpereau des bois
Certhia familiaris

Détermination
✳ Le Grimpereau des bois est plus petit qu'un Moineau (12 cm). Il a un corps svelte, un bec long et légèrement arqué, une queue longue et pointue (2). L'aileron a une coloration bien caractéristique (3). L'oiseau ad. (1) a le dessus du corps brun tacheté, le bas blanc, une raie foncée traverse les yeux. ♂ = ♀. L'oiseau juv. est légèrement tacheté de brun sur le bas du corps. ✦ Il grimpe du pied de l'arbre vers le haut, en spirales irrégulières, la queue appuyée à l'écorce, s'envole et se pose au pied d'un autre arbre. En dehors de la saison des nids, il rejoint des bandes de Mésanges et de Sittelles. ⊙ Il émet tout au long de l'année un appel doux : «ssirr, ssisissirrr» ou un «ssri» très discret. Son chant est simple, composé de sons flûtés : «ssirr-houitirr-ouit». ♋ Presque partout en Europe, on rencontre une espèce double, le Grimpereau brachydactyle *(Certhia brachydactyla)* qui ne diffère, de façon à peine perceptible, que par la longueur du bec, par la griffe du doigt postérieur, par la coloration du plumage (4) et par la disposition des couleurs de l'aileron (5).
Ecologie ◐ Il recherche les forêts de conifères, moins souvent les forêts de feuillus qui s'étendent des plaines à la montagne. Il se plaît à haute altitude et fréquente, en dehors de la saison des nids, également des plaines, des jardins et des parcs. ∞ Tout au long de l'année, il est facile à repérer grâce à son cri d'appel, en I.—VI. grâce à son chant ou par une observation directe. Pour trouver le nid, il faut surveiller le comportement des oiseaux ou bien inspecter les lieux propices à la nidification.
Vie et mœurs ↔ C'est un oiseau sédentaire qui erre parfois autour de l'aire de nidification. ⊗ Il installe son nid dans les fissures des arbres, sous les boursouflures de l'écorce, dans les semi-cavités, dans les murs de bâtiments, généralement à faible hauteur. Le nid est construit de couches épaisses de matériaux de base. Il niche également dans les nichoirs aménagés. La femelle pond 4 à 7 œufs blanchâtres parsemés de taches rouge-brun (15,7×12,1 mm), en IV.—VI. Il niche une à deux fois l'an, séparément, et ♀ couve durant 14 jours. Les deux parents prennent soin des petits : 15 jours au nid et quelques autres jours hors du nid. ◕ Il se nourrit de menus insectes et d'araignées qu'il se procure dans les fissures de l'écorce des arbres.
Protection Le nombre des Grimpereaux des bois est assez important. L'espèce ne nécessite aucune mesure de protection particulière. On peut faciliter la nidification en disposant des nichoirs.

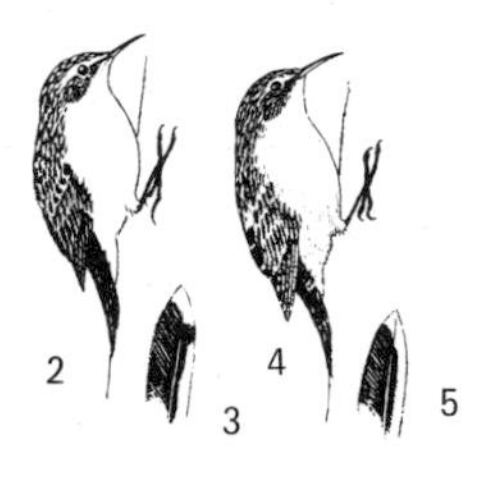

1

Mésange rémiz
Remiz pendulinus

Détermination
✱ La Mésange rémiz est plus petite qu'un Moineau (11 cm). Elle a une tête ronde dotée d'un bec très court. En livrée nuptiale (1), la tête est grise, un large bandeau noir traverse les yeux, le corps est brun cannelle ; ♀ a le dos et la poitrine brun clair. En livrée simple, le bandeau noir est dissimulé par les plumes à bords gris-brun, le sommet de la tête est gris-brun également. ♂ = ♀. L'oiseau juv. (3) a le dessus de la tête gris-blanc, les bords des plumes étant roux ; le reste du plumage est brun sur toute la partie supérieure du corps. ✦ Elle grimpe sur les branches fines des arbres, sur les tiges et panicules des roseaux et des massettes. Son vol est agile et ondulé. ⊙ Elle émet fréquemment et tout au long de l'année un appel doux mais long et perçant «tsiikh» ou un «tsii» bref ou un «tssi-tssi-tssi» discret. Son chant, assez rare, est une brève succession de sons rapides, flûtés et même grinçants, lequel s'achève par des sons descendants et un sifflement aigu. ♋ On ne peut la confondre avec une autre espèce. Le cri d'appel est cependant proche de celui du Bruant des roseaux *(Emberiza schoeniclus)* mais plus grave.

Ecologie ◆ Elle recherche les forêts et la végétation des bords de l'eau, en plaine et sur les plateaux. En dehors de la période de nidification, elle fréquente principalement les roselières. ∞ Tout au long de l'année, elle est facilement repérable grâce à son appel. Pour trouver le nid, il suffit d'inspecter les arbres du bord de l'eau, saules et peupliers en particulier. La découverte d'un nid incomplet n'est pas une preuve de nidification.

Vie et mœurs ↔ C'est un oiseau partiellement migrateur qui vit en bandes en dehors de la saison des nids. La Mésange rémiz séjourne sur les aires de nidification en III.—X. ◡ Le nid (2) est d'une forme peu commune: c'est une espèce de poche, tressée de duvet végétal, et suspendue au bout d'une branche d'arbre. En règle générale ♂ construit plusieurs nids ; celui qu'il choisit pour nicher possède un tunnel d'accès. La femelle pond 5 à 8 œufs blancs (16,2×10,5 mm) en IV.—VI. Elle niche 1—2× l'an, séparément, en polygamie, et ♀ couve durant 14 jours et soigne seule les petits pendant 19 jours. ◉ Elle se nourrit de menus invertébrés et de graines en hiver. Elle se procure sa nourriture sur les roseaux et les branches d'arbres.

Protection Le nombre des Mésanges rémiz est assez important par endroits. L'espèce ne nécessite aucune mesure de protection particulière.

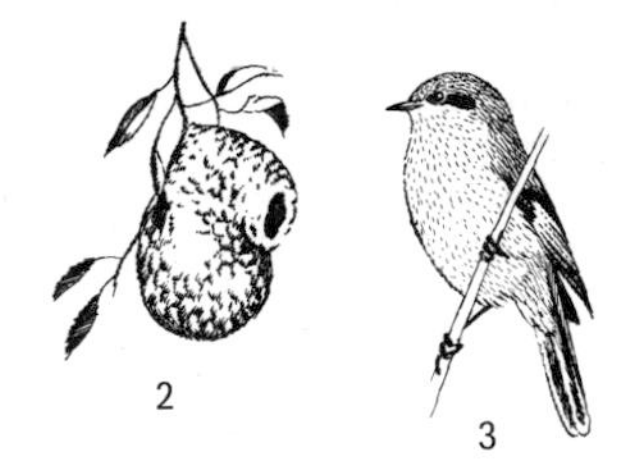

1

Loriot jaune
Oriolus oriolus

Détermination
✻ Le Loriot jaune est de la taille d'un Merle (24 cm). Son corps est élancé, sa queue courte et ses ailes sont larges. L'oiseau ad. ♂ (1) est d'un jaune éclatant, ses ailes et sa queue sont noir-brun ; ♀ a le dessus du corps jaune-vert, le bas blanchâtre, excepté le ventre qui porte des taches foncées, disposées en rayures longitudinales. L'oiseau juv. a le dessus du corps gris-vert, le bas blanc à taches foncées, disposées en rayures longitudinales (le ventre y compris). ✦ Il évolue principalement dans les couronnes des arbres, vole avec rapidité et pratique des ondulations longues et peu profondes. ⊙ On l'entend très souvent. Son chant est un «didlio» flûté qui porte loin. Son cri d'appel et d'alarme est un «kchérr» rauque, de près on perçoit encore d'autres sons. Les oisillons émettent un «dioudit». ♋ On ne peut le confondre avec une autre espèce.
Ecologie ◆ Il vit dans les forêts de feuillus, quelquefois dans les forêts mixtes de tout type, en plaine comme sur le plateau. On le rencontre également dans les bosquets. ∞ On le repère aisément grâce à sa voix pendant toute la période de la nidification. Le nid, peu caché, est cependant difficile à découvrir : il faut surveiller le comportement des oiseaux.
Vie et mœurs ↔ C'est un oiseau migrateur qui vit seul en dehors de la saison des nids. Il séjourne sur les aires de nidification en IV.—IX. ◡ Le nid est tressé et suspendu à l'enfourchure des branches, généralement dans les couronnes des jeunes arbres. Les matériaux de construction comprennent le liber et des bandes de papier entre autres. La femelle pond 3 à 5 œufs blancs, parsemés de rares taches brunes (30,5×21,3 mm) en V.—VII. Il niche 1× l'an, séparément, et ♀ couve durant 16 jours. Les deux parents prennent soin des petits : 14 jours au nid et quelques autres jours hors du nid. ◑ Il se nourrit de petits invertébrés, d'insectes, d'araignées et de mollusques en particulier, ainsi que de fruits pulpeux tels les cerises et les mûres. Il se procure sa nourriture dans les arbres.
Protection Le nombre des Loriots jaunes est assez important. L'espèce ne nécessite aucune mesure de protection particulière.

1

Pie-grièche écorcheur
Lanius collurio

Détermination
✳ Elle est plus grande qu'un Moineau (17 cm). Sa tête est grosse, son bec puissant et droit, un bandeau noir traverse ses yeux. L'oiseau ad. (1) a la calotte et le croupion gris, le haut du corps est brun cannelle, la racine de la queue est blanche sur les côtés, le bas étant brunâtre. Les rectrices extérieures ont des extrémités bordées de blanc (2) ou bien elles en sont dépourvues. Le plumage de ♀ est brun sur le dessus du corps, brunâtre sur le bas et barré de croissants foncés. L'oiseau juv. ressemble à ♀ mais il est barré de croissants foncés sur l'ensemble du corps. ✦ Elle est souvent perchée au sommet des buissons, sur les branches extérieures, sur les poteaux, sur les fils électriques d'où elle fond sur sa proie en se servant de sa queue et de ses ailes, largement déployées, pour freiner avant de se poser. Elle pratique de courtes périodes de vol vibré sur place. Son vol est léger, agile, et quelque peu ondulé. ⊙ Elle émet fréquemment, tout au long de l'année, un appel aigu : «tsèk-tsèk». Son chant, qu'on entend assez rarement, est un gazouillis doux et grinçant. Elle imite souvent la voix des autres oiseaux. ♋ On ne peut la confondre avec une autre espèce. La Pie-grièche écorcheur juv. ressemble à la Pie-grièche à tête rousse *(L. senator)* juv., laquelle présente cependant une ébauche de tache blanche sur ses ailes et, sur ses caudales, une tache noire assez grande (3).
Ecologie ◆ Elle recherche des terrains secs herbeux à buissons épars, des pâturages, des lisières de forêt, des talus broussailleux qui s'étendent des plaines au pied des montagnes. ∞ Elle est facile à repérer tout au long de la période de nidification grâce à son cri d'appel ou par observation directe des oiseaux. Pour trouver le nid, il suffit d'inspecter les buissons des lieux fréquentés par l'espèce.
Vie et mœurs ↔ C'est un oiseau migrateur qui séjourne sur les aires de nidification en IV.–IX. Il vit seul. ☋ Le nid est une construction solide, installée dans les broussailles, épineuses de préférence. La femelle pond 3 à 6 œufs rosâtres, parsemés de taches foncées (21,9×16,5 mm) en V.–VII. La Pie-grièche écorcheur niche 1× l'an, séparément, et ♀ couve durant 15 jours. Les deux parents prennent soin des petits : 14 jours au nid et 25 autres jours hors du nid. ◕ Elle se nourrit d'insectes, de coléoptères et d'hyménoptères en particulier, d'araignées, ainsi que de menus vertébrés qu'elle se procure au sol ou dans la végétation. Elle empale les insectes sur les épines.
Protection C'est une espèce qui connaît une forte régression. Les moyens d'une protection efficace ne sont pas connus.

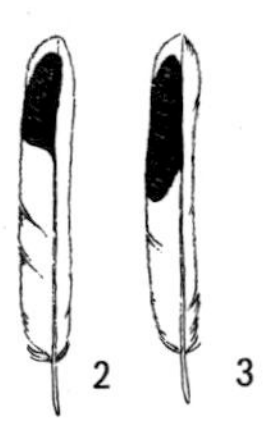

2 3

1

Pie-grièche grise
Lanius excubitor

Détermination
∗ La Pie-grièche grise est la plus grande Pie-grièche d'Europe : elle atteint la taille d'un Merle (24 cm). Elle est caractérisée par une grande tête plate, dotée d'un bec puissant et droit, et par une longue queue. L'oiseau ad. (1) se distingue par un bandeau, une queue et des ailes noires, une tache blanche caractérise l'aile, les côtés de la queue sont blancs, le bas du corps étant blanc cassé : la poitrine de ♀ porte de fines taches brunes en forme d'écailles également. L'oiseau juv. a le bas du corps couvert de taches foncées en forme d'écailles également. ✦ Elle se perche au sommet des arbres, des buissons, des poteaux, sur les fils électriques, elle balance sa queue, descend à terre pour aller chercher sa nourriture, et sautille sur le sol. Son vol est rapide et fortement ondulé. La queue étalée, elle pratique le vol vibré sur place. ⊙ On l'entend peu souvent. Elle lance un cri d'appel : «chèk-chèk» ou un cri d'alarme : «èk-èk». Son chant est un gazouillis stridulent, sifflant, et assez doux. ♂ chante généralement du haut d'un perchoir. ♋ La Pie-grièche à poitrine rose *(L. minor)*, à front noir (2), qui vit en Europe méridionale, lui ressemble beaucoup.

2

Ecologie ◈ Elle recherche des terrains humides et herbeux à buissons, arbres ou bosquets épars, qui s'étendent des plaines au pied des montagnes. En hiver, elle fréquente les terres cultivées. ∞ On la voit assez facilement tout au long de l'année sur tout endroit surélevé, sur les fils électriques par exemple. Pour trouver le nid, il faut inspecter arbres et buissons des terrains fréquentés par les oiseaux.
Vie et mœurs ↔ C'est un oiseau partiellement migrateur qui séjourne sur les aires de nidification en IV.—X. La Pie-grièche grise vit en solitaire. ◡ Le nid, de taille importante, est installé à l'enfourchure des branches supérieures des arbres et des buissons. La femelle pond 4 à 8 œufs blanchâtres, parsemés de taches brunes (26,9×19,8 mm) en IV.—V. Elle niche 1× l'an, séparément, et ♀ couve durant 15 jours. Les deux parents prennent soin des petits : 19 jours au nid et une période assez longue encore hors du nid. ◉ Elle se nourrit de menus vertébrés et invertébrés qu'elle chasse au sol, plus rarement dans les couronnes des arbres. Elle empale sa proie sur les épines ou les enserre dans l'enfourchure des branches d'arbres.
Protection L'espèce augmente en nombre dans certains endroits. La protection des aires de nidification reste indispensable.

1

Pie-grièche à tête rousse
Lanius senator

Détermination
* La Pie-grièche à tête rousse est plus grande qu'un Moineau (17 cm). Sa tête, grande et plate, est dotée d'un bec puissant et droit. Le plumage de l'oiseau ad. ♂ est noir-blanc, le sommet de la tête est rouge-brun, l'aile porte une grande tache blanche, les côtés de la queue sont blancs (1) ; le plumage de ♀ est plus mat. L'oiseau juv. est brun clair et porte des taches foncées en forme d'écailles sur tout le corps. ✦ La Pie-grièche à tête rousse est assez farouche et solitaire. Elle se perche au sommet des arbres de taille moyenne d'où elle fond sur sa proie. Son vol est faiblement ondulé. ⊙ Elle émet, de temps à autre, un cri d'appel «tsèk-tsèk». Son chant, peu fréquent, est un gazouillis composé de sons grinçants et flûtés, auxquels se mêlent des imitations d'autres oiseaux. ♋ Les oiseaux jeunes ressemblent aux jeunes de la Pie-grièche écorcheur, lesquels sont cependant plus foncés et n'ont pas de tache claire sur l'aile ni de croupion clair.
Ecologie ◈ Elle recherche les parcs, les vergers et les jardins, les allées, les lisières des forêts ou les petits bosquets, dans les plaines et sur les plateaux. ∞ Sa présence n'est pas aisée à vérifier car son plumage bariolé lui permet de se fondre dans le feuillage des arbres. Pour trouver le nid, il faut inspecter les couronnes des arbres sur les lieux fréquentés par l'espèce.
Vie et mœurs ↔ C'est un oiseau migrateur qui séjourne sur les aires de nidification en IV.—IX. ⌣ Le nid est une construction solide, placée dans l'enfourchure des branches hautes des arbres. Il est fait de matériaux très clairs comme le duvet des saules ou les plumes blanches. L'oiseau le garnit de bouts de ficelle, de fil à broder et de divers morceaux de plastique. La femelle pond 4 à 6 œufs verdâtres, parsemés de taches brunes (23,0×17,0 mm) en V.—VII. Elle niche 1× l'an, séparément, et ♀ couve durant 15 jours. Les deux parents prennent soin des petits : 14 jours au nid et une période assez longue encore hors du nid. ● Elle se nourrit d'invertébrés, principalement d'insectes qu'elle se procure au sol. Il ne lui arrive que très rarement de se nourrir de vertébrés.
Protection C'est une espèce en voie de disparition. Les moyens de protection efficaces ne sont pas connus.

1

Geai des chênes
Garrulus glandarius

Détermination
* Le Geai des chênes est plus petit qu'une Corneille (35 cm). L'oiseau ad. (1) est caractérisé par des moustaches et une queue noires, par des ailes noir-blanc-bleu et par un croupion blanc. Trois groupes de sous-espèces qui vivent en Europe diffèrent par la coloration de la tête : les individus de la race *G. g. glandarius* (répandue pratiquement dans toute l'Europe) ont la tête couleur vin grisâtre, rayée de noir au sommet, les individus de la race *G. g. brandtii* (originaire du nord-est de l'Europe) ont la tête et le dos rouge-brun, les individus de la race *G. g. atricapillus* (originaire de Crimée) ont le sommet de la tête noir. ♀ est à peine plus petite que ♂, sa huppe est plus courte. L'oiseau juv. est de couleur plus mate, les rayures noires sur les couvertures bleues sont moins nombreuses. ✦ Il évolue dans les couronnes des arbres et se déplace par grands bonds au sol. Son vol est lourd, légèrement ondulé. Ses larges ailes arrondies sont bien visibles en vol. ⊙ Il émet fréquemment un cri d'alarme rude : «skrètsh» ou miaule comme la Buse variable. Son chant, assez rare, est doux et imite la voix des autres oiseaux ou autres sons. Au printemps, le Geai des chênes chante souvent en chœur. ♋ On ne peut le confondre avec une autre espèce.

Ecologie ◈ Il recherche les forêts de tout type qui s'étendent des plaines à la limite supérieure de la forêt. On le rencontre également dans les parcs et jardins des villes. En dehors de la saison des nids, il survole également des terrains sans forêts. ∞ Son cri d'avertissement permet son identification tout au long de l'année. Le nid est difficile à découvrir : les oiseaux sont très discrets et silencieux. Il est donc utile de surveiller le comportement des oiseaux et inspecter les lieux propices à la nidification.

Vie et mœurs ↔ C'est un oiseau sédentaire dans la plupart des cas, les oiseaux du nord et du nord-est de l'Europe migrent quelquefois dans le sud-ouest. ◡ Le nid est généralement installé dans les branches hautes ou épaisses des arbres. La femelle pond 4 à 8 œufs gris-vert, parsemés de fines taches brunes (31,2×22,9 mm) en IV.—VI. Il niche 1× l'an, séparément, et couve durant 17 jours. Les deux parents prennent soin des petits : 20 jours au nid et quelques jours encore hors du nid. ◕ Sa nourriture est très variée : insectes, araignées, rongeurs des forêts, œufs et petits oisillons, fruits et graines végétales. Il se procure sa nourriture dans les arbres comme au sol.

Protection Les chasseurs le considèrent bien souvent comme un oiseau nuisible, mais les avis sont partagés à ce sujet. L'espèce ne nécessite aucune mesure de protection particulière.

1

Pie bavarde
Pica pica

Détermination
✳ La Pie bavarde est de la taille d'une Corneille (45 cm, queue 23 cm). Son aspect est caractéristique : très longue queue étagée, ailes courtes et arrondies, plumage noir et blanc contrasté et brillant (1). ♂ = ♀. L'oiseau juv. est plus mat, sa queue est plus courte. ✦ Elle est souvent perchée sur les arbres ou sautille à terre. Son vol est lourd, sa longue queue et ses ailes courtes et arrondies bien visibles. ⊙ Elle émet fréquemment un «kchrak-kchrak-kchrak» expressif ou un «kchrak-kchrak» croissant. Son chant assez rare, est composé de sons babillards et croissants. ♋ On ne peut la confondre avec une autre espèce.
Ecologie ◈ Elle recherche les terres cultivées à bosquets et végétation bordière, mais on la rencontre souvent dans les vergers ou à proximité des agglomérations dans la mesure où elle n'est pas persécutée par l'homme. Son aire de dispersion s'étend des plaines à la montagne. ∞ On peut la voir et l'entendre tout au long de l'année. Le nid est facile à repérer mais s'en approcher est difficile.
Vie et mœurs ↔ C'est un oiseau migrateur. La Pie bavarde vit tout au plus en petits groupes en dehors de la saison des nids. ◡ Le nid est installé dans les couronnes des arbres ou dans les buissons, généralement haut perché. Construit de branches, il est de forme arrondie et recouvert d'un mince toit. La femelle pond 5 à 8 œufs verdâtres, parsemés de nombreuses taches brunes (33,7×23,6 mm) en III.—VI. Elle niche 1× l'an, séparément et couve durant 17 jours. Les deux parents prennent soin des petits : 25 jours au nid et quelques jours encore hors du nid. ◉ Elle se nourrit de menus animaux, d'œufs d'oiseaux, de graines et de fruits. Elle se procure sa nourriture dans les arbres et au sol.
Protection La Pie bavarde chasse tout menu gibier et oiseau. Par endroits, elle est persécutée par les chasseurs. L'espèce ne nécessite aucune mesure de protection particulière ; il faut toutefois limiter les prélèvements sur des populations peu nombreuses.

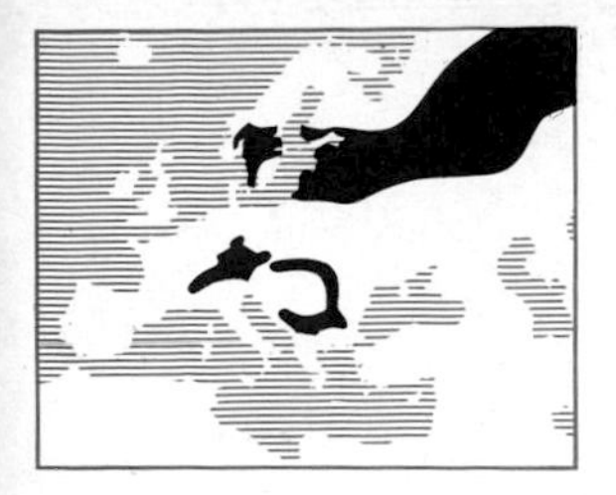

Casse-noix moucheté
Nucifraga caryocatactes

Détermination
✳ Le Casse-noix moucheté est plus petit qu'une Corneille (33 cm). Sa tête est grande, son bec puissant et droit, sa queue courte et ses ailes larges et arrondies. L'oiseau ad. (1) est brun foncé, parsemé de taches blanches en forme de larmes, la calotte est brune, la queue blanche à large bande noire. La sous-espèce qui niche en Europe (*N. c. caryocatactes* — 3,5) diffère de la sous-espèce sibérienne qui envahit l'Europe de temps à autre (*N. c. macrorhynchos* — 2,4) par un bec plus court et plus robuste et par une bordure blanche et plus étroite de la queue. ♂ = ♀ L'oiseau juv. est plus clair, sa gorge blanchâtre et les taches blanches plus petites et moins nombreuses. ✦ Il se perche à la cime ou sur les branches extérieures des arbres et se déplace à terre par bonds. C'est un oiseau solitaire mais on peut le voir en compagnie d'autres individus. En vol, il ressemble au Geai des chênes mais sa queue est plus courte et son vol plus léger et plus agile. Ses ailes sont très larges et la couleur de son corps fait contraste avec les couvertures blanches ainsi que la bordure blanche de la queue foncée. ⊙ Il émet fréquemment un « rrréh-rrréh » bien sonore. Son chant, rare, est composé de sons rauques. ♋On ne peut le confondre avec une autre espèce.

Ecologie ◈ Il recherche tout particulièrement les forêts de conifères qui s'étendent des plateaux à la limite supérieure de la forêt. En dehors de la saison des nids, on le voit même hors de la forêt ainsi que dans les jardins des agglomérations. ∞ Tout au long de l'année, on le repère aisément grâce à ses cris d'avertissement mais il est silencieux et prudent sur les aires de nidification. Le nid est donc difficile à découvrir. On le trouve par hasard ou par une observation persévérante des oiseaux.

Vie et mœurs ↔ C'est un oiseau erratique et partiellement migrateur. Les individus du nord-est de l'Europe et de Sibérie pratiquent des invasions occasionnelles (VII.—III.) dans le sud-ouest. Les invasions sont très sensibles car les oiseaux ont un comportement peu farouche. Il arrive que les bandes soient composées d'individus des deux sous-espèces, parfois d'une ou de l'autre sous-espèce seulement. Il séjourne sur les aires de nidification en III.—VII. ◡ Le nid est installé bien haut dans la couronne des arbres et sa paroi extérieure est faite de menues branches sèches. La femelle pond 3 à 5 œufs verdâtres, parsemés de fines taches grisâtres (33,9×24,1 mm) en III.—VI. Il niche une fois l'an, séparément, et ♀ couve durant 17 jours. Les deux parents prennent soin des petits : 23 jours au nid et quelques autres jours encore hors du nid. ◐ Il se nourrit de graines et de fruits de conifères (de pins en particulier), de noisettes, de noyaux et de pulpe des quetsches, quelquefois d'insectes, de coléoptères tout particulièrement. Il chasse occasionnellement des petits mammifères, des oisillons, des grenouilles, des mollusques ou des vers de terre. Il trouve sa nourriture dans les arbres et au sol.

Protection Le nombre des Casse-noix mouchetés n'est pas très important mais certaines années, après la nidification, il est assez considérable. L'espèce ne nécessite aucune mesure de protection particulière.

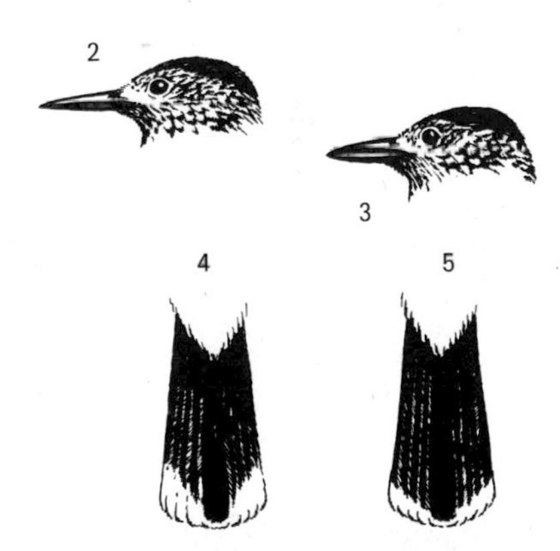

1

Chocard à bec jaune
Pyrrhocorax graculus

Détermination
* Le chocard à bec jaune est plus petit qu'une Corneille (38 cm). Sa tête est petite et ronde, son bec fin et allongé, ses ailes larges et arrondies. L'oiseau ad. (1) est noir, son bec est jaune et ses pattes rouges. ♂ = ♀. L'oiseau juv. est plus terne, son bec et ses pattes sont brunâtres. ✦ Il vit dans les rochers, il court et sautille à terre. On le voit évoluer le long des parois rocheuses. Son vol est léger, agile, caractérisé par des volte-face fréquentes ; souvent il pratique le vol à voile. ⊙ On l'entend fréquemment : il émet un «chirrik» ou un «skri» métallique, un bref «tchioup» également. ♋ Dans certaines parties de l'Europe occidentale et méridionale on rencontre le Crave à bec rouge *(P. pyrrhocorax)*, très ressemblant, mais facile à distinguer grâce à son bec rouge (2).

Ecologie ◆ Il fréquente les parois rocheuses et les pentes herbeuses depuis la montagne de type alpin jusqu'aux neiges éternelles. En hiver, il redescend à plus basse altitude sur terre cultivée. ∞ Tout au long de l'année, il est facile à observer et à identifier. Le comportement des oiseaux permet de repérer le nid qui est cependant difficilement accessible.

Vie et mœurs ↔ Le Chocard à bec jaune redescend pour l'hiver dans les vallées et erre parfois assez loin des lieux habituels. Il séjourne sur les aires de nidification en III.—X. Il niche seul ou en colonies ; en dehors de la période de nidification, il vit seul ou en petites bandes. ◡ Le nid est installé dans les crevasses des rochers ou dans les cavités, et sa base est constituée de branches. La femelle pond 4 à 5 œufs jaunâtres, parsemés de taches brunes (38,3 × 26,4 mm) en IV.—V. Il niche 1× l'an, et couve durant 20 jours. Les deux parents prennent soin des petits : 35 jours au nid et quelques autres jours hors du nid. ◑ Il se nourrit de menus animaux, de fruits et de graines. Il se procure sa nourriture au sol.

Protection Le nombre des Chocards à bec jaune est assez important dans les régions qui lui conviennent. L'espèce ne nécessite aucune mesure de protection particulière.

2

1

Choucas des tours
Corvus monedula

Détermination
✻ Le Choucas des tours est aussi grand que la Tourterelle turque (33 cm). Il a une tête petite, un cou fort et un bec court et robuste. L'oiseau ad. (1) est noir à cou gris. Chez les individus de la sous-espèce de l'Europe orientale *(C. m. soemmeringii)*, le bas du cou, gris, est bordé de croissants blancs. ♂ = ♀. Le plumage de l'oiseau juv. tire sur le brun. ✦ Il n'est pas farouche. On le voit souvent posé sur les bâtiments, dans les arbres ou bien en train de marcher à terre. Son vol est léger et agile. Il évolue et plane autour des tours. En dehors de la période de nidification, les Choucas des tours rejoignent, dans les arbres, les lieux de rassemblement pour la nuit, souvent en compagnie des Corbeaux. ⊙ Il émet très souvent un «tia-tia» sonore et caractéristique. ♋ On ne peut le confondre avec une autre espèce. Dans les bandes des Corbeaux freux, il se distingue par la voix, par une taille plus petite et par un mouvement d'ailes plus rapide.

Ecologie ◈ Il recherche les forêts à vieux arbres, les agglomérations, les ruines des vieux châteaux ainsi que les rochers à proximité des terres cultivées, qui s'étendent des plaines au pied des montagnes. En dehors de la saison des nids, il évolue hors de l'aire de nidification, en terrain découvert. ∞ Tout au long de l'année, il est facile à repérer par une observation directe, et souvent on le reconnaît grâce à sa voix. La présence des oiseaux ainsi que leur comportement indiquent les aires de nidification qui restent d'accès difficile.

Vie et mœurs ↔ C'est un oiseau partiellement migrateur qui séjourne sur les aires de nidification en III.—VII. En dehors de la saison des nids, il évolue en groupes et même en bandes, souvent en compagnie des Corbeaux. ♉ Il niche seul ou en colonies, parfois très importantes, dans les creux des arbres, dans les cavités des rochers, dans les greniers des édifices ou dans les parois argileuses. La base du nid est constituée de branches trouvées à l'entrée de la cavité. La femelle pond 3 à 6 œufs, bleu-vert, parsemés de taches brunes (35,1×25,1 mm) en IV.—V. Il niche 1× l'an et ♀ couve durant 17 jours. Les deux parents prennent soin des petits qui restent au nid durant 35 jours. ◕ Il se nourrit essentiellement de graines et de fruits, de coléoptères entre autres. Il se procure sa nourriture au sol.

Protection Le nombre des Choucas des tours est important mais il connaît une baisse sensible. C'est une espèce importante sur le plan économique dans certains endroits. Les raisons de sa régression ainsi que les moyens de la protéger ne sont pas connus.

1

Corbeau freux
Corvus frugilegus

Détermination
* Le Corbeau freux atteint la taille d'une Corneille (46 cm). Sa tête est petite et carrée, son bec long, droit et assez fin, ses pattes portent des culottes emplumées qui descendent jusqu'au talon. L'oiseau ad. (1) est noir, à reflets métalliques et violets ; la peau est nue autour de la racine du bec. ♂ = ♀. L'oiseau juv. a la face tout emplumée. ✦ Il n'est pas farouche. Son vol est agile et léger, les bandes de Corbeaux freux exploitent les courants thermiques pour pratiquer le vol à voile en cercles. En dehors de la saison des nids, les Corbeaux freux passent la nuit sur les lieux de rassemblement commun, en compagnie des Choucas des tours le plus souvent ; les arrivées et les départs se font de façon très régulière. ⊙ Il émet très souvent, même en vol, un «craa-craa» rude, un «cro» ou un «guégué» grave, parfois d'autres sons encore. ♋ En Europe occidentale, on pourrait le confondre avec la Corneille noire *(C. corone corone)* qui a une tête plus grande, arrondie, un bec plus robuste et légèrement recourbé vers le bas, des pattes sans culottes et qui vit seule ou en petites bandes.
Ecologie ◈ Il recherche les régions découvertes, les terrains cultivés ou légèrement boisés en particulier, qui s'étendent des plaines au pied des montagnes. Très souvent, il niche et évolue dans les villes. ∞ Son aspect et sa voix permettent son identification tout au long de l'année. Les colonies qui nichent sont visibles de loin. Les nids sont faciles à repérer mais difficiles d'accès.

Vie et mœurs ↔ C'est un oiseau essentiellement migrateur qui vit en grandes bandes. Les oiseaux, originaires du nord-est de l'Europe, hivernent en Europe centrale, et les oiseaux qui nichent en Europe centrale migrent, pour l'hiver, dans le sud-est de l'Europe. Il séjourne sur les aires de nidification en III.—VII. ◡ Les nids, bâtis de branches sèches, sont installés au sommet des arbres. Un arbre abrite habituellement plusieurs nids à la fois. La femelle pond 3 à 5 œufs bleu-vert, parsemés de taches brunes (39,1×27,9 mm) en III.—IV. Il niche 1× l'an, en colonies, et ♀ couve durant 17 jours. Les deux parents prennent soin des petits qui restent au nid durant 30 jours. ◐ Il se nourrit de graines, de blé en particulier, de menus animaux et de déchets. Il se procure sa nourriture au sol.
Protection Le nombre des Corbeaux freux est très élevé, mais fluctuant en certains endroits. Il est nécessaire de protéger les aires de nidification.

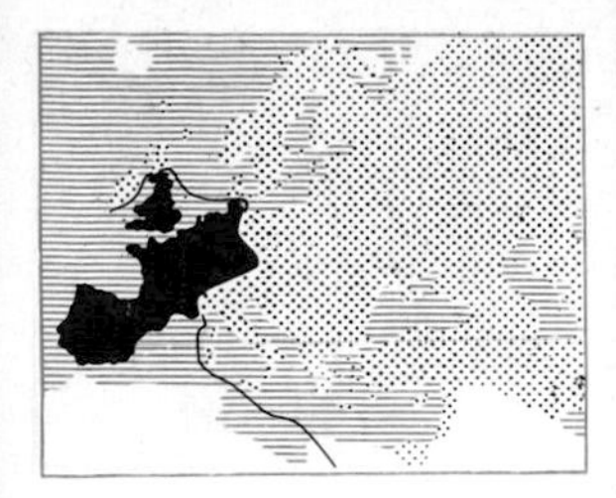

1

Corneille noire
Corvus corone corone

Détermination
✳ La Corneille noire mesure 46 cm. Son bec est robuste et légèrement cintré, ses pattes sont nues jusqu'au ventre. Elle est plus fine que la Corneille mantelée. L'oiseau ad. (1) est noir, à reflets verts et rouge pourpre, les individus issus d'un croisement avec la Corneille mantelée ont le plumage plus ou moins gris. ♂ = ♀ = juv. ✦ Elle est farouche. Son vol n'est pas aussi régulier et glissant que celui du Corbeau freux. Elle pratique rarement et brièvement le vol à voile. ⊙ Elle émet fréquemment un cri bi ou tri-syllabique : «crrrah-crrrah» ou «crrè», parfois un long «craa» et, au printemps, lors de la parade nuptiale, un «clonclong» bien sonore. ♋ Le Corbeau freux *(C. frugilegus)* lui est très proche par l'aspect. Son bec est plus fin et droit ; la peau nue ceint la racine du bec chez les adultes, la partie supérieure de la patte est recouverte d'une culotte, et il évolue généralement en bandes. Le Grand Corbeau *(C. corax)* lui ressemble également mais il est beaucoup plus grand, sa queue est cunéiforme et sa voix différente.
Ecologie ◈ Elle recherche les régions cultivées qui s'étendent des plaines à la limite supérieure de la forêt. ∞ On peut l'observer et l'entendre tout au long de l'année. Les Corneilles noires sont cependant très discrètes, ce qui rend le repérage du nid assez difficile. Il faut surveiller les déplacements des oiseaux et contrôler les grands nids sur les lieux fréquentés par l'espèce.
Vie et mœurs ↔ C'est un oiseau sédentaire et seule une partie des individus migre de l'Europe centrale vers le sud-ouest. En dehors de la saison des nids, plusieurs individus vivent ensemble et forment des groupes ou de petites bandes. ♉ Le nid est installé haut dans les arbres, contre le tronc. Il est bâti surtout de branches sèches. La femelle pond 4 à 5 œufs bleu-vert, parsemés de taches brunes (41,2×29,7 mm) en III.—V. La Corneille noire niche 1× l'an, séparément, et ♀ couve durant 18 jours. Les deux parents prennent soin des petits qui restent au nid durant 33 jours. ◐ Elle se nourrit de graines végétales de toutes sortes et de menus animaux qu'elle ramasse ou chasse à terre.
Protection C'est une espèce dont le nombre est important par endroits. Les chasseurs ne la ménagent pas pour les dégâts qu'elle leur occasionne. Il est nécessaire de réglementer le nombre de pièces à prélever.

1

Corneille mantelée
Corvus corone cornix

Détermination
∗ La Corneille mantelée adulte mesure 46 cm. Sa tête est grande et légèrement aplatie, son bec est robuste et faiblement cintré, ses ailes sont arrondies. L'oiseau ad. (1) a la tête, la gorge, les ailes et la queue noirs, le reste du corps étant gris. Les individus issus d'un croisement avec la Corneille noire sont plus noirs que gris. ♀ = ♀. Les oiseaux juv. sont plus mats. ✦ Elle devient farouche dans les régions où elle est persécutée. On la voit posée sur les arbres, elle marche et évolue par petits bonds à terre. Elle vole facilement bien que son vol laisse une impression de lourdeur. Elle pratique occasionnellement et brièvement le vol à voile. En dehors de la période de nidification, les Corneilles mantelées arrivent en bandes sur les lieux de rassemblement nocturnes. Leurs déplacements crépusculaires sont importants et bien visibles. ⊙ Elle émet fréquemment un «crrah-crrah-crrah» rude, un «craa» allongé, et au printemps, lors de la parade nuptiale, un «clong-clong» bien marqué. ♋ On ne peut la confondre avec une autre espèce.
Ecologie ◆ Elle recherche les régions découvertes, les terres cultivées et boisées, à proximité des eaux bien souvent, qui s'étendent des plaines à la limite supérieure de la forêt. ∞ Elle est facile à observer et à entendre tout au long de l'année. Les Corneilles mantelées sont d'une grande prudence à proximité des nids et dans les secteurs où elles sont persécutées, les nids sont parfaitement bien dissimulés. Pour les découvrir, il est nécessaire de surveiller les déplacements des oiseaux et de contrôler les nids de grande taille sur les lieux qu'ils fréquentent.
Vie et mœurs ↔ Elle est en grande partie sédentaire ; seules les populations du nord-est de l'Europe migrent vers le sud-ouest. En dehors de la période de nidification, elle vit en groupes, parfois en grandes bandes. ◡ Le nid est installé au sommet des arbres, contre le tronc. Il est bâti essentiellement de branches sèches. La femelle pond 4 à 5 œufs bleu-vert, parsemés de taches brunes (41,5×29,2 mm) en III.—V. Elle niche 1× l'an, séparément, et ♀ couve durant 18 jours. Les deux parents prennent soin des petits qui restent au nid durant 33 jours. ◕ Sa nourriture est identique à celle de la Corneille noire.
Protection Le nombre des Corneilles mantelées varie en fonction du comportement de l'homme à son égard, car elle est souvent persécutée. Les indications données pour la Corneille noire restent valables pour la Corneille mantelée.

1

Grand corbeau
Corvus corax

Détermination
✳ C'est le plus grand Corbeau d'Europe (63 cm). Il est caractérisé par un bec droit et massif à mandibule supérieure recourbée, par une grande tête, par des ailes longues et arrondies et par une queue longue et cunéiforme (2). L'oiseau ad. (1) est entièrement noir. ♂ = ♀. Les oiseaux juv. sont plus mats, leur plumage tire sur le brun. ✦ Il est très farouche. Les plumes hérissées à la gorge, il est souvent perché sur les arbres. A terre, il se déplace en marchant. Son vol est puissant, le battement de ses longues ailes ample ; il vole en décrivant des cercles et pratique fréquemment le vol à voile. Au printemps, il exécute des vols nuptiaux acrobatiques. ⊙ Il émet souvent, même en vol, un «croc-croc» ou un «crouc-crouc» expressif et sonore, et d'autres sons encore. ♋ On ne peut le confondre avec une autre espèce.
Ecologie ◈ Il recherche les régions boisées à pâturages, champs, eaux, les régions rocheuses, les rivages marins, qui s'étendent des plaines à la montagne de type alpin. ∞ Sa voix ainsi que sa silhouette caractéristique en vol permettent de l'identifier tout au long de l'année. Le nid est difficile à repérer car les Grands Corbeaux chassent sur un territoire très étendu. Les nids les plus faciles à repérer sont ceux qui sont installés sur les rochers ou dans les arbres.
Vie et mœurs ↔ C'est un oiseau sédentaire et erratique qui séjourne sur les aires de nidification à partir de I. En dehors de la saison des nids, il vit en petits groupes ou en grandes bandes. ဖ Le nid est installé dans les rochers ou au sommet des arbres. Il est bâti essentiellement de branches sèches. La femelle pond 4 à 6 œufs bleu-vert, parsemés de taches brunes (49,2×33,7 mm) en II.—IV. Il niche 1× l'an, séparément, et ♀ couve durant 20 jours. Les deux parents prennent soin des petits : 40 jours au nid et quelques autres jours encore hors du nid. ◉ Il se nourrit principalement de charognes même en état de décomposition avancée, de menus animaux et de divers détritus. Il recherche et chasse sa nourriture au sol.
Protection Le nombre des Grands Corbeaux est assez important dans certains endroits. L'espèce connaît un accroissement sensible de sa population. Son aire de dispersion s'agrandit. Il est nécessaire de lui assurer une protection légale.

2

1

Etourneau sansonnet
Sturnus vulgaris

Détermination
* L'Etourneau sansonnet est plus petit qu'un Merle (21 cm). La livrée nuptiale (1) est noire à reflets métalliques, la livrée simple est brun foncé et mouchetée de blanc. ♂ = ♀. La livrée juv. est brune, la gorge étant blanchâtre. ✦. Il n'est pas farouche. On le voit perché sur les arbres et sur les fils électriques ; à terre, il marche en hochant la tête. Son vol est rapide et droit, le battement de ses ailes énergique. En dehors de la période de nidification, d'énormes bandes d'Etourneaux sansonnets évoluent dans les airs et passent la nuit dans les roselières, sur les arbres ou sur les édifices. ⊙ Il émet très souvent un appel sonore : «chèrr-chèrr», les oisillons lancent des «tchirr». Son chant est composé de claquements, de sifflements et de gloussements ; il imite la voix des autres oiseaux. Habituellement, ♂ chante perché à côté du nid, secoue ses ailes à demi pendantes par saccades et hérisse les plumes de la tête. ♋ Dans le sud-ouest de l'Europe, on pourrait le confondre avec l'Etourneau unicolore *(S. unicolor)* et en Europe orientale, avec le Martin roselin *(S. roseus)* juv. Le Martin roselin ad. (2) diffère par la coloration du plumage.

2

Ecologie ◆ Il recherche les forêts de feuillus, les jardins et les parcs qui s'étendent des plaines à la limite supérieure de la forêt. En dehors de la période de nidification, il séjourne dans des régions cultivées de plus faible altitude. ∞ On peut aisément l'observer et l'entendre tout au long de l'année. Pour trouver le nid, il suffit d'observer le comportement des oiseaux et d'inspecter les lieux qu'ils fréquentent.
Vie et mœurs ↔ C'est un oiseau essentiellement migrateur. Il séjourne sur les aires de nidification en II—VII. ☋ Le nid est installé dans le creux des arbres, occasionnellement à terre ou sur les édifices, bien souvent même dans les nichoirs destinés à d'autres oiseaux. La femelle pond 4 à 6 œufs bleu-verdâtre (29,4×21,1 mm) en IV—VI. Il niche séparément ou en groupes 1—2× l'an, et couve durant 13 jours. Les deux parents prennent soin des petits : 21 jours au nid et quelques autres jours encore hors du nid. ◉ Il se nourrit de menus invertébrés, de fruits et de graines végétales qu'il alterne en fonction des saisons. Il se procure sa nourriture au sol et dans les arbres.
Protection Il occasionne, dans certaines régions, des dégâts sur les cultures, dans les jardins et dans les vergers. Une augmentation excessive de la population des Etourneaux sansonnets n'est pas souhaitable.

1

Moineau domestique
Passer domesticus

Détermination
✳ Le Moineau domestique mesure 14,5 cm. Sa tête est grosse, son bec conique et robuste. L'oiseau ad. est gris-brun tacheté. ♂ (1) est caractérisé par une raie noir-brun au travers de l'œil, par une calotte grise (rouge-brun chez les individus de la ssp. *P. d. italiae*) par un menton et une gorge noirs ; ♀ a le bas du corps gris clair, une calotte gris-brun et une raie plus pâle au travers de l'œil. L'oiseau juv. ressemble à ♀ mais les commissures du bec sont jaunes. ✦ Il n'est pas farouche. Il se perche sur les arbres, sur les édifices, ou sautille à terre. Son vol est agile, rapide et ondulé. En dehors de la saison des nids, les Moineaux domestiques passent fréquemment la nuit dans les arbres, en grandes bandes. ⊙ Il émet quasi continuellement un appel célèbre : «tchim-tchim-tcharara» ou autres cris. Les mêmes sons font partie de son chant, généralement assez discret. Lorsqu'il chante, ♂ est perché ou bien sautille, les ailes à demi-pendantes. ∞ Le Moineau friquet *(P. montanus)* a la calotte rouge-brun et une tache noire sur ses joues blanches. En Europe méridionale, on rencontre le Moineau espagnol *(P. hispaniolensis)* à plumage essentiellement noir.

Ecologie ◈ Il vit dans les régions cultivées ou dans les agglomérations qui s'étendent des plaines au pied des montagnes. ∞ On peut aisément l'observer et l'entendre tout au long de l'année. Pour trouver le nid, il suffit d'inspecter les greniers des édifices ou d'observer les oiseaux sur les arbres.

Vie et mœurs ↔ C'est un oiseau sédentaire. Il niche et vit en compagnie des autres Moineaux domestiques souvent en grandes bandes. ◡ Le nid est installé dans différentes cavités, dans les greniers, sur les chéneaux, dans les nichoirs ou dans les arbres. Il est constitué d'un entassement de végétaux ou de duvet à peine façonné ; sur les arbres, le nid est une sorte de boule. La femelle pond 3 à 6 œufs de coloration très diverse, le plus souvent verdâtres ou blancs, parsemés de nombreuses taches foncées (22,2×15,6 mm) en IV.—VIII. Il niche 1—5× l'an et couve durant 14 jours. Les deux parents prennent soin des petits : 14 jours au nid et 10 jours hors du nid. ◑ Il se nourrit de graines végétales et de différents déchets, et de menus arthropodes pendant l'élevage des oisillons. Il se procure sa nourriture au sol et dans les arbres.

Protection L'espèce ne nécessite aucune protection.

1

Moineau friquet
Passer montanus

Détermination
✳ Le Moineau friquet est un peu plus petit que le Moineau domestique (13 cm). Il a une tête ronde, un petit bec, une queue et des ailes courtes. L'oiseau ad. (1) est gris-brun, sa calotte est rouge-brun, ses joues blanches portent une tache noire ronde. ♂ = ♀. Les oiseaux juv. ont les commissures du bec jaunes. ✦ Il se perche sur les arbres et les buissons ou sautille à terre. Son vol est agile, rapide et ondulé. La nidification achevée, il vit en bandes, souvent en compagnie des Moineaux domestiques, des Verdiers, des Chardonnerets ou autres espèces. ⊙ Il émet fréquemment un cri d'appel «lip-lik», également un «tchip-tchik», en vol un «tèk-tèk». Tous ces cris font partie de son chant, par ailleurs assez rare. ♋ Le Moineau domestique, proche par l'aspect, est un peu plus grand. ♂ a la calotte grise (rouge-brun chez la ssp. italienne) et une tache noire du bec à la poitrine.
Ecologie ◈ Il vit dans les régions à bosquets, dans les agglomérations verdoyantes, dans les forêts clairsemées, en plaine comme sur les plateaux. ∞ On peut aisément l'observer et l'entendre tout au long de l'année. Pour trouver le nid, il faut se laisser guider par la voix des oiseaux, surveiller leur comportement, éventuellement contrôler les cavités et les nichoirs de l'endroit qu'ils fréquentent.
Vie et mœurs ↔ Il est en grande partie sédentaire, bien que certaines populations ou individus migrent dans le sud-ouest ou le sud de l'Europe. La nidification achevée, il retrouve la vie en bandes. ◡ Le nid est installé dans les creux des arbres, dans les cavités des rochers ou des parois argileuses, dans les murs des édifices et souvent dans les nichoirs. Le duvet reste la composante essentielle du nid. La femelle pond 4 à 6 œufs blancs, parsemés de nombreuses taches gris-brun (19,1×14,2 mm) en IV.—VII. Il niche 1—3× l'an, séparément, et couve durant 13 jours. Les deux parents prennent soin des petits : 16 jours au nid et 8 autres jours hors du nid. ◉ Il se nourrit de graines végétales et de menus invertébrés qu'il se procure au sol, dans la végétation et sur les arbres. Il fréquente également les mangeoires.
Protection Le nombre des Moineaux friquets est important mais en voie de régression dans certains endroits. Lorsqu'il est en bandes, il peut causer des dégâts dans l'agriculture. L'espèce ne nécessite aucune protection particulière.

1

Niverolle (Pinson des neiges)
Montifringilla nivalis

Détermination
✳ Il est plus grand qu'un Moineau (18 cm). Sa tête est grande, son bec court et robuste, son corps trapu et sa queue assez longue. L'oiseau ad. (1, 2) est noir-blanc-brun ; la tête est grise, les ailes ont des rémiges primaires noires et une tache noire au poignet ; ♀ est plus terne. L'oiseau juv. est dépourvu de menton foncé ; toutes les couverture alaires sont noires y compris la tache sur les scapulaires. ✦ A terre, il se tient et marche, le corps bien droit ; il ne se pose jamais sur les arbres ; lorsqu'il est excité, il remue nerveusement sa queue. Son vol est rapide et ondulé ; effarouché, il revient au même endroit en décrivant une grande courbe. ⊙ Il émet, assez souvent, un appel «tsouih, kik», un «titri», sifflant ou un cri d'alarme «chrèh». Il chante, posé ou en vol : «ssitytchè-ssitytchè». ♋ En hiver, on pourrait le confondre avec le Bruant des neiges *(Plectrophenax nivalis)* qui a la tête blanche ou brune, jamais grise, à sourcils blancs, la partie médiane de la queue, noire, s'élargissant à l'extrémité.
Ecologie ◈ Il habite les pentes herbeuses ou caillouteuses de la haute montagne de type subalpin où il évolue souvent à proximité des chalets et cabanes. ∞ La meilleure méthode pour l'identifier est l'observation directe : son comportement et son aspect sont typiques. Le nid est facile à trouver grâce au comportement des oiseaux.
Vie et mœurs ↔ C'est un oiseau sédentaire qui descend, en hiver, dans les régions découvertes à plus faible altitude et s'éloigne parfois loin de son territoire. Il vit alors en bandes plus ou moins importantes. ◡ Le nid assez volumineux est installé dans les fissures des rochers, dans les murs ou sous les toits des édifices, généralement en hauteur. La femelle pond 4 à 5 œufs blancs (23,4×17,0 mm) en IV.–VI. Il niche 1× l'an, en groupes, plusieurs couples côte à côte, et couve durant 14 jours. Les deux parents prennent soin des petits : 20 jours au nid et quelques autres jours encore hors du nid. ◕ Il se nourrit tout au long de l'année de graines végétales et de menus insectes et araignées en été. Il se procure sa nourriture au sol, mais fréquente également les mangeoires.
Protection Le nombre des Niverolles est assez important dans certains endroits. L'espèce ne nécessite aucune mesure de protection particulière.

2

1

Pinson des arbres
Fringilla coelebs

Détermination
✳ Le Pinson des arbres atteint la taille d'un Moineau (15 cm). Il a un corps svelte et une tête ronde. Les oiseaux ad. ont les ailes brun-noir à deux raies blanches ; la queue, foncée, est blanche sur les côtés, le croupion est vert mousse ; le plumage du ♂ est par ailleurs rouge-brun. En livrée nuptiale (1) le sommet de la tête est bleu-gris, en livrée simple la tête est de la même couleur que le dos ; ♀ n'est pas rouge-brun mais vert-gris, plus foncée sur le haut. Juv. = ♀. ✦ Il n'est pas farouche. On le voit posé sur les branches inférieures des arbres ; à terre et sur les grosses branches, il marche en hochant la tête, parfois il sautille. Son vol est rapide et ondulé. Il s'assemble souvent avec d'autres espèces de Pinsons, les Pinsons du nord ou les Verdiers en particulier. ⊙ Il émet fréquemment un cri d'appel : «pink-pink», en vol un «yup», en été, il lance un «tryf» (cri de la pluie). Son chant est constitué d'un «rrr-tchaftchaftcharaïtchak» sonore, simple et bref, avec des variantes selon les individus. ♋On ne peut le confondre avec une autre espèce.
Ecologie ◆ Il vit partout où il y a des arbres, y compris les allées le long des rues, depuis les plaines jusqu'à la limite supérieure de la forêt. ∞ On peut l'observer et l'entendre tout au long de l'année. Pour trouver le nid, il faut inspecter l'aire de nidification ou bien observer le comportement des oiseaux adultes.
Vie et mœurs ↔ C'est un oiseau partiellement migrateur. En dehors de la saison des nids, il vit souvent en bandes, petites ou grandes. Il séjourne sur les aires de nidification en III—VIII. ◡ Le nid est installé dans les arbres, contre le tronc ou sur les branches, généralement à faible hauteur. Il est fait de mousse et de lichens. La femelle pond 4 à 5 œufs rougeâtres, parsemés de taches brunes (19,2×14,5 mm) en IV.—VII. Il niche 1—2× l'an, séparément et ♀ couve durant 13 jours. Les deux parents prennent soin des petits : 14 jours au nid et quelques autres jours hors du nid. ◐ Sa nourriture varie avec les saisons. Celle-ci est composée de la pulpe des fruits, de bourgeons, de menus arthropodes, d'insectes et d'araignées en particulier. Il se procure sa nourriture au sol et sur les arbres, et fréquente également les mangeoires.
Protection Le nombre des Pinsons des arbres est important. L'espèce ne nécessite aucune protection particulière.

1

Pinson du Nord
Fringilla montifringilla

Détermination
✳ Il ressemble et par la taille (15 cm) et par l'aspect au Pinson des arbres mais le croupion est blanc dans toutes les livrées. L'oiseau ad. a les ailes brun-noir à deux raies claires, la queue étant également brun-noire. ♂ en livrée nuptiale a la tête et le dos noirs, la poitrine orange ; en livrée simple (1), la tête et le dos sont marqués par des lignes ondulées noires et brunes. ♀ est beaucoup plus pâle et sa tête est gris-brun. Les oiseaux juv. ressemblent à ♀, le croupion est légèrement jaune-brun. ✦ Il n'est pas farouche. On le voit perché sur les arbres ; à terre, il marche ou sautille. Son vol est rapide et ondulé. Il forme des bandes avec les Pinsons des arbres ou les Bruants, en compagnie desquels il passe la nuit dans les forêts. ⊙ Il émet fréquemment, même en vol, un «kvèk» ou «kvèih» ample, et aussi un «diyp». Son chant est inexpressif, grinçant et rappelle le «itch» répété du Verdier ; ♂ chante perché sur une branche. ♋ On ne peut le confondre avec une autre espèce.
Ecologie. ◈ Il vit dans les forêts septentrionales de différents types et âges. En dehors de la saison des nids, il fréquente souvent les hêtraies, les régions découvertes, les champs, les friches, et même les agglomérations. ∞ Il est aisément repérable grâce à son appel, même lorsqu'il vole. Pour trouver le nid, il faut inspecter les lieux où il évolue, et observer le comportement des oiseaux.
Vie et mœurs ↔ C'est un oiseau migrateur. En dehors de la saison des nids, il vit généralement en bandes. Il séjourne sur les aires de nidification en V.—IX. ◡ Le nid est installé dans les arbres à l'enfourchure des branches près du tronc, et généralement à faible hauteur. L'essentiel des matériaux de construction est constitué par la mousse et les lichens. La femelle pond 5 à 7 œufs rougeâtres, parsemés de taches foncées (19,5×14,6 mm) en V.—VII. Il niche 1× l'an, séparément, et ♀ couve durant 14 jours. Les deux parents prennent soin des petits qui restent au nid pendant 11 jours. ◕ Il se nourrit de graines végétales et de menus arthropodes qu'il se procure au sol et dans les arbres. Il fréquente également les mangeoires.
Protection Certaines années, le nombre des Pinsons du Nord est très important. L'espèce ne nécessite aucune mesure de protection particulière.

1

Serin cini
Serinus serinus

Détermination
✳ Le Serin cini est bien plus petit qu'un Moineau (11 cm). Sa tête est petite, son bec court, robuste et conique. Les oiseaux ad. (1) ont le croupion toujours jaune, bien visible lors de l'envol ; deux bandes jaunes traversent les ailes, la queue est foncée. Le plumage du ♂ est jaune vif sur le devant du corps, vert-brun rayé ailleurs ; ♀ est plus terne, jaune-vert, et plus rayée. Juv. ressemble à ♀ mais est plus fortement rayé, le croupion n'étant jamais jaune. ✦ Il est habituellement perché sur les fils électriques ou sur les arbres ; il sautille à terre. Son vol est rapide et ondulé ; lorsqu'il chante, ♂ vole à la «chauve-souris» ou déploie les ailes à demi et pivote sur lui-même. ⊙ Il émet fréquemment un appel gazouillant : «guirlits» ou «grrlit», et lorsqu'il est effarouché, il lance un «djouit». Son chant est long et sonore, marqué par un «guirrlits» grésillant et répété, ♂ chante perché dans un arbre, sur les fils électriques, ainsi qu'en vol. ♋ ♀ et juv. ressemblent au Tarin des aulnes *(Carduelis spinus)* qui diffère cependant par un bec effilé, par une queue à bords jaunes et par la voix.
Ecologie ◈ Il vit dans les régions boisées et cultivées, à vergers, allées, parcs et jardins, qui s'étendent des plaines jusqu'aux alpages. ∞ Il est facile à repérer grâce à sa voix et à son comportement. Pour trouver le nid, il faut inspecter les lieux propices à la nidification et observer le comportement des oiseaux adultes.
Vie et mœurs ↔ C'est un oiseau migrateur. La nidification achevée, il évolue généralement en petites bandes. Il séjourne sur les aires de nidification en III.—X. ◡ Le nid est installé sur les branches extérieures des arbres et des buissons, habituellement à faible hauteur. Les excréments des oisillons s'entassent sur les bords du nid. La femelle pond 3 à 5 œufs bleuâtres, parsemés de taches brunes (16,5×12,2 mm) en IV—VII. Il niche 1—2× l'an, séparément, et couve durant 13 jours. Les deux parents prennent soin des petits : 15 jours au nid et quelques autres jours hors du nid. ◉ Il se nourrit des graines de mauvaises herbes, de plantes, d'herbes et de certaines espèces de bois. Il se procure sa nourriture au sol ou dans la végétation.
Protection Le nombre des Serins cini est important. Leur territoire ne cesse de s'agrandir. L'espèce ne nécessite aucune mesure de protection particulière.

1

Verdier
Carduelis chloris

Détermination
✳ Le Verdier est de la taille d'un Moineau (14 cm). Sa tête est grande, son bec robuste et conique, son corps trapu. L'oiseau ad. est verdâtre, ses ailes sont foncées, sa queue, foncée également, est caractérisée par un trait jaune de chaque côté de la racine. ♂ (1) a le bas du corps jaune vif, les bords des ailes sont jaunes, ♀ est plutôt brun-vert, les bords jaunes des ailes étant plus étroits. L'oiseau juv. ressemble à ♀ mais il est plus brun et légèrement tacheté. ✦ Il n'est pas farouche. On le voit perché sur les arbres, souvent à la cime. Il sautille à terre. Son vol est rapide et ondulé. La nidification achevée, il vit en bandes, le plus souvent en compagnie des Pinsons, des Linottes, des Bruants, des Moineaux friquets et d'autres oiseaux. ⊙ Il émet très souvent un cri d'appel retentissant : «gygygygyg», également «guéguégué» ou un «chyèh» perçant et nasillard. Son chant est assez long, sonore, et retentissant : «dhouldiouldioul-girrr-guiguigui-guirr» ; ♂ chante perché sur un arbre ou en vol chauve-souris». ♋ Le cri d'appel fait penser quelquefois à celui des oiseaux du type Pinson. Le Verdier ne peut être confondu avec une autre espèce ni par son aspect ni par son chant.
Ecologie ◈ Il vit dans les régions boisées qui s'étendent des plaines à la limite supérieure de la forêt, dans les jardins et les parcs des villes. En dehors de la période de nidification, il séjourne en terrain découvert. ∞ On le reconnaît facilement à sa voix et à son aspect. On peut l'observer tout au long de l'année. Pour trouver le nid, il faut inspecter les lieux propices à la nidification ou bien observer le comportement des oiseaux adultes.
Vie et mœurs ↔ C'est un oiseau sédentaire et également erratique. En dehors de la période de nidification, il vit en bandes de taille moyenne. Il séjourne sur les aires de nidification en III.—IX. ◡ Le nid est installé dans les branches des arbres ou des buissons, à faible hauteur. Sa paroi extérieure est construite de branches sèches. La femelle pond 3 à 6 œufs bleuâtres, parsemés de taches brunes (19,9×14,5 mm) en IV.—VIII. Il niche 1—3× l'an, séparément, et ♀ couve durant 14 jours. Les deux parents prennent soin des petits : 14 jours au nid et quelques autres jours hors du nid. ◐ Sa nourriture est constituée, tout au long de l'année, essentiellement de graines végétales et de bourgeons. Il se procure sa nourriture au sol et dans les arbres. Il fréquente les mangeoires.
Protection Le nombre des Verdiers est important. L'espèce ne nécessite aucune mesure de protection particulière.

1

Chardonneret
Carduelis carduelis

Détermination
* Le Chardonneret est plus petit qu'un Moineau (12 cm). Sa tête ronde porte un masque rouge, son bec est fin et pointu. L'oiseau ad. (1) est brun-gris, un dessin rouge-blanc-noir orne sa tête, son croupion est blanc, sa queue noire est tachetée de blanc ; le dessin rouge de la tête est plus étroit chez ♀. Les ailes noires sont barrées de jaune dans toutes les livrées. L'oiseau juv. a la tête brun clair à taches foncées. ✦ Il n'est pas farouche. Il se pose sur les arbres, sur les buissons et les herbes, il remue sans cesse, change de place, pratique le vol vibré sur place avant de se poser ; il est rarement à terre. Son vol est rapide et ondulé. On le voit quelquefois en bandes, en compagnie des Verdiers et des Linottes. ⊙ Il émet inlassablement un «chtiglits-chtiglits» tranchant et perçant et un «tsvit-vit-vit», surtout lorsqu'il est en bandes ; son cri d'alarme est un «aa-ii». Son chant est composé de sons aigus, gazouillants, grésillants et perçants auxquels se mêlent assez souvent les cris d'appel ; ♂ chante perché à la cime des arbres, sur les fils électriques et sur les herbes. ♋ On ne peut le confondre avec une autre espèce.
Ecologie ◈ Il vit dans les régions à bois et jardins, qui s'étendent des plaines à la limite supérieure de la forêt. En dehors de la période de nidification, on peut le rencontrer en terrain découvert, dans les champs, dans les friches ou sur les tallus. ∞ On le repère grâce à sa voix tout au long de l'année. Pour localiser le nid, il est nécessaire d'observer le comportement des oiseaux adultes.

Vie et mœurs ↔ C'est un oiseau sédentaire, erratique et partiellement migrateur. En dehors de la saison des nids, il vit habituellement en petites bandes. ◡ Le nid est installé au sommet des arbres ou des buissons dans l'enfourchure des branches extérieures. Ses parois sont épaisses et la garniture est constituée de duvet de chardons. La femelle pond 4 à 5 œufs bleuâtres, parsemés de taches brunes (17,4×13,1 mm) en IV.—VIII. Il niche 1—3× l'an, séparément, et ♀ couve durant 13 jours. Les deux parents prennent soin des petits : 13 jours au nid et quelques autres jours hors du nid. ◕ Il se nourrit de graines végétales, de chardons en particulier et, dans une mesure moindre, de menus invertébrés. Il se procure sa nourriture dans la végétation, plus rarement au sol.
Protection Le nombre des Chardonnerets est important. L'espèce ne nécessite aucune protection particulière.

1

Tarin des aulnes
Carduelis spinus

Détermination
✳ Le Tarin des aulnes est bien plus petit qu'un Moineau (11 cm). L'oiseau ad. est jaune-vert, la racine de la queue a les bords jaunes, deux bandes jaunes traversent les ailes. ♂ a le sommet de la tête et le menton noirs, le bas de son corps ainsi que le croupion sont jaune vif. ♀ (1) a le dessus du corps brun-vert, le bas jaune pâle, des taches foncées marquent tout le corps. L'oiseau juv. ressemble à ♀, mais son plumage est très pâle et tacheté. ✦ Il se pose sur les branches des arbres, s'y suspend dans toutes les positions, à côté des cônes. Son vol est ondulé ; lors de la parade nuptiale, il pratique le vol à la «chauve-souris». Il forme des bandes importantes. ⊙ Il émet, quasi continuellement, un cri d'appel «tsii-zii», en vol un «dy-èh» ou «diët-iètèt» ; lorsqu'ils sont en bandes, on entend un babil incessant. Son chant est un gazouillis grinçant à sifflements prolongés, ♂ chante perché sur un arbre ou en vol. ♋ Il ressemble quelque peu au Serin cini *(Serinus serinus)*, ♀ et juv. en particulier. Le bec de celui-ci est cependant plus court et plus robuste, sa tête n'est jamais noire et sa voix est différente.
Ecologie ◈ Il recherche les grandes forêts de conifères à trouées et clairières à proximité des ruisseaux, et parfois les forêts de feuillus mêlées à quelques conifères. En dehors de la saison des nids, il évolue au milieu des aulnes et des bouleaux qui bordent les cours d'eau. ∞ On le repère aisément grâce à sa voix tout au long de l'année. Le nid est très difficile à trouver ; il faut surveiller très attentivement les oiseaux adultes, lors de la construction des nids ou du nourrissage des petits.
Vie et mœurs ↔ C'est un oiseau partiellement migrateur. Il forme des bandes qui atteignent parfois quelques milliers d'individus. Il séjourne sur les aires de nidification en III.—VIII. ⍦ Le nid est installé au sommet des conifères, habituellement sur les branches extérieures. La femelle pond 4 à 5 œufs bleuâtres, parsemés de taches rouge-brun (16,4×12,3 mm) en III.—VI. Il niche 1—2× l'an, séparément, et ♀ couve durant 13 jours. Les deux parents prennent soin des petits qui restent au nid pendant 14 jours. ◑ Il se nourrit essentiellement de graines provenant, en hiver, des aulnes et des bouleaux, en été, des conifères et de différentes herbes. Il se procure sa nourriture dans les arbres, dans les herbes et parfois au sol.
Protection Le nombre des Tarins des aulnes varie selon les années. L'espèce ne nécessite aucune mesure de protection particulière.

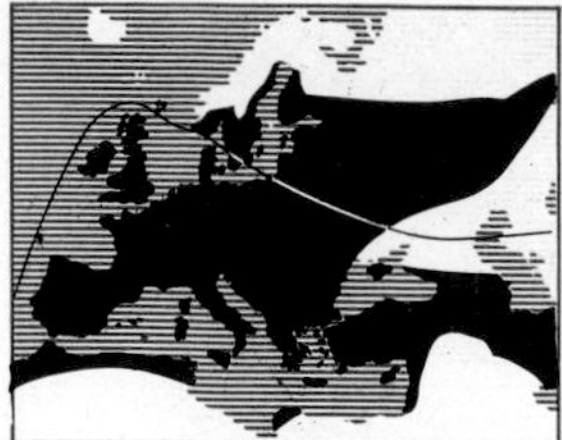

1

Linotte mélodieuse
Carduelis cannabina

Détermination
⁎ La Linotte mélodieuse est plus petite qu'un Moineau (13 cm). Sa tête est ronde, son bec court et conique. L'oiseau ad. ♂ (1) a la tête grise, le front rougeâtre, la poitrine rose, voire rouge carmin, le croupion et les bords de la queue (côté racine) sont blanchâtres ; une tache pâle caractérise l'aile ; ♀ a le dessus du corps brun clair, le bas ocre, la tache pâle alaire est plus étroite ; son plumage est parsemé de taches foncées. L'oiseau juv. ressemble à ♀, il est cependant plus fortement tacheté. ✦ Elle n'est pas particulièrement farouche. On la voit perchée sur les arbres, les buissons ou sur les fils électriques. Son vol est ondulé et très rapide. La nidification achevée, elle vit en bandes, souvent en compagnie des Verdiers, des Chardonnerets et des Pinsons du Nord. ⊙ Elle émet fréquemment un cri d'appel «guèguèguèguèk» ou «guièguièguiè». Son chant, long et sonore, est composé de sons grésillants, gazouillants et de trilles flûtés. ♋ Presque partout en Europe, on rencontre le Sizerin flammé *(Carduelis flammea)* qui diffère de la Linotte mélodieuse par une tache noire sous le menton et par son cri d'appel. La Linotte à bec jaune *(C. flavirostris)*, elle, est à peine rougeâtre, le croupion est rose chez ♂, gris-brun et tacheté chez ♀, l'aile n'ayant pas de tache pâle.
Ecologie ◈ Elle recherche les régions découvertes avec prés et broussailles qui s'étendent des plaines jusqu'aux pins alpestres. ∞ Elle est facile à repérer grâce à sa voix, tout au long de l'année. Pour trouver le nid, il faut inspecter les lieux propices à la nidification et observer le comportement des oiseaux.
Vie et mœurs ↔ C'est un oiseau partiellement migrateur. En dehors de la saison des nids, la Linotte mélodieuse vit généralement en bandes. Elle séjourne sur les aires de nidification en III.—VIII. ◡ Le nid est installé dans les broussailles, dans les jeunes conifères ou dans la végétation grimpante, généralement à faible hauteur. La femelle pond 4 à 6 œufs bleu clair, parsemés de taches brunes (17,8×13,2 mm) en IV.—VIII. Elle niche 1—3× l'an, séparément, et couve durant 11 jours. Les deux parents prennent soin des petits : 11 jours au nid et quelques autres jours hors du nid. ◉ Elle se nourrit de graines végétales diverses, d'herbes en particulier, plus rarement de menus invertébrés. Elle se procure sa nourriture dans la végétation et au sol.
Protection Le nombre des Linottes mélodieuses est important. L'espèce ne nécessite aucune mesure de protection particulière.

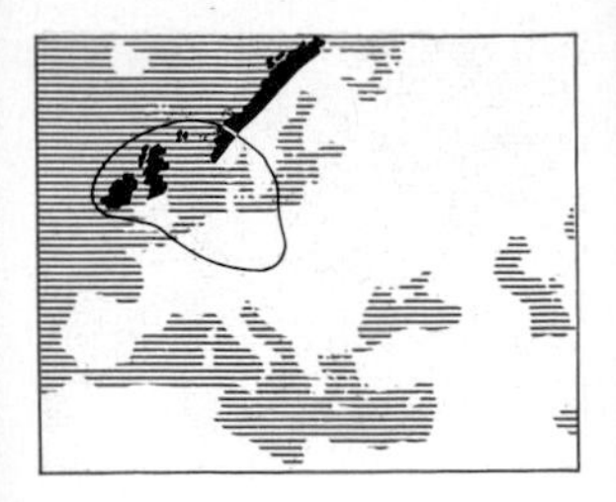

1

Linotte à bec jaune
Carduelis flavirostris

Détermination
✳ La Linotte à bec jaune est plus petite qu'un Moineau (13 cm). Elle a une tête ronde dotée d'un petit bec conique. L'oiseau ad. a le dessus du corps brun, parsemé de taches foncées, disposées en rayures longitudinales ; le bas du corps est blanc à l'exception des flancs, non tacheté ; les ailes foncées portent une seule bande claire, étroite, le bec étant jaune en hiver et foncé en été ; ♂ (1) a le croupion rose, ♀ gris-brun, et parsemé de taches foncées. L'oiseau juv. ressemble à ♀ mais la gorge et la poitrine sont plus fortement tachetées. ✦ Elle se tient et court le plus souvent à terre ; son vol est rapide et ondulé. Elle rejoint souvent les bandes des Sizerins flammés. ⊙ Elle émet assez souvent, surtout en vol, un cri d'appel «tchouï» ou un «guiè-guiè-guiè» plus doux. Son chant rappelle celui de la Linotte mélodieuse mais il est plus lent. ♋ Elle diffère de la Linotte mélodieuse *(C. cannabina)* par une tache pâle sur l'aile et par les bords de la queue (côté racine) et le croupion clairs ; le sommet de la tête et la poitrine sont rouges chez ♂. Le Sizerin flammé *(C. flammea)* est plus rouge, le menton portant une tache noire.
Ecologie ◆ Elle recherche les terrains découverts et rocheux à petite végétation et broussailles, les bruyères par exemple, qui s'étendent des plaines à la montagne de type subalpin. En dehors de la saison des nids, elle fréquente les rivages marins, les friches à l'intérieur des terres, souvent à proximité de l'eau. ∞ Tout au long de l'année, elle est facile à reconnaître grâce à son cri d'appel, sans quoi il faut observer les bandes d'oiseaux du type Pinson séjournant en terrains découverts. Le comportement des oiseaux permet la localisation du nid.
Vie et mœurs ↔ C'est un oiseau migrateur. En dehors de la saison des nids, il évolue en bandes. La Linotte à bec jaune séjourne sur les aires de nidification en IV.—IX. ⊗ Le nid est installé dans les petites cavités et ouvertures des roches et des falaises. La femelle pond 5 à 6 œufs bleuâtres, parsemés de taches rouge-brun (16,7×12,1 mm) en IV.—VII. Elle niche 1—2× l'an, séparément, et ♀ couve durant 13 jours. Les deux parents prennent soin des petits qui restent au nid pendant 15 jours. ◑ Elle se nourrit essentiellement de graines végétales, de graines de mauvaises herbes en particulier. Elle se procure sa nourriture au sol et dans la végétation par temps de neige.
Protection Le nombre des Linottes à bec jaune est assez important dans certains endroits. L'espèce ne nécessite aucune mesure de protection particulière.

1

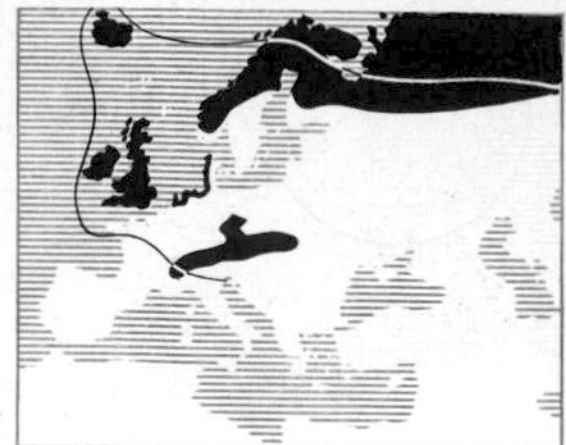

Sizerin flammé
Carduelis flammea

Détermination
⁎ Le Sizerin flammé est plus petit qu'un Moineau (13 cm). Il a une petite tête ronde, un bec court et conique, une queue échancrée. L'oiseau ad. est caractérisé par un front rouge et un menton noir. La poitrine du ♂ est rouge, le croupion rouge clair, ♀ (1) est moins rouge et plus fortement tachetée sur le bas du corps. Les oiseaux juv. ont la tête brun foncé et le menton gris-noir. ✦ Il est peu farouche. Il se perche sur les arbres et les grandes tiges végétales, grimpe sur les extrémités des branches dans les positions les plus diverses. Il forme des bandes, souvent en s'associant aux autres Pinsons. ⊙ Il émet fréquemment un cri d'appel : «dchèdchè» ou «djème-djème», également un «irrrr» rauque. Son cri d'alarme est un «tsouït». Son chant est une suite sonore de trilles brefs et de cris d'appel. ♋ Deux espèces lui sont proches par l'aspect : le Sizerin blanchâtre *(C. hornemanni)* qui vit en Europe septentrionale, la Linotte mélodieuse et la Linotte à bec jaune. Ces deux dernières se distinguent par l'absence de tache noire sur le menton et par leur mode de déplacement : elles ne grimpent pas dans les arbres et les buissons.
Ecologie ◈ Il vit dans des milieux très divers en fonction des différentes régions qui s'étendent des plaines aux alpages : dans les pins alpestres, dans la végétation des bords de l'eau, dans les broussailles des agglomérations et autres endroits semblables. En dehors de la saison des nids, il fréquente les forêts de bouleaux ou les régions découvertes à végétation rudérale, etc. ∞ Sa voix permet son identification tout au long de l'année. Pour trouver le nid, il faut inspecter les lieux propices à la nidification, le comportement des oiseaux restant un moyen de recherche plus difficile.
Vie et mœurs ↔ C'est un oiseau partiellement migrateur qui vit en bandes en dehors de la saison des nids. Il séjourne sur les aires de nidification en IV.—VIII. ⩌ Le nid est installé dans les arbres et dans les buissons, généralement à faible hauteur. La femelle pond 4 à 5 œufs bleuâtres, parsemés de taches brunes (15,9×12,2 mm) en IV.—VII. Il niche 1—2× l'an, souvent plusieurs couples les uns à côté des autres, et ♀ couve durant 11 jours. Les deux parents prennent soin des petits : 12 jours au nid et quelques autres jours hors du nid. ◉ Il se nourrit de graines végétales et moins souvent de menus insectes. Il se procure sa nourriture dans les arbres, essentiellement dans les bouleaux, dans les hautes herbes et au sol.
Protection Le nombre des Sizerins flammés est important mais varie fortement selon les années. L'espèce ne nécessite aucune mesure de protection particulière.

1

Bec-croisé des sapins
Loxia curvirostra

Détermination
✳ Le Bec-croisé des sapins est aussi grand qu'un Moineau (16 cm). Sa grande tête est dotée d'un bec robuste à mandibules croisées. L'oiseau ad. a les ailes et la queue brun foncé ; ♂ (1) est rouge, ♀ jaune-vert. L'oiseau juv. est gris olive, parsemé de taches brun foncé, disposées en rayures longitudinales ; ♂ est parfois jaune-vert à croupion rougeâtre. Certains individus présentent deux bandes blanches sur l'aile (variante *rubrifasciata*) à l'instar du Bec-croisé bifascié *(L. leucoptera)*. ✦ Il se perche sur les cônes des conifères, souvent à la cime. Il vole d'un arbre à l'autre, se pose à terre, sur les tas d'ordures ou sur le crépi des chalets de montagne. Son vol est très rapide, légèrement ondulé. En bandes, ils volent en formation peu étoffée. ⊙ Il émet très souvent, même en vol, un appel sonore et bref «kyp-kyp». Son chant est un mélange de trilles, de gazouillis, de sons grinçants, voire explosifs. Il chante perché sur les arbres, même en hiver. ♋ Deux espèces lui ressemblent : le Bec-croisé perroquet *(L. pytyopsittacus)*, à bec plus robuste (2), et le Bec-croisé bifascié.

2

Ecologie ◈ Il vit presque exclusivement dans les forêts de sapins, surtout en montagne, mais il niche également dans les plaines. En dehors de la saison des nids, on le rencontre même dans les régions sans forêts ou dans les jardins. ∞ On le reconnaît facilement, tout au long de l'année, grâce à son appel. Lorsque la nourriture est abondante, les oiseaux qui chantent peuvent nicher à tout moment de l'année. Le nid est très difficile à trouver : il faut surveiller le comportement des oiseaux adultes lors de la construction du nid en particulier. Le comportement du ♂ qui nourrit ♀ en train de couver est caractéristique.
Vie et mœurs ↔ C'est une espèce qui pratique des invasions importantes dans certaines régions, de façon assez irrégulière. Il a un mode de vie nomade qui dépend de la récolte des cônes. En dehors de la saison des nids, il vit généralement en bandes. ◡ Le nid, à paroi épaisse, est installé au sommet des arbres, contre le tronc ou sur les branches. La femelle pond 3 à 4 œufs verdâtres, parsemés de taches rouge-brun (22,4×15,9 mm) en XII.—V., éventuellement même à d'autres moments de l'année. Il couve durant 14 jours. Les deux parents prennent soin des petits : 17 jours au nid et une période assez longue hors du nid. ◔ Il se nourrit de graines de conifères, essentiellement de sapins qu'il extrait des cônes, dans les arbres.
Protection L'espèce ne nécessite aucune mesure de protection particulière.

1

Roselin cramoisi
Carpodacus erythrinus

Détermination
✳ Le Roselin cramoisi atteint la taille d'un Moineau (14 cm). Il a un corps élancé, une tête assez grande, un bec robuste et une queue légèrement échancrée. L'oiseau ad. (1) est rouge carmin, les ailes et la queue sont brunes, ♀ est gris-vert à taches foncées. L'oiseau juv. ressemble à ♀ mais le plumage est plus brun, une discrète bande claire traverse l'aile. Le plumage du ♂ au cours de la deuxième année est verdâtre, il peut même déjà nicher dans cette livrée. ✦ Il se perche à la cime des arbres, des buissons ou sur les fils électriques. Il vole assez peu ; son vol est rapide et ondulé. ⊙ Il chante fréquemment. Son chant est un «tytytéhytïa» sonore, bref, uniforme mais assez mélodieux. Son cri d'appel est un «tchéyb» ou un «tsviii» doux. ♋ On ne peut le confondre avec une autre espèce.
Ecologie ◈ Il recherche les prés à buissons, les saules le long des cours d'eau, les pins alpestres, et même les jardins dans les agglomérations peu denses qui s'étendent des plaines aux alpages. ∞ Il est aisément repérable grâce à son chant (V.—VII.) sinon on peut le voir au hasard d'une rencontre. Pour trouver le nid, il faut inspecter les lieux où il chante. On dérange fréquemment l'oiseau qui couve. Néanmoins, la présence du ♂ qui chante ne signifie pas forcément qu'il y a nidification.
Vie et mœurs ↔ C'est un oiseau migrateur qui séjourne sur les aires de nidification en V./VI.—VIII. Il vit seul. ⊗ Le nid est installé assez bas dans les arbres bien fournis, dans les broussailles ou dans les hautes herbes. C'est une construction légère. La femelle pond 3 à 6 œufs d'un bleu vif, parsemés de légères taches foncées. (20,1×14,3 mm) en V.—VII. Il niche 1× l'an, séparément, parfois plusieurs couples côte à côte, et couve durant 12 jours. Les deux parents prennent soin des petits : 12 jours au nid et quelques autres jours encore hors du nid. ◑ Il se nourrit presque exclusivement de graines végétales qu'il se procure dans les arbres, dans la végétation et même au sol.
Protection Le nombre des Roselins cramoisis est important par endroits et son territoire s'élargit. L'espèce ne nécessite aucune mesure de protection particulière si ce n'est la sauvegarde des aires de nidification.

1

Bouvreuil pivoine
Pyrrhula pyrrhula

Détermination
✳ Le Bouvreuil pivoine atteint la taille d'un Moineau (14 cm). Il a une grande tête aplatie, un bec puissant et court, un corps trapu. L'oiseau ad. a le sommet de la tête, les ailes et la queue noirs, le croupion blanc et une tache blanche à l'aile. ♂ (1) a le bas du corps rouge vermillon, le haut gris ; ♀ a le bas du corps gris-rose et le haut plus sombre. Les oiseaux juv. n'ont pas de calotte noire, le haut de leur corps est brunâtre. ✦ Il n'est pas farouche. Il se perche sur les extrémités fines des branches ou à la cime des arbres et des buissons. Son vol est rapide et ondulé. ⊙ Il émet très souvent un cri d'appel mélancolique : «gyii» et, lorsqu'il est en bandes, un «guit guit» discret. Son chant, peu fréquent, est composé de sons grinçants, gazouillants et peu sonores. ♋ On ne peut le confondre avec une autre espèce.
Ecologie ◈ Il recherche les forêts de conifères (ou mixtes), les parcs et les jardins, qui s'étendent des plaines à la forêt de montagne. En dehors de la saison des nids, il fréquente également les régions découvertes, les allées de sorbiers, les décombres, etc. ∞ On le reconnaît sans peine grâce à sa voix. Pour trouver le nid, il faut observer le comportement des oiseaux, éventuellement inspecter l'aire de nidification présumée.
Vie et mœurs ↔ C'est un oiseau partiellement migrateur : les populations du nord pratiquent parfois des invasions dans les autres parties de l'Europe. Il séjourne sur les aires de nidification en IV.—VIII. En dehors de la saison des nids, il vit en couples, en petites bandes ou, exceptionnellement, en bandes très importantes. ⍵ Le nid est installé, le plus souvent, dans un conifère, dans un buisson ou sur les branches extérieures des arbres, à faible hauteur. La femelle pond 4 à 5 œufs gris-bleu, parsemés de taches brun foncé (20,5×14,9 mm) en IV.—VII. Il niche 1—2× l'an, séparément, et couve durant 14 jours. Les deux parents prennent soin des petits : 16 jours au nid et 10 autres jours hors du nid. ◉ Il se nourrit de graines et de bourgeons (arbres et herbes), et en été, dans une moindre mesure, de menus insectes et d'araignées. Il se procure sa nourriture dans les arbres, dans les herbes et au sol.
Protection Le nombre des Bouvreuils pivoine est important. L'espèce ne nécessite aucune mesure de protection particulière.

1

Gros-bec
Coccothraustes coccothraustes

Détermination
✳ Le Gros-bec est plus grand qu'un Moineau (18 cm). Il a un corps trapu, une grande tête aplatie dotée d'un gros bec conique, les rémiges ont une conformation bien particulière : en vol, les ailes, vues de dessous, semblent trouées. L'oiseau ad. ♂ est brun rosé, son cou est gris, ses ailes sombres portent une large bande blanche ; ♀ (1) est beaucoup plus terne, le sommet de la tête tire sur le gris, la poitrine est gris-brun. L'oiseau juv. a la tête, le cou et les flancs barrés de lignes ondoyantes brun foncé. ✦ Il se pose dans les couronnes des arbres où il extrait les graines des cônes, parfois il le fait même à terre. Son vol est rapide et légèrement ondulé. ⊙ Il émet très souvent, même en vol, un cri d'appel perçant et explosif : «tsyks-tsyks-it», parfois un «tsiit» long. Son chant, peu fréquent, est un mélange de sons grinçants et gazouillants ; les oiseaux chantent en chœur au printemps. Les Gros-becs, installés dans les arbres, se trahissent par des bruits bien caractéristiques : craquements de noyaux et de graines. ♋ On ne peut le confondre avec une autre espèce.

Ecologie ◈ Il recherche les forêts de feuillus clairsemées, les parcs, les jardins et les vergers qui s'étendent des plaines à la montagne. En dehors de la saison des nids, lorsque les graines végétales arrivent à maturité, il évolue en nombre important dans les hêtraies et les charmilles. ∞ Il est aisément repérable grâce à son appel tout au long de l'année. Pour localiser le nid, il est nécessaire d'observer le comportement des oiseaux, lors de la couvaison en particulier : ♀ s'envole du nid, évolue dans les environs, et quémande de la nourriture auprès du ♂ en poussant des «tsii-tsii-tsii-tsii» sonores. Une fois rassasiée, elle retourne au nid.

Vie et mœurs ↔ Cet oiseau partiellement migrateur évolue, en dehors de la saison des nids, en bandes peu étoffées. Il séjourne sur les aires de nidification en III.—VIII. ◡ Le nid est installé dans les arbres, souvent contre le tronc, et sa paroi extérieure est constituée de menues branches et de racines. La femelle pond 4 à 6 œufs gris-bleu-clair, parsemés de taches gris-brun (23,9×17,4 mm) en IV.—VI. Il niche 1—2×, exceptionnellement 3× l'an, séparément, et couve durant 12 jours. Les deux parents prennent soin des petits : 12 jours au nid et une période assez longue hors du nid. ◔ Il se nourrit essentiellement de graines et de bourgeons des arbres et de grandes herbes. Il se procure sa nourriture dans les arbres ou à terre.

Protection Le nombre des Gros-becs est assez important. L'espèce ne nécessite aucune mesure de protection particulière.

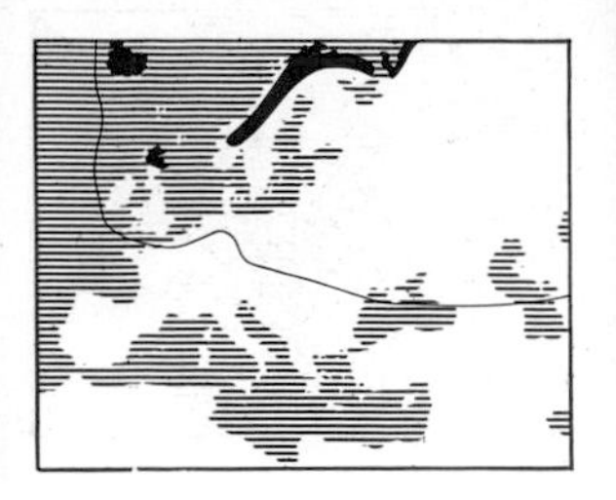

1

Bruant des neiges
Plectrophenax nivalis

Détermination
✳ Le Bruant des neiges est plus grand qu'un Moineau (16 cm). Sa tête est grande et ronde, son bec robuste et court. Le plumage de l'oiseau ad. est très varié : brun-blanc-noir ; une tache blanche sur l'aile fait contraste (en vol surtout, 2) avec les rémiges noires ; ♂ en livrée nuptiale a le dos noir-brun et la tête blanche ; en livrée simple, le sommet de la tête et le dos sont bruns et parsemés de taches noires en forme d'écailles ; ♀ (1) a la même coloration que ♂ en livrée simple, le sommet de la tête, les joues et la tache sur les côtés de la poitrine étant d'un brun vif. L'oiseau juv. ressemble à ♀ mais la gorge et le devant de la poitrine sont roux-brun, les côtés de la poitrine et les flancs sont hachurés de gris. ✦ Il n'est pas farouche. Au sol, il se déplace en courant ; son vol est rapide et légèrement ondulé. ⊙ Il émet fréquemment, en vol surtout, un cri d'appel retentissant : «trrrling-tiou». Sur les aires de nidification, en vol descendant, il chante : «tiouri-tiouri-tiouri-tètyii». ♋ On pourrait le confondre, en hiver, en Europe centrale, avec la Niverolle *(Montifringilla nivalis)* qui a la tête grise et la queue blanche à bande médiane noire.

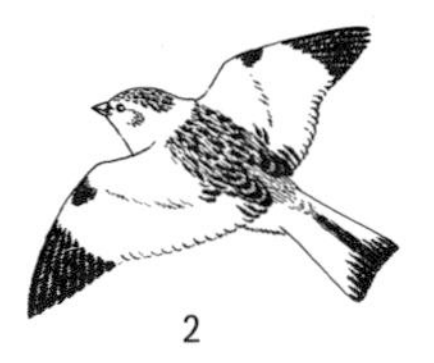

2

Ecologie ◐ Il recherche les régions froides et dénudées qui s'étendent des plaines à la montagne de type subalpin. En dehors de la saison des nids, il séjourne dans les champs, dans les friches, dans les terrains pierreux de montagne, et autres lieux semblables. ∞ On le repère aisément grâce à sa voix ou par une observation directe tout au long de l'année. Pour trouver le nid, il faut observer le comportement des oiseaux adultes.
Vie et mœurs ↔ C'est un oiseau migrateur qui vit, en dehors de la saison des nids, en bandes plus ou moins importantes. Il séjourne sur les aires de nidification en IV.—IX. ◡ Le nid est installé dans les crevasses des rochers, entre les grosses pierres, dans les murs des édifices. Il est construit essentiellement de mousse et garni de duvet. La femelle pond 4 à 6 œufs verdâtres, parsemés de taches rouge-brun (22,0×16,1 mm) en V.—VII. Il niche 1 (—2?)× l'an, séparément, et couve durant 13 jours. Les deux parents prennent soin des oisillons qui restent au nid durant 12 jours. ◉ En été, il se nourrit essentiellement de diptères, en automne et en hiver surtout, de graines végétales. Il se procure sa nourriture au sol.
Protection Le nombre des Bruants des neiges est important. L'espèce ne nécessite aucune mesure de protection particulière.

1

Bruant jaune
Emberiza citrinella

Détermination
* Le Bruant jaune est plus robuste qu'un Moineau (16 cm). L'oiseau ad. a le croupion brun canelle, les rectrices extérieures de la queue sont blanches ; ♂ (1) est jaune et rouge-brun, ♀ est plus pâle à raies foncées, le sommet de la tête et les joues étant également plus sombres. L'oiseau juv. est jaune clair, à gorge et poitrine fortement tachetées. ✦ Il évolue essentiellement à terre où il se déplace par petits bonds. Il se perche également sur les arbres, les édifices, les meules de foin et s'égare dans les cours des maisons. Son vol est rapide et ondulé. ⊙ Il émet fréquemment un cri d'appel métallique bien caractéristique : «tsik, tsik-tsik», à l'envol un «tsik-tsirrr» ; son cri d'alarme est un «tsiiz» aigu et perçant. Son chant est monotone avec note finale montante : «tsitsitsitsitsi-é». ♂ chante d'un endroit surélevé dès la fin de l'hiver ou en automne. ♋ Le Bruant zizi *(E. cirlus)*, qui vit dans quelques endroits de l'Europe méridionale, est bien ressemblant. Les femelles de la plupart des espèces de Bruants sont difficiles à distinguer.

Ecologie ◈ Il recherche les forêts de feuillus et leurs abords, les régions rurales à buissons et arbres, qui s'étendent des plaines aux pins alpestres. ∞ Il est facile à repérer grâce à sa voix ; l'observation directe est également efficace. Pour trouver le nid, il est nécessaire d'inspecter les lieux de nidification présumés (on effarouche habituellement l'oiseau qui couve) ou bien d'observer le comportement des oiseaux adultes.

Vie et mœurs ↔ C'est un oiseau en grande partie sédentaire et erratique ; toutefois il est migrateur dans les parties les plus septentrionales de l'Europe. En dehors de la saison des nids, il évolue généralement en bandes, parfois très importantes. ᴗ Le nid est installé au sol, dans l'herbe. La femelle pond 3 à 5 œufs blanchâtres, parsemés de nombreuses taches et traits bruns (21,1×16,2 mm) en IV.—VIII. Il niche 1—3× l'an, séparément, et couve durant 12 jours. Les deux parents s'occupent des oisillons : 13 jours au nid et quelques autres jours hors du nid. ◑ Il se nourrit de graines végétales, provenant des blés et des mauvaises herbes, et quelquefois de menus invertébrés. Il se procure sa nourriture essentiellement au sol.

Protection Le nombre des Bruants jaunes est important. L'espèce ne nécessite aucune mesure de protection particulière.

1

Bruant ortolan
Emberiza hortulana

Détermination
✳ Le Bruant ortolan atteint la taille d'un Moineau (16 cm). Son corps est élancé, sa queue est longue (1). L'oiseau ad. ♂ a la tête et la nuque grises, les moustaches et le menton jaunes, le ventre rouge-brun et le croupion légèrement foncé. ♀ est un peu plus pâle. L'oiseau juv. ressemble à ♀ mais son plumage porte des taches foncées bien visibles. ✦ C'est un oiseau farouche. Il se perche sur les arbres, parfois sur les fils électriques, il sautille à terre. Son vol est rapide et ondulé. ⊙ Son chant, fréquent, est sonore, terminé par une note finale descendante : «tititi-aa» ; celui-ci varie en fonction du milieu. Son cri d'appel est un «yiih» ou «tsih-ip» doux. ♋ Son chant rappelle celui du Bruant jaune, lequel est cependant plus rapide, plus long et terminé par une note finale presque toujours montante. Parmi d'autres espèces semblables, on citera : le Bruant fou *(E. cia)* qui vit en Europe méridionale, le Bruant cendrillard *(E. caesia)* exceptionnellement, le Bruant cendré *(E. cineracea)* qui vivent dans le sud-est de l'Europe.
Ecologie ◈ Il recherche les régions cultivées à arbres isolés, les vergers, les vignobles, les allées le long des routes, et autres lieux semblables en plaine comme sur le plateau. ∞ Il est facile à repérer grâce à son chant (IV.—VII.) mais on ne le voit que par hasard en dehors de la saison des nids. Pour trouver le nid, il faut observer le comportement des oiseaux adultes.
Vie et mœurs ↔ C'est un oiseau migrateur qui vit seul. Il séjourne sur les aires de nidification en IV.—IX. ◡ Le nid est installé au sol, dans les herbes. La femelle pond 4 à 6 œufs gris-bleu ou rougeâtres, parsemés de taches et de traits foncés (19,9×15,6 mm) en IV.—VI. Il niche 1 (—2?)× l'an, séparément, et couve durant 13 jours. Les deux parents prennent soin des petits : 10 jours au nid et quelques autres jours hors du nid. ◕ Il se nourrit de la même manière que le Bruant jaune.
Protection C'est une espèce peu nombreuse, actuellement en voie de régression. Les raisons de cette situation et les possibilités d'y remédier ne sont pas connues.

1

Bruant des roseaux
Emberiza schoeniclus

Détermination
✻ Le Bruant des roseaux atteint la taille d'un Moineau (15 cm). L'oiseau ad. a le dessus du corps brun, le bas gris-blanc. L'ensemble du corps porte des rayures noires. ♂ en livrée nuptiale (1) a la tête et la gorge noires, les moustaches étant blanches ; en livrée simple, la tête est noir-brun. ♀ a le sommet de la tête brun, les joues sont bordées par une raie claire, les moustaches sont foncées et le menton est blanc. L'oiseau juv. ressemble à ♀, le bas du corps étant plus fortement tacheté. ✦ Il se perche sur les tiges de roseaux, sautille au bas de la végétation et au sol. Son vol est saccadé, ondulé et généralement plus lent que celui des autres Bruants. ⊙ Il émet très souvent un cri d'appel «tsyii tsyé» allongé et perçant, un cri d'alarme : «tchit» ; son chant est caractérisé par un «tsia-ty-taï-tsizis» bref, sonore et accéléré. ♂ chante perché au sommet d'un roseau ou d'un buisson. ♋ Le cri d'appel du Bruant des roseaux ressemble à celui de la Mésange rémiz *(Remiz pendulinus)*, mais il est plus sonore.
Ecologie ◆ Il recherche les roselières et autres milieux humides qui s'étendent des plaines jusqu'au pied des montagnes. En dehors de la saison des nids, on peut le rencontrer même assez loin des eaux. ∞ On le repère grâce à sa voix ; il est également facile à observer sur le terrain. Pour trouver le nid, il est nécessaire d'observer le comportement des oiseaux adultes ou bien d'inspecter les lieux de nidification présumés : on effarouche habituellement ♀ en train de couver.

Vie et mœurs ↔ C'est un oiseau en grande partie migrateur. En dehors de la saison des nids, il vit même en petits groupes. Il séjourne sur les aires de nidification en IV.—X. ◡ Le nid est installé dans les herbes denses, généralement sur des terrains secs. La femelle pond 3 à 5 œufs brunâtres, parsemés de taches et de traits noir-brun (19,6×14,8 mm) en IV.—VII. Il niche 1—2× l'an, séparément, et ♀ couve durant 13 jours. Les deux parents prennent soin de leur progéniture : 12 jours au nid et quelques autres jours hors du nid. ◑ Il se nourrit essentiellement de graines végétales ; les menus invertébrés sont réservés aux oisillons. Il se procure sa nourriture au sol et dans la végétation.
Protection Le nombre des Bruants des roseaux est important par endroits. Il est nécessaire de sauvegarder les aires de nidification de l'espèce.

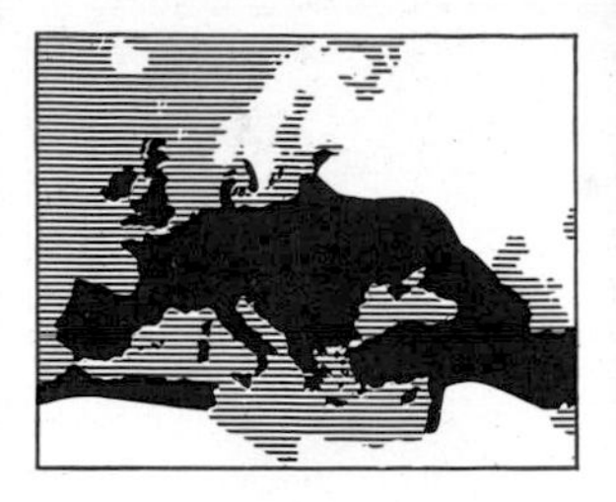

1

Bruant proyer
Miliaria calandra

Détermination
✳ Le Bruant proyer est plus grand qu'un Moineau (18 cm). Il a une grande tête aplatie, un bec robuste et un corps trapu. L'oiseau ad. (1) a le dessus du corps sombre, le bas clair. ♂ = ♀. Chez l'oiseau juv., les plumes du dos sont caractérisées par des bords clairs. ✦ Il se perche au sommet des arbres, des buissons, des meules de foin, des piquets et sur les fils électriques ; il sautille à terre. Son vol, rapide, est plus lourd que celui des autres Bruants ; lors des petits déplacements, il vole, les pattes pendantes. Les Bruants proyer passent la nuit, en groupes importants, dans les roselières. ⊙ Lorsqu'il s'envole, il fait entendre fréquemment un «chnyrrrp» typique ; son cri d'appel est un «tysk» explosif ou un «ssiihp» allongé ; en automne il émet également un «typ-é-typ». Son chant est un «tsik-tsik-trililil» simple et grésillant. ♂ chante du haut d'un perchoir ou même en vol, avant de se poser. ♋ On ne peut le confondre avec une autre espèce.
Ecologie ◈ Il recherche les terrains découverts à prés et pâturages, les champs à proximité des eaux, en plaine comme sur le plateau. En dehors de la saison des nids, il évolue même à proximité des habitations. ∞ Il est facile à identifier grâce à sa voix tout au long de l'année. Le nid est difficile à trouver : il faut inspecter les lieux propices à la nidification et effaroucher l'oiseau en train de couver, ou bien observer le comportement des oiseaux adultes.
Vie et mœurs ↔ C'est un oiseau partiellement migrateur : il hiverne sur la quasi-totalité de la zone de nidification, mais disparaît, durant l'hiver, de certaines régions. ◡ Le nid est installé au sol, dans les herbes denses. La femelle pond 3 à 5 œufs jaunâtres ou gris-bleu, parsemés de taches brun foncé (24,9×18,3 mm) en IV.—VII. Il niche 1—2 (—3?) × l'an, séparément, et ♀ couve durant 13 jours. C'est essentiellement ou exclusivement ♀ qui s'occupe des petits : 10 jours au nid et une période assez longue encore hors du nid. ◕ Sa nourriture est composée d'éléments végétaux et animaux : graines, plantes et menus insectes. Il se les procure au sol et dans la végétation.
Protection C'est une espèce qui connaît une rapide et forte régression. Actuellement, on ne connaît pas de moyens efficaces de protection.

3
1
2
5
4

Les oiseaux des plaines, des massifs rocheux et des forêts

Ce chapitre regroupe toutes les autres catégories d'oiseaux et espèces qui ne figurent pas dans les trois précédentes. Ils forment un ensemble relativement réduit. Ce sont des oiseaux très différents par leur aspect, leur milieu, leur comportement et leur mode de vie.

Le Faisan de Colchide (1) est le représentant type des Gallinacés-gibier (Galliformes). Cette catégorie regroupe des oiseaux bien connus, d'assez grande taille, à coloration caractéristique, chez lesquels la différence entre le mâle et la femelle est généralement très importante. Ils ont des pattes fortes et courtes et un bec robuste. Les uns vivents en forêt (les Tétras), les autres dans les régions découvertes (les Faisans et les Perdrix). Les oiseaux de ces deux groupes se préparent à l'accouplement par une parade nuptiale typique, souvent accompagnée de manifestations vocales particulières.

La Grue cendrée (2) est le type même de grand oiseau à longues pattes appartenant aux différents groupes systématiques (Grues — Outardes — Œdicnèmes). Les uns ressemblent aux Cigognes, les autres aux Gallinacés de grande taille. Ils vivent d'habitude en terrain découvert, des marécages jusqu'aux steppes arides.

Le Pigeon biset (3) est le représentant idéal des Pigeons, Tourterelles et Gangas (Columbiformes). Ce sont des oiseaux de taille moyenne aux pattes adaptées à la marche, à tarses courts et aux doigts postérieurs bien développés. Leur tête est petite et leur bec présente une conformation particulière. Certains (les Gangas) qui vivent dans les zones plates et arides possèdent d'autres caractères propres à leur milieu et à leur mode de vie. Tous sont d'excellents voiliers.

Le Martin-pêcheur (4) représente le mieux les espèces plus petites, qui se rapprochent, par leur aspect, des Passereaux. Certains sont très bariolés, d'autres ont une coloration très simple. Ils vivent dans des milieux très divers auxquels ils sont adaptés.

Le Pic noir (5) est le type même des oiseaux arboricoles et grimpeurs du type Pic. Les Pics constituent un groupe d'oiseaux de taille moyenne qui grimpent dans les arbres, grâce à leurs pattes robustes et adaptées à ce genre de vie. Ils ont un bec très long, en forme de ciseau qui leur sert à creuser le bois et une langue très longue qui leur permet d'extraire la nourriture des fentes dans les troncs.

1

Gélinotte des bois
Bonasa bonasia

Détermination
✳ La Gélinotte des bois est un petit Gallinacé de la taille d'une Perdrix (36 cm). Elle a une petite tête et un corps trapu. L'oiseau ad. ♂ (1) est caractérisé par une petite huppe, un menton et une gorge noirs ; le corps est parsemé de taches foncées et claires, la queue est grise avec bande transversale noire. Le plumage de ♀ est plus terne, la gorge est claire et sa tête n'a pas de huppe. L'oiseau juv. ressemble à ♀, mais son plumage est plus terne. ✦ Elle marche ou court à terre et se perche aussi sur les arbres. Son vol est rapide, ses ailes produisent un sifflement bien sonore. ⊙ Le chant nuptial du ♂ est composé de sons aigus et sifflants : «tsiyi tsi tsi tsitsitsi tsiiyi», descendants au début et montants à la fin. Lorsqu'il est effarouché, son cri est un «vit vit», les oisillons poussent des piaillements aigus. ♋ Il faut veiller à ne pas la confondre, aux abords des bois, avec la Perdrix grise *(Perdix perdix)* dont la queue est rouge-brun, et dans les forêts, avec le Tétras lyre *(Tetrao tetrix)*, de teinte plus foncée, dont la queue est légèrement échancrée.
Ecologie ◆ Elle recherche les forêts à buissons, à noisetiers, à bouleaux, à myrtilles, etc. ∞ Pendant la parade nuptiale (III.—V. fin VIII.—début XI.), elle est facile à reconnaître grâce à sa voix ; on réussit même à l'attirer par des sons artificiels. Généralement, on l'effarouche en inspectant les aires de nidification.
Vie et mœurs ↔ C'est un oiseau sédentaire. Elle niche séparément et vit, par la suite, en famille ou en solitaire. ◡ Le nid est installé à terre, d'habitude au pied de l'arbre. Il est bâti de feuilles. La femelle pond 7 à 12 œufs jaunâtres, parsemés de taches brunes (40,6×29,1 mm) en IV.—VI. Elle niche 1× l'an, et ♀ couve durant 25 jours. Seule ♀ prend soin des petits. Les oisillons sont nidifuges, ils volent dès le 15ème jour, ils sont adultes dès le 35ème jour et entièrement indépendants dès le 90ème jsour. ◑ Elle se nourrit de bourgeons, de chatons et de baies provenant d'arbres, de buissons et de plantes herbacées, en été également de petits invertébrés.
Protection C'est une espèce dont le nombre est peu important et qui a disparu de certaines régions. Aujourd'hui, on ne la chasse que par endroits. Les raisons de sa régression sont liées aux transformations du milieu dues à l'exploitation forestière. Il est nécessaire d'assurer une protection totale de l'espèce.

1

Lagopède des saules et Lagopède d'Ecosse
Lagopus lagopus

Détermination
✶ Ce Gallinacé est un peu plus grand qu'une Perdrix (40 cm). Pendant l'été, l'oiseau ad. (3) est brun foncé, les côtés de sa queue sont noirs, ses ailes sont blanches ; en hiver, il est entièrement blanc, à l'exception des côtés de la queue (4). Pendant les périodes intermédiaires, il revêt une livrée variée et tachetée (1, 2). ♀ est plus petite et plus claire que ♂, parsemée de taches foncées, en particulier sur les flancs. Son menton est clair, voire blanc. L'oiseau juv. ressemble à ♀, mais ses ailes blanches portent des taches brunes. Chez la sous-espèce *L. l. variegatus* (qui habite les rivages norvégiens), les taches brunes sur les ailes persistent toute l'année et celles du corps même en hiver ; la sous-espèce *L. l. scoticus* (qui habite les îles Britanniques) est foncée (y compris les ailes) toute l'année. ✦ Il marche et court à terre, s'envole assez bas et alterne quelques coups d'ailes rapides avec des périodes de glisse, les ailes à demi baissées. ⊙ Il émet toute l'année des caquètements variés ; les oisillons piaillent doucement. ♋ On rencontre, dans certaines régions, le Lagopède alpin *(L. mutus)*, fortement ressemblant et souvent difficile à distinguer.

Ecologie ◆ Il vit dans la toundra et les régions à tourbières, surtout à basse altitude, quelquefois au-dessus de la limite de la forêt. ∞ On le repère grâce à sa voix ou en l'effarouchant sur l'aire de nidification.

Vie et mœurs ↔ C'est un oiseau sédentaire mais certains individus s'égarent assez loin des aires de nidification. En dehors de la saison des nids, il vit en groupes. ☋ Le nid est installé dans la végétation basse et dense. La femelle pond 6 à 9 œufs jaunâtres, parsemés de taches brunes (42,5×30,8 mm) en IV.—VI. Il niche 1× l'an, séparément et ♀ couve durant 22 jours. Les oisillons quittent le nid dès l'éclosion et évoluent sous la protection des parents. Ils sont capables de voler dès le 12ème jour, ils sont adultes dès le 33ème jour et indépendants à l'âge de 2 mois. ◉ Il se nourrit presque exclusivement de fragments de plantes, de bourgeons, de baies et de fruits qu'il se procure au sol et dans les branches des arbres. En été, il ne dédaigne pas les invertébrés.

Protection En certains endroits, il est très prisé des chasseurs et son nombre diminue progressivement. Une gestion rationnelle de l'espèce liée à la réglementation de la chasse est indispensable. Actuellement on pratique l'élevage des Lagopèdes et on les réintroduit dans la nature.

1

Tétras lyre
Tetrao tetrix

Détermination
✳ Le Tétras lyre est grand comme une poule domestique (♂ 55 cm, ♀ 40 cm). Son corps est trapu, sa tête petite. L'oiseau ad. ♂ (1) est noir-brun ; il est caractérisé par une bande alaire blanche et une queue en forme de lyre au moment de la parade nuptiale. ♀ est brune et tachetée avec le dessous des ailes de couleur blanche. L'oiseau juv. ressemble à ♀, mais il est plus terne, les plumes de dessus ont une bande médiane claire, ♂ est plus rouge. ✦ Il se tient caché à terre et se perche également sur les arbres. Il vole vite, parfois assez haut et alterne des coups d'ailes rapides avec des périodes de glisse, les ailes tendues. ⊙ Pendant la parade nuptiale, ♂♂ émettent des sons sifflants et roucoulants bien sonores, ♀♀ et les petits poussent des caquètements doux. ♋ ♂ ne peut être confondu avec une autre espèce, ♀ ressemble à ♀ du Grand Tétras *(Tetrao urogallus)* qui est plus grande et dépourvue de bande blanche sur le dessous de l'aile.
Ecologie ◈ Il vit dans les forêts étendues et aux bords de celles-ci, dans les clairières, les tourbières et les prés alpins. ∞ Au printemps (III.—V.), à l'aube, sur les lieux de la parade nuptiale, sa voix permet de le repérer et, par voie de conséquence, de l'observer. On le trouve également en inspectant les lieux qu'il fréquente et en suivant sa trace en hiver.
Vie et mœurs ↔ C'est un oiseau sédentaire qui s'égare parfois, seul, hors des aires de nidification. Au printemps, il fréquente en grand nombre les lieux de parade, et il vit en groupes en dehors de la saison des nids. ⌣ Le nid est installé au sol, bien dissimulé dans les herbes. La femelle pond 6 à 12 œufs brunâtres, parsemés de taches brun foncé (50,0×36,4 mm) en V.—VI. Il niche 1× l'an, et ♀ couve durant 25 jours. Les oisillons quittent le nid dès l'éclosion, accompagnés de ♀ seule. Les petits volent dès le 10ème jour et sont indépendants à l'âge de 3 mois. ◐ Il se nourrit de diverses graines et de baies, de myrtilles et d'airelles en particulier et, en hiver, de cônes de bouleaux qu'il décortique aussi bien au sol que sur les arbres. Les insectes sont une composante essentielle de la nourriture des oisillons.
Protection Le Tétras lyre reste dans beaucoup d'endroits un oiseau très prisé des chasseurs, mais son nombre est en forte diminution. Il est nécessaire d'assurer d'une part la sauvegarde des milieux naturels (tourbières en particulier) et d'autre part une protection totale des populations menacées.

1

Grand Tétras
Tetrao urogallus

Détermination
✳ Le Grand Tétras est le plus grand Gallinacé d'Europe, ♂ atteint la taille d'un Dindon (85 cm, ♀ 60 cm). L'oiseau ad. ♂ (1) est noir-brun, ♀ est jaune-brun foncé, parsemée de taches sombres. L'oiseau juv. ressemble à ♀, mais il est plus terne et plus petit. ✦ Il vit dissimulé dans les forêts, le plus souvent au sol, parfois dans les arbres où il dort fréquemment. Son envol est bruyant ; il vole bas, très vite et alterne battements d'ailes rapides et courtes périodes de vol plané. Au printemps, lors de la parade nuptiale, les coqs évoluent au sol, ou sur les arbres. ⊙ Pendant la parade, ♂ émet des sons caractéristiques : coups frappés, trilles, bruits secs qui rappellent le casse-noisette, crissements chuchotés qui font penser à la faux qu'on aiguise ; ♀ et les petits poussent des caquètements doux. ♋ ♂ est caractéristique et impossible à confondre avec une autre espèce. ♀ resemble à ♀ du Tétras lyre qui est plus petite, et caractérisée par une queue échancrée et une bande blanche sous le dessous de l'aile.
Ecologie ◆ Il habite des forêts étendues à végétation ancienne, à myrtilles et fourmilières, et quelques populations rares vivent surtout en montagne. ∞ Au printemps (III.—V.), avant l'aube, on le repère sur les lieux de parade grâce à ses manifestations vocales ; sa voix ne porte pas très loin, aussi, doit-on observer les règles de la chasse concernant l'approche des oiseaux farouches. Parfois, on effarouche le Grand Tétras au hasard d'une promenade à travers les lieux qu'il fréquente.

Vie et mœurs ↔ C'est un oiseau sédentaire. Sur les lieux de la parade nuptiale, au printemps, on peut voir les oiseaux proches les uns des autres, souvent en nombre important. Ils vivent solitaires le reste de l'année. ◡ Le nid est installé à même le sol, généralement au pied d'un arbre, d'un buisson ou d'une souche. La femelle pond 5 à 9 œufs jaune-brun clair, parsemés de taches brunes (56,3×41,7 mm) en IV.—V. Il niche 1× l'an, et ♀ couve durant 25 jours. Les petits quittent le nid dès l'éclosion, accompagnés de ♀ seulement. Ils son capables de voler dès le 15ème jour et sont adultes à l'âge de 3 mois. ◕ Il se nourrit, dès la fin de l'automne jusqu'en mai, de pousses et de bourgeons de conifères, et pendant les autres mois, de baies, de myrtilles et d'airelles, de faînes et en partie d'insectes. Les oisillons se nourrissent exclusivement d'insectes et de fourmis au début, puis, progressivement, de baies. Il se procure sa nourriture au sol et sur les arbres.
Protection Le nombre des Grands Tétras est peu élevé et ne cesse de diminuer. Dans certains endroits, c'est un oiseau très prisé des chasseurs. Les populations rares sont fortement menacées par des changements du milieu de vie. Une protection absolue de l'espèce ou une réglementation stricte de la chasse sont indispensables. On pratique également l'élevage et la réintroduction des oiseaux dans la nature.

1

Perdrix choukar
Alectoris chukar

Détermination
✱ La Perdrix choukar est de la taille d'une Perdrix (33 cm). Son corps est trapu, sa tête petite. L'oiseau ad. (1) a le dessus du corps gris-brun, avec un dessin expressif sur la tête et sur la gorge; les flancs portent des raies foncées, les côtés de la queue sont rouge-brun, le bec et les pattes sont rouges ; ♂ > ♀. Les oiseaux juv. sont fauves et dépourvus de dessin foncé autour de la gorge blanche, les flancs ne portent que quelques raies foncées, le bec et les pattes sont jaunâtres. ✦ Elle vit cachée dans les broussailles et les herbes denses. Dérangée, elle vole bas et vite, alternant battements d'ailes rapides et moments de glisse, les ailes tendues. ⊙ Elle émet, assez souvent, un cri semblable à celui de la poule domestique : «tchak-tchak-tchak-pertchak-tchakar-tchakar». ♋ On rencontre, en Europe méridionale, la Perdrix bartavelle *(A. graeca),* très ressemblante et, en Europe occidentale et méridionale, la Perdrix rouge (*A. rufa* — 2), plus facile à distinguer.
Ecologie ◈ Elle recherche des terrains herbeux broussailleux. ∞ On la reconnaît grâce à sa voix et on l'effarouche fréquemment en inspectant les lieux où elle séjourne.
Vie et mœurs ↔ C'est un oiseau sédentaire. Elle vit solitaire ; la période de nidification achevée, elle vit également en bandes. ◡ Le nid est installé au sol, dans la végétation, souvent au pied d'un rocher. La femelle pond 8 à 15 œufs jaunâtres, parsemés de taches brunes (39,8 × 29,8 mm) en III.—VI. Elle niche 1 (—2 ?)× l'an et ♀ couve durant 23 jours. Les oisillons quittent le nid dès l'éclosion, sous la surveillance des deux parents. Les petits sont capables de voler dès le 7ème jour et sont adultes dès le 50ème jour. ◉ Elle se nourrit principalement de graines, moins souvent de pousses végétales et de menus invertébrés. Elle se procure sa nourriture au sol.
Protection Le nombre des Perdrix choukars est élevé dans certains endroits mais il connaît une régression ; l'espèce a disparu de certaines régions. La diminution numérique est le résultat d'une chasse trop intensive. Une gestion rationnelle de l'espèce s'impose ainsi que l'interdiction pure et simple de la chasse des populations menacées.

2

1

Perdrix grise
Perdix perdix

Détermination
∗ La Perdrix grise (30 cm) a un corps trapu et une petite tête. L'oiseau ad. est gris-brun, ♂ est caractérisé par un «fer à cheval» rouge-brun à la poitrine ; ♀ (1) n'a généralement pas de dessin sur la poitrine, le dessus de son corps est plus foncé et moins roux, ses joues orange sont plus petites et plus ternes. L'oiseau juv. est jaune-brun, sans dessin rouge-brun et gris, en particulier sur la tête. ✦ Elle marche et court à terre. Dérangée, elle s'envole assez bas et ne couvre que de petites distances ; elle alterne battements d'ailes sonores et rapides et courtes périodes de glisse, les ailes tendues. ⊙ Elle émet, pendant la parade nuptiale, un «tchirik tchirik» très sonore et bien connu. ♋ On ne peut la confondre avec une autre espèce.
Ecologie ◆ Elle vit dans les régions découvertes, dans les champs à talus en particulier, dans les friches et les espaces herbeux, en plaine comme sur le plateau. ∞ Au printemps (III.—V.), on la repère grâce au chant nuptial des mâles, le matin et le soir en particulier. Pour trouver le nid, il faut inspecter l'aire de nidification : la femelle ne quitte pas facilement le nid. En dehors de la période de nidification, il faut observer les bandes de Perdrix grises sur les terrains découverts et en hiver, il est conseillé de suivre les traces et les fientes laissées dans la neige.
Vie et mœurs ↔ C'est un oiseau sédentaire. Au printemps, la Perdrix grise vit en couples ; après la nidification, en famille ou en petites bandes. ◡ Le nid est dissimulé dans une touffe d'herbe ou sous les buissons. La femelle pond 10 à 20 œufs jaune-brun (35,0 × 26,5 mm) en III.—VI. Elle niche 1× l'an et ♀ couve durant 24 jours. Les deux parents accompagnent les petits qui quittent le nid dès l'éclosion. Ceux-ci sont capables de prendre leur envol dès le 15ème jour et deviennent adultes à l'âge de 3 mois. ◕ Les oiseaux adultes se nourrissent essentiellement de graines et de fragments verts de plantes, les menus invertébrés ne constituant qu'un complément de nourriture. Le mode d'alimentation des oisillons est à l'inverse de celui des parents. La nourriture est ramassée au sol.
Protection La Perdrix grise est prisée par les chasseurs mais son nombre a fortement diminué. Cette situation est la conséquence directe des transformations du milieu et des changements dans l'exploitation des terrains. Actuellement, on pratique l'élevage artificiel et la réintroduction des oiseaux dans la nature.

1

Caille des blés
Coturnix coturnix

Détermination
✱ La Caille des blés est le plus petit Gallinacé d'Europe (17 cm). Elle ressemble, par la forme du corps, à une Perdrix, mais elle est deux fois plus petite. L'oiseau ad. est jaune-brun ou brun-roux, parsemé de taches disposées en rayures longitudinales ; à la différence du ♂ (1), le dessin foncé de la tête de ♀ est moins net, les joues et la gorge sont toujours claires, la nuque est dépourvue de raie noire. Les oiseaux juv. ressemblent à ♀, mais n'ont pas de hachures foncées au bas des joues et les taches sur les flancs ne sont pas disposées dans le sens longitudinal. ✦ Elle vit à terre, cachée dans les herbes denses et dans les broussailles. Elle vole peu souvent ; son vol est rapide, droit et les battements de ses ailes sont énergiques et réguliers. Elle migre de nuit et pousse fréquemment des cris caractéristiques. ⊙ Son appel, bien connu, est un «pout-pourout» sonore et répété. ♋ Sa voix ne peut être confondue avec celle d'une autre espèce. Il faut cependant veiller à ne pas confondre la Caille des blés avec les jeunes de la Perdrix grise et de la Perdrix choukar. Deux espèces lui ressemblent tout particulièrement : le Tournix d'Andalousie *(Turnix sylvatica)* que l'on rencontre assez peu souvent dans le Sud de l'Espagne, et la Caille japonaise *(C. japonica)*, qu'on introduit dans certains endroits.
Ecologie ◆ Elle vit dans les régions découvertes à champs, prés et friches. Lors de la migration, on l'aperçoit même ailleurs. ∞ Elle est facile à repérer grâce à sa voix et à sa présence prolongée en certains endroits (il faut faire attention aux oiseaux qui ne nichent pas ou qui sont simplement de passage), sinon lors d'une rencontre fortuite comme par exemple en fauchant un nid dans les champs.
Vie et mœurs ↔ Migratrice, elle vit seule, parfois en groupes libres. ◡ Le nid est installé au sol, dans la végétation dense. La femelle pond 8 à 13 œufs jaune-brun clair, parsemés de grandes taches brunes (30,1 × 22,5 mm) en V.—VIII. Elle niche 1 (—2)× l'an, et ♀ couve durant 18 jours. Les oisillons quittent le nid dès l'éclosion, volent dès le 10ème jour, et sont indépendants à l'âge de 60 jours. ◕ Elle se nourrit de graines végétales et d'insectes qu'elle se procure au sol et dans la végétation.
Protection La Caille des blés est chassée dans certains endroits. Son nombre a fortement baissé. Actuellement, elle apparaît de façon irrégulière et elle a complètement disparu de certaines régions. Cette situation est la conséquence directe des changements du milieu. Les possibilités d'une protection efficace, la réglementation de la chasse mise à part, ne sont pas connues.

1

Faisan de Colchide
Phasianus colchicus

Détermination
⚹ Le Faisan de Colchide atteint la taille de la Poule domestique (♂ 85 cm, ♀ 55 cm). Son corps est trapu, sa tête petite, sa queue cunéiforme. L'oiseau ad. ♂ (1) a une très longue queue, une tête vert foncé, dotée de courtes «oreillettes», des joues rouges, les autres parties du corps sont couleur bronze foncé. La coloration est souvent variée du fait de divers croisements avec des races importées ; certains oiseaux présentent un collier blanc, d'autres sont très foncés sur l'ensemble du corps (variante *tenebrosus*). ♀ est jaune brun à taches foncées. L'oiseau juv. ressemble à ♀, mais il est plus terne, son dessin est plus discret et sa queue plus courte. ✦ Il évolue généralement à terre. C'est un excellent coureur qui quitte la végétation pour les zones découvertes en période d'activité. Il ne vole que s'il a été effarouché ; son vol est bas, rapide et les battements de ses ailes bruyants. Il passe la nuit dans les arbres. ⊙ Son cri d'alarme est un cri bien connu : «kyry kyry» sonore et répété. Pendant la parade nuptiale, ♂ émet un «kryy» sonore et explosif, puis bat bruyamment des ailes. ♋ On ne peut le confondre avec une autre espèce.
Ecologie ◈ Il recherche les régions découvertes à bosquets, champs et roselières, le plus souvent à basse altitude. ∞ Pendant la parade nuptiale (IV.—VI.), on le reconnaît grâce à ses manifestations vocales, à d'autres moments, on le voit, matin et soir, à la lisière des forêts ou au bord des roselières. On peut inspecter les lieux qu'il fréquente, et l'effaroucher alors.

Vie et mœurs ↔ C'est un oiseau sédentaire qui vit d'habitude en groupes. ◡ Le nid est installé à même le sol, au milieu de la végétation dense. La femelle pond 8 à 16 œufs jaune-brun (45,0 × 35,4 mm) en III.—VII. Il niche 1× l'an, en polygamie, et ♀ couve durant 25 jours. Les oisillons quittent le nid dès l'éclosion, en compagnie de ♀ seule. Ils sont capables de voler dès de 12ème jour et sont indépendants à l'âge de 75 jours. ◕ Il se nourrit de graines et de fragments végétaux, de mousse, de menus invertébrés et vertébrés. Il se procure sa nourriture au sol et dans la couche la plus basse de la végétation.
Protection C'est un oiseau très prisé des chasseurs. Sa gestion est rigoureuse et sa chasse réglementée. On pratique l'élevage artificiel et la réintroduction des oiseaux dans la nature.

1

Grue cendrée
Grus grus

Détermination
✳ La Grue cendrée est plus grande qu'une Cigogne (115 cm, envergure des ailes 230 cm). Elle a un cou, un bec et des pattes longs, des ailes larges et droites, terminées en forme de doigts, une queue courte, recouverte (au repos) d'une touffe de plumes (rémiges secondaires allongées). L'oiseau ad. (1) est gris et noir, et présente une bande blanche sur les côtés du cou (2), le sommet de la tête est rouge. ♂ = ♀. L'oiseau juv. a la tête, le cou et le dessus du corps bruns ; il change de coloration au cours de la 2ᵉ—4ᵉ année. ✦ Elle vit cachée dans la végétation des marécages. Lorsqu'elle vole, son cou est tendu. Les troupes des Grues cendrées en migration adoptent la formation en rangs. Lors de la parade nuptiale, elle exécute des danses particulières avec sauts, révérences et manifestations vocales bien sonores. ⊙ Elle émet des cris forts et gutturaux : « ü-krrr-ü-krrr », mêlés de sons claironnants. ♋ Elles volent, le cou tendu, ce qui les rapproche des Cigognes. Celles-ci ont cependant un autre type de vol et une coloration différente. Une autre espèce lui ressemble : la Demoiselle de Numidie *(Anthropoides virgo),* qui vit en Europe méridionale et orientale. Son cou est noir et elle est caractérisée par des touffes de plumes blanches derrière les yeux (3).
Ecologie ◈ Elle vit dans la végétation des marécages ; en dehors de la saison des nids, on la voit même dans les prés et les champs. ∞ Sur les aires de nidification, on la reconnaît grâce à sa voix. Pour trouver le nid, il faut inspecter l'aire de nidification. Le matin et le soir, les oiseaux ad. quittent la végétation en compagnie de leurs petits pour aller chercher leur pâture. Il faut faire attention, pendant l'été, à la présence des oiseaux qui ne nichent pas. En dehors de la saison des nids, on la reconnaît grâce à sa voix, ou bien on la rencontre par hasard.
Vie et mœurs ↔ C'est un oiseau migrateur aux itinéraires migratoires et aux lieux d'hivernage bien délimités. En dehors de la période de nidification, la Grue cendrée vit en groupes. ♉ Son nid est un amas de matériaux végétaux installés dans les marécages. La femelle pond 2 œufs brunâtres, parsemés de taches brunes (94,0 × 62,0 mm) en III.—VI. Elle niche 1× l'an, séparément, et couve durant 30 jours. Les oisillons quittent le nid dès l'éclosion en compagnie des deux parents, parfois séparément. Ils sont capables de prendre leur envol dès le 70ème jour. ◕ Elle se nourrit essentiellement de fragments végétaux, de graines et de fruits, de menus animaux en quantité restreinte. Elle se procure sa nourriture au sol, dans la végétation et également dans les bas-fonds.
Protection La Grue cendrée est une espèce bien localisée, en voie de disparition. Il faut protéger l'espèce, assurer le calme autour des nids et sauvegarder les aires de nidification.

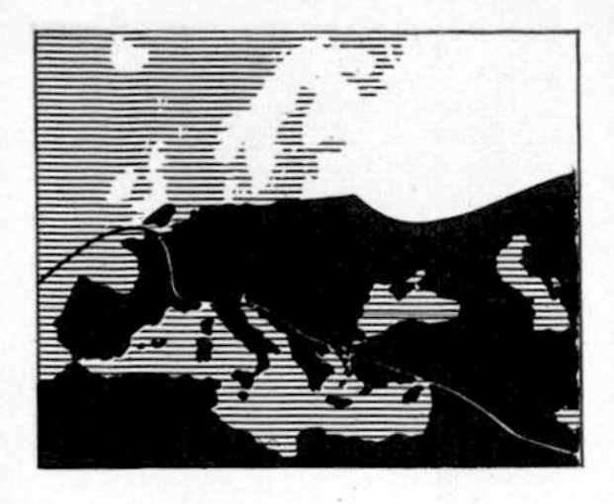

1

Œdicnème criard
Burhinus oedicnemus

Détermination
✳ L'Oedicnème criard est aussi grand qu'une poule de Faisan (42 cm). Il a un corps élancé, une grande tête aux yeux jaunes et des pattes hautes. L'oiseau ad. (1) a le dessus du corps brun-clair à taches foncées, le bas du corps est blanc et une large bande blanche traverse les ailes. ♂ = ♀. L'oiseau juv. est moins fortement tacheté, les grandes couvertures sont noires au centre et blanches à la pointe. ✦ C'est un oiseau farouche qui vit très caché. Il court à terre et alterne moments de course rapide avec arrêts subits. Il ne vole que s'il est dérangé ; son vol est bas, les battements de ses ailes mesurés. Son activité est essentiellement nocturne. ⊙ Il émet, assez souvent, pendant la parade nuptiale, un «khryï» sonore et rauque, quelquefois répété. ♋ On ne peut le confondre avec une autre espèce. Sa voix rappelle un peu celle du Courlis cendré.

Ecologie ◈ Il recherche les terrains découverts, les sols pierreux et sablonneux à maigre végétation, les prés, champs et clairières. ∞ C'est sa voix qui permet de le repérer sur les aires de nidification (IV.—VI.) ; il se manifeste essentiellement de nuit. Lorsqu'on inspecte les lieux, on l'effarouche fréquemment. Pour découvrir le nid, il faut observer le comportement des oiseaux adultes. En dehors de la saison des nids, on ne découvre les œdicnèmes criards que par hasard.

Vie et mœurs ↔ C'est un oiseau essentiellement migrateur. Il séjourne sur les aires de nidification en IV.—X. ◡ Le nid est un creux aménagé dans le sol et garni de quelques fragments de végétaux secs et de petites pierres ramassées dans les environs. La femelle pond 2 œufs jaune sable, parsemés de taches brunes (53,5 × 38,5 mm) en IV.—VII. Il niche 1× l'an séparément, et couve durant 26 jours. Les deux parents prennent soin des petits. Ceux-ci quittent le nid dès l'éclosion et sont capables de prendre leur envol dès le 40ème jour. ◕ Il se nourrit essentiellement de gastéropodes, d'insectes, de vers et exceptionnellement de menus vertébrés. Il ramasse et chasse sa proie au sol ou dans la végétation basse.

Protection C'est une espèce en danger. Il faut absolument sauvegarder son milieu de vie.

Grande Outarde
Otis tarda

Détermination
✳ La Grande Outarde est un oiseau robuste de la taille du Dindon domestique (♂ 100 cm, ♀ 80 cm, envergure des ailes 2—2,5 m). Elle a un gros corps trapu (3), une petite tête et un grand cou. L'oiseau ad. ♂ (1) a la tête grise, dotée de longues moustaches de plumes (avec l'âge, la tête blanchit et les moustaches s'allongent) ; ♀ est plus petite (2), sa tête est rouge-brun, sans moustaches. Les oiseaux juv. ressemblent à ♀ et par l'aspect et par la taille ; ♂ se distingue par la taille dès le premier printemps. ✦ La Grande Outarde ne vit que dans certains endroits et en nombre restreint. En dehors de la saison des nids, les oiseaux forment des bandes distinctes selon les sexes. Elle est farouche ; elle marche posément, la tête dressée. Dérangée, elle vole avec lenteur. La parade nuptiale, très particulière, commence tôt le matin ou tard dans l'après-midi. Le mâle se promène, la queue renversée sur le dos, les ailes légèrement baissées, le cou tendu en arrière. Il gonfle très fortement son jabot, le replie sur son dos, baisse et retourne les ailes, ce qui lui donne l'aspect d'une boule blanche tout hérisée. Les mâles ne combattent que rarement. ⊙ Seul ♂ émet des sifflements doux. ♋ On ne peut la confondre avec une autre espèce. Toutefois une espèce lui ressemble quelque peu : l'Outarde canepetière (*Tetrax tetrax* — 4) qui vit en Europe méridionale.

Ecologie ◆ Elle vit dans les steppes cultivées, dans les vastes champs et surfaces herbeuses, en particulier dans les trèfles, les jeunes céréales, les espèces fourragères, dans le colza, plus rarement dans les champs de betteraves ou de pommes de terre. ∞ Pendant la saison des amours (III.—VI.) on peut l'observer à distance, matin et soir, sur les lieux de parade. On découvre fréquemment les nids lors des travaux des champs. En dehors de la période de nidification, l'observation directe des lieux fréquentés permet de repérer les oiseaux.

Vie et mœurs ↔ C'est un oiseau sédentaire. Il ne se déplace que durant les hivers exceptionnellement froids. ◡ Le nid est constitué par un creux dans le sol, au milieu des plantes herbacées. La femelle pond 2 œufs brun-vert olive, parsemés de taches foncées (79,5 × 56,9 mm) en IV.—V. (—VIII.). La Grande Outarde niche 1× l'an, séparément, et ♀ couve durant 24 jours. Les oisillons quittent le nid dès l'éclosion en compagnie de ♀ seule. Ils sont capables de prendre leur envol dès le 30ème jour. ◕ Elle se nourrit de fragments verts de plantes, parfois de graines, et d'insectes. Elle se procure sa nourriture au sol, dans la végétation et, en hiver, elle cherche sous la neige en s'aidant de son bec.

Protection C'est une espèce en danger. De nos jours, on pratique l'élevage artificiel et la réintroduction des oiseaux dans la nature. Il est indispensable de préserver le milieu naturel, éventuellement d'aménager le terrain, en créant des champs de colza en particulier.

1

Ganga unibande
Pterocles orientalis

Détermination
✳ Le Ganga unibande atteint la taille d'un Pigeon (34 cm). Il a une petite tête, dotée d'un bec court, un corps trapu prolongé par une queue cunéiforme et des pattes très courtes. Ses courtes ailes pointues sont, en vol, recourbées à l'arrière telles des faucilles (2) ; les sous-alaires gris-blanc font contraste avec des rémiges noires. L'oiseau ad. est gris-brun fauve, à ventre noir ; ♂ (1) a le haut de la tête ainsi que le jabot gris, le menton et les côtés de la tête roux-brun ; ♀ a le haut de la tête et le jabot bruns à taches foncées, le menton et les côtés de la tête jaune-brun. L'oiseau juv. ressemble à ♀, sa tête et sa poitrine sont parsemées de petites taches noires. ✦ Farouche, il vit essentiellement à terre. Il vole vite, avec un battement d'ailes régulier ; les Gangas unibandes se retrouvent fréquemment en grand nombre au bord de l'eau. ⊙ Il émet des sons rauques, répétés deux ou trois fois, « tcharr-tcharr-rour » qu'on entend de loin. Il est particulièrement bruyant. ♋ Deux espèces lui ressemblent : le Ganga cata *(P. alchata)* qu'on trouve parfois en Europe méridionale et le Syrrhapte paradoxal *(Syrrhaptes paradoxus)*, originaire de l'Asie, qui pratique occasionnellement des invasions en Europe.

Ecologie ◆ Il recherche les terrains plats et secs à maigre végétation, comme par exemple les lacs salés asséchés ou les chaumes et les prés, souvent situés à plus haute altitude. ∞ Pour repérer les oiseaux, il est nécessaire d'inspecter les lieux qui leur conviennent, de surveiller leurs déplacements et d'écouter leurs voix.

Vie et mœurs ↔ C'est un oiseau sédentaire. En dehors de la saison des nids, il vit en petits groupes. ◡ Le nid est un creux aménagé dans le sol et faiblement garni de brins d'herbe sèches. La femelle pond 2 à 3 œufs jaunâtres, parsemés de taches brunes (47,5 × 32,4 mm) en IV.—VII. Il niche 1 (—2 × l'an, séparément, et couve durant 25 jours. Les deux parents prennent soin des petits qui quittent le nid dès l'éclosion. On n'a pas d'indications précises concernant la date du premier envol. ◕ Il se nourrit de diverses graines qu'il ramasse au sol.

Protection C'est une espèce en danger. Il faut assurer sa protection totale et sauvegarder les aires de nidification.

2

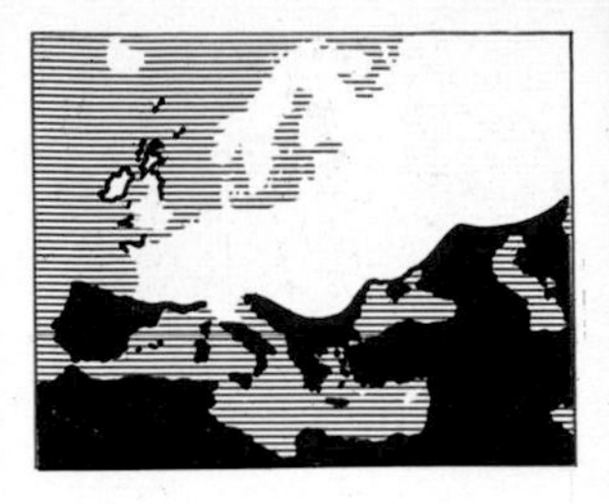

1

Pigeon biset
Columba livia

Détermination
⁎ Le Pigeon biset est de la taille d'un Pigeon domestique moyen (33 cm). Il présente les mêmes caractéristiques que le Pigeon gris des villes : deux bandes alaires foncées, croupion blanc et extrémité de la queue foncée (1) ; ♀ est plus terne que ♂, son cou est moins brillant ; l'oiseau juv. est encore plus terne, son cou, très peu brillant, est généralement foncé. ✦ Il se perche sur les rochers, marche à terre, ♂ se manifeste, lors de la parade nuptiale, par des roucoulements et des poses particulières. Il vole très vite, avec agilité, les bandes adoptent des formations irrégulières. ⊙ Il émet, tout au long de l'année, des roucoulements bien connus. ♋ Son aspect l'apparente à certaines variétés de Pigeons domestiques et aux Pigeons des villes retournés à l'état sauvage, dont certains individus présentent des écarts de coloration très importants. Le Pigeon ramier *(C. palumbus)* et le Pigeon colombin *(C. oenas)* n'ont pas de croupion blanc, les bandes alaires foncées du Colombin sont interrompues et les bandes du Ramier sont blanches.
Ecologie ◈ Il vit sur les parois rocheuses, principalement le long des rivages marins ou des cours d'eau, et se rend sur les terrains découverts pour rechercher sa nourriture. Les populations des villes évoluent essentiellement sur les bâtiments, moins souvent dans les rochers. ∞ On peut le voir sur les aires de nidification et autour de celles-ci tout au long de l'année. Les nids sont faciles à repérer grâce aux comportements des oiseaux.

Vie et mœurs ↔ C'est un oiseau sédentaire. Il niche le plus souvent en colonies et vole en bandes. ꙍ Les nids sont installés sur les corniches rocheuses, dans les semi-cavités, chez les populations des villes, sur les bâtiments et dans les greniers. Ils sont très simples et progressivement renforcés par les fientes des oisillons. La femelle pond 2 œufs blancs (39,1 × 29,1 mm), tout au long de l'année. Il niche jusqu'à 5× (et même davantage ?) l'an et couve durant 18 jours. Les deux parents prennent soin des petits qui sont capables de prendre leur envol dès le 36ème jour. ◕ Il se nourrit de diverses graines, les populations des villes également de détritus, qu'ils se procurent au sol.
Protection C'est l'ancêtre du Pigeon domestique. Les populations des villes présentent un inconvénient sérieux pour le milieu urbain : les fientes de l'oiseau détériorent les monuments culturels et le Pigeon lui-même, porteur de dangereux acariens, transmet la salmonellose.

1

Pigeon colombin
Columba oenas

Détermination
∗ A peine plus grand qu'une Tourterelle turque (33 cm), le Pigeon colombin est assez robuste et doté d'une queue courte. L'oiseau ad. (1) est gris-brun foncé, les bandes alaires noires sont interrompues. ♂ = ♀. L'oiseau juv. est plus terne, plus brun et dépourvu de reflet brillant vert au cou. ✦ Il vit caché, se perche sur les arbres, marche à terre, vole vite et avec agilité. ⊙ Il émet fréquemment, sur les aires de nidification, un «hou» bref. ♋ Dans les forêts, on pourrait le confondre avec le Pigeon ramier *(C. palumbus)* qui est cependant plus grand, présente une bande alaire blanche et une tache blanche sur les deux côtés du cou. Sa voix est également différente. Les bandes de Pigeons domestiques et des villes se distinguent par la présence d'individus à coloration différente et de Pigeons gris au croupion blanc.
Ecologie ◈ Il vit dans les forêts de feuillus anciennes, les hêtraies en particulier, aux troncs creusés par le Pic noir. En dehors de la saison des nids, il évolue en terrain découvert (champs et prés). ∞ Sur les aires de nidification (I.—VIII.) on peut l'entendre tout au long de l'année. En dehors de la saison des nids, on peut l'observer dans les champs, seul ou en compagnie d'autres Pigeons.
Vie et mœurs ↔ C'est un oiseau partiellement migrateur. Il séjourne sur les aires de nidification en I.—IX. En dehors de la saison des nids, il vit en petites bandes mais on peut surprendre certains individus même dans les bandes d'autres espèces de Pigeons. ⊗ Il niche dans les cavités des arbres à hauteur variable (1,3 à 15 m). La femelle pond 2 œufs blancs (38,0 × 28,6 mm) en III.—IX. Il niche 1 à 4× l'an, séparément, et couve durant 17 jours. Les deux parents prennent soin des petits qui sont capables de voler dès le 30ème jour. ◐ Il se nourrit de graines et de bourgeons qu'il se procure dans la végétation.
Protection C'est une espèce en voie de régression bien que toujours chassée en certains endroits. On peut la protéger en sauvegardant les aires de nidification et en installant des nichoirs d'assez grande taille.

1

Pigeon ramier
Columba palumbus

Détermination
✳ C'est le plus grand Pigeon d'Europe (40 cm) qui atteint la taille des grands Pigeons domestiques (Pigeons romains par exemple). L'oiseau ad. (1) est gris et caractérisé par une tache blanche de chaque côté du cou et une bande blanche alaire. Celle-ci est bien visible en vol, ainsi que la queue qui est longue. ♂ = ♀. L'oiseau juv. est plus terne, son dessin moins net et la tache blanche sur le cou est parfois inexistante. ✦ Il se perche sur les arbres et marche à terre. Il vole vite et bat bruyamment des ailes lors de l'envol ; les bandes de Pigeons ramiers adoptent des formations irrégulières. ⊙ Il émet un roucoulement sourd : «rou-kou-kou, rouk-rou-kou-ïkou». ♋ On peut difficilement le confondre avec une autre espèce.
Ecologie ◈ Il vit dans les bois qui s'étendent des plaines à la limite supérieure de la forêt, y compris les bosquets des champs ou les parcs de ville. En dehors de la saison des nids, il évolue en terrains découverts, dans les champs par exemple. ∞ Ses déplacements réguliers ainsi que ses manifestations vocales permettent de le repérer sur les aires de nidification. Pour trouver le nid, il faut inspecter les arbres ; le fond du nid, peu épais, permet souvent d'apercevoir l'oiseau qui couve. En dehors de la saison des nids, on le rencontre le plus souvent dans les champs.
Vie et mœurs ↔ C'est un oiseau partiellement migrateur. Il passe l'hiver, dans certains endroits, sur des lieux d'hivernage communs, immenses. Il séjourne sur les aires de nidification en III.—X. ☋ Le nid est installé dans la couronne des arbres, sur une branche. Il est de petite taille, et ses parois minces sont bâties de petites branches d'arbres. La femelle pond 2 œufs blancs (40,5 × 29,4 mm) en III.—VII. Il niche 1—3× l'an, séparément, et couve durant 17 jours. Les deux parents prennent soin des petits : 29 jours au nid et 7 autres jours hors du nid. ◑ Sa nourriture, essentiellement végétale, est composée de diverses graines et semences, de feuilles, de bourgeons et fleurs qu'il trouve au sol. Il se nourrit également de vers de terre, d'insectes et de gastéropodes.
Protection C'est un oiseau prisé des chasseurs. En nombre élevé, les Pigeons ramiers peuvent causer des dégâts dans les champs ensemencés. L'espèce ne nécessite aucune protection particulière.

1

Tourterelle turque
Streptopelia decaocto

Détermination
✻ La Tourterelle turque est un pigeon de petite taille (28 cm), caractérisée par une longue queue et un étroit demi-collier foncé à l'arrière du cou. L'oiseau ad. (1) est gris-brun clair, à collier, et l'extrémité de sa queue porte une bande noire. ♂ = ♀. L'oiseau juv. est plus terne, sans bande foncée au cou. ✦ La Tourterelle turque se perche sur les arbres et marche à terre. Son vol est rapide, régulier et droit. Elle vole généralement assez bas, en couples ou en groupes irréguliers. En hiver, elles passent la nuit sur des lieux de rassemblement communs dans les arbres. ⊙ Elle émet souvent, et pratiquement tout au long de l'année, un ululement sonore : «hou-hou-hou hou-hou-hou». ♋ On ne peut la confondre avec une autre espèce.
Ecologie ◈ Elle vit dans les agglomérations et leur voisinage, des plaines au pied des montagnes. En période d'activité végétale, on la voit également dans les régions à bosquets et parcs. ∞ Elle est facile à identifier tout au long de l'année grâce à sa voix et on la repère aisément dans les agglomérations où elle est bien visible, car peu farouche. Les nids ainsi que les oiseaux qui couvent sont bien faciles à observer depuis le sol.
Vie et mœurs ↔ C'est un oiseau essentiellement sédentaire. En dehors de la saison des nids, il vit le plus souvent en couples ou en groupes. ⏑ Le nid, de taille assez petite (environ 17 cm de diamètre) est une construction lâche, faite de petites branches et installée dans les arbres, quelquefois sur les bâtiments. La femelle pond 2 œufs blancs (30,3 × 23,4 mm) en III.—X. par endroits à n'importe quel moment de l'année. Elle niche jusqu'à 6× l'an et couve durant 16 jours. Les deux parents prennent soin des oisillons : 17 jours au nid et 7 autres jours hors du nid. ◉ Elle se nourrit de diverses graines et, dans les agglomérations, de détritus également. Elle se procure sa nourriture au sol.
Protection Originaire des Balkans, l'espèce s'est répandue dans toute l'Europe dans les années 1930—1960 et ce phénomène continue encore de nos jours. Dans certains endroits, elle est devenue la proie des chasseurs. Elle n'est pas très appréciée dans les agglomérations car elle salit le milieu. L'espèce ne nécessite aucune protection.

1

Tourterelle des bois
Streptopelia turtur

Détermination
✳ Elle est plus petite (27 cm) et plus gracieuse que la Tourterelle turque. L'oiseau ad. (1) a le dessus du corps gris-brun, le bas clair et une tache oblique à fines raies blanches et noires de chaque côté du cou. ♂ = ♀. L'oiseau juv. est plus terne, à coloration moins contrastée ; le haut de la tête est brun et le cou ne porte aucun dessin. ✦ Elle se perche sur les arbres ou sur les fils électriques ; à terre, elle marche. Son vol est rapide, assez bas et le battement de ses ailes, recourbées à l'arrière, régulier ; à l'envol, elle fait entendre un claquement d'ailes. ⊙ Pendant la période de nidification, elle émet un roucoulement répété «tourr-tour-tour . . .». ♋ Deux espèces lui ressemblent : la Tourterelle orientale *(S. orientalis)*, plus grande, originaire d'Asie et rarement visible en Europe, et la Tourterelle maillée *(S. senegalensis)*, plus petite, originaire d'Afrique et d'Asie Mineure.

Ecologie ◈ Elle vit dans les régions agricoles à forêts, talus broussailleux, parcs et jardins, qui s'étendent des plaines jusqu'aux plateaux. ∞ En période de nidification (IV.—VI.), on l'entend toute la journée. Pour trouver le nid, il suffit d'inspecter broussailles et bosquets ; on effarouche fréquemment l'oiseau qui couve. En dehors de la saison des nids, on peut l'observer sur terrain découvert (les champs).

Vie et mœurs ↔ C'est un oiseau migrateur. La Tourterelle des bois vit d'habitude en groupes ou en grandes bandes. Elle séjourne sur les aires de nidification en IV.—IX. ◡ Le nid est une construction peu fournie, faite de petites branches, souvent assez espacées. Il est installé sur les branches des buissons ou d'arbres denses, à faible hauteur. La femelle pond 2 œufs (30,6 × 22,6 mm) en IV.—VIII. Elle niche 1 à 3 × l'an, séparément, et couve durant 14 jours. Les deux parents prennent soin des petits : 20 jours au nid et quelques autres jours hors du nid. ◉ Elle se nourrit de graines végétales qu'elle se procure au sol.

Protection Le nombre des Tourterelles des bois est important. Il faut protéger les aires de nidification en conservant les broussailles et les taillis.

1

Coucou gris
Cuculus canorus

Détermination
✳ Le Coucou gris est de la taille de la Tourterelle turque (33 cm). Son corps est élancé, sa tête petite, ses ailes assez longues et pointues, sa queue longue. L'oiseau ad. (2) est généralement gris à fines raies foncées ; certaines ♀ ont le dessus du corps brunâtre et la poitrine d'un brun très clair ; un petit nombre d'individus sont rouge-brun au lieu de gris. L'oiseau juv. (1) a toujours une tache blanche à l'occiput et des raies foncées à la gorge et à la poitrine. ✦ Il se perche sur les arbres, sur les fils électriques et d'autres objets élevés. Son vol est bas, le battement de ses ailes lent et il vole en se balançant de gauche à droite. ⊙ Pendant la saison des nids, il émet son «coucou» bien connu ; ♀ émet un «bibibi» sonore et répétitif. ♋ Il ressemble au Coucou oriental *(S. saturatus)*, originaire de l'Asie occidentale et que l'on ne voit que rarement en Europe.
Ecologie ◈ Il recherche les forêts qui s'étendent des plaines à la zone des pins alpestres, on le trouve aussi sur les terres cultivées, souvent à proximité des roselières. ∞ Pendant la période de nidification (IV.—VI.) on le reconnaît facilement grâce à sa voix qui porte loin, on l'entend toute la journée et parfois même la nuit. Sinon on peut le voir, par hasard, lors de ses déplacements. Pour trouver les œufs, il faut inspecter les nids de certains oiseaux, le comportement de ♀ avant la ponte est quelquefois bien particulier.
Vie et mœurs ↔ C'est un oiseau migrateur qui séjourne sur les aires de nidification en IV.—IX. Il vit seul tout au long de l'année. ◡ Il pond ses œufs (IV.—VII.) dans les nids d'oiseaux de petite taille, qui varient en fonction des régions. Les œufs sont colorés en fonction des oiseaux qui les ont accueillis. Leurs dimensions sont uniformes (22,2 × 16,7 mm). L'incubation dure 12 jours. L'oisillon reste au nid pendant 17 jours et reste à la charge d'un adulte encore quelque temps hors du nid. ◕ Il se nourrit principalement de chenilles, d'insectes, d'araignées et de vers de terre. Il se procure sa nourriture sur les feuilles et les branches d'arbres et de buissons, parfois à terre.
Protection Le nombre des Coucous gris n'est pas très important. L'espèce ne nécessite aucune protection particulière.

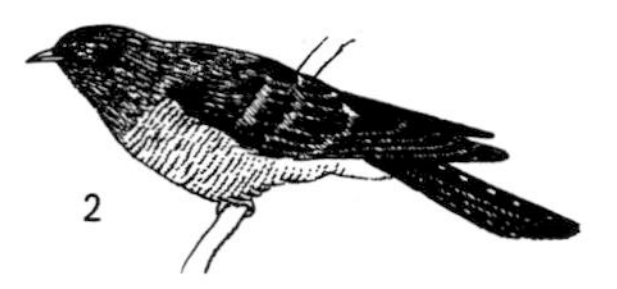

2

1

Engoulevent d'Europe
Caprimulgus europaeus

Détermination
✳ L'Engoulevent d'Europe est un peu plus grand qu'un Merle (27 cm). Il a un corps élancé, une grande tête dotée d'un bec large et court, de grands yeux et des ailes longues, fines et pointues ; en vol, elles sont recourbées à l'arrière telles des faucilles. L'oiseau ad. ♂ (1) est brun foncé, tacheté, ses ailes et sa queue portent des taches blanches ; les ailes et la queue de ♀ portent des taches jaune-brun ou bien en sont dépourvues. L'oiseau juv. ressemble à ♀, mais il est plus pâle, moins tacheté et n'a pas de lignes ondoyantes à la poitrine ni de taches claires aux ailes ou sur la queue. ✦ Actif de nuit, il se tient plaqué au sol ou perché sur une branche, durant la journée. Son vol est bas, très rapide, avec volte-face fréquentes pour happer un insecte. ⊙ Pendant la période de nidification, il émet fréquemment un grésillement sourd, monotone, mais qu'on entend de loin : «rrrrrrr . . .». ♋ Dans le sud-ouest de l'Europe vit une espèce double : l'Engoulevent à collier roux *(C. ruficollis).*
Ecologie ◈ Il recherche les zones forestières, principalement dans les régions chaudes et sèches. En dehors de la saison des nids, il vit également en terrains découverts. ∞ Pendant la période de nidification, (IV.—VI.), on le repère essentiellement la nuit grâce à son grésillement ou bien en l'effarouchant par hasard. Pour trouver le nid, il faut inspecter les lieux présumés et effaroucher l'oiseau.
Vie et mœurs ↔ C 'est un oiseau migrateur qui séjourne sur les aires de nidification en IV.—IX. Il est solitaire. ◡ Le nid est constitué par un petit creux aménagé dans le sol, souvent sans aucune garniture. La femelle pond 2 œufs blancs (31,5 × 22,2 mm) en V.—VII. Il niche 1—2× l'an, séparément, et couve durant 18 jours. Les deux parents prennent soin des petits : 16 jours au nid et 16 autres jours hors du nid. ◕ Il se nourrit d'insectes nocturnes qu'il attrape surtout en vol. Il happe sa proie à l'aide de son bec et l'avale tout entière.
Protection C'est un espèce en voie de régression. Les raisons de cette situation et les moyens de protection efficaces ne sont pas connus.

Martin-pêcheur d'Europe
Alcedo atthis

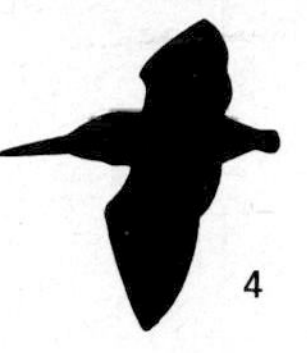

4

Détermination
✳ Le Martin-pêcheur d'Europe est un peu plus robuste qu'un Moineau (16 cm). Il a une grande tête dotée d'un bec long, droit et puissant, un corps trapu, une queue et des pattes courtes, des ailes courtes et pointues (4). L'oiseau ad. (1) est bleu-vert brillant, rouge-brun et blanc, le dos est d'un vert brillant bien marqué lors de l'envol. Les pattes sont rouge corail à griffes noires. ♂ = ♀. Seul le bec les différencie : celui des mâles est noir, celui des femelles est rougeâtre, totalement ou partiellement (à la racine seulement). L'oiseau juv. est moins brillant, tire plus sur le vert et les plumes de la poitrine sont bordées de gris foncé. ✦ Il se perche sur les branches au-dessus de l'eau (2) et plonge sur les petits poissons ou insectes (5). Il vole au ras de l'eau, vite, en ligne droite et pratique de temps à autre le vol vibré sur place (3). ⊙ En vol, il pousse fréquemment des cris sifflants, perçants et prolongés. ♋ On ne peut le confondre avec une autre espèce.

Ecologie ◆ Il recherche les cours d'eau, les ruisseaux et rivières propres, à débit lent et à rives argileuses en particulier, des plaines jusqu'au pied des montagnes. Il séjourne, lors de ses déplacements, même sur des retenues d'eau et parfois loin de l'eau. En hiver, il vit le long des cours d'eau à débit rapide qui ne gèlent pas. ∞ Il faut l'observer au bord de l'eau, à l'aide d'une paire de jumelles : il évolue dans les airs ou sur les branches et buissons au-dessus de l'eau ; sa voix est caractéristique. Pour repérer le nid, il faut se servir de jumelles et surveiller l'endroit présumé.

Vie et mœurs ↔ C'est un oiseau partiellement migrateur qui vit seul en dehors de la saison des nids. ◡ Le nid est installé dans les galeries qu'il creuse lui-même dans les berges abruptes des rivières (6). La galerie est généralement occupée de façon durable et répétée. La femelle pond 5 à 7 œufs blancs (22,9 × 18,8 mm) en IV.—VII. Il niche 1—3 × l'an, séparément, et couve durant 20 jours. Les deux parents prennent soin des petits qui restent au nid durant 25 jours et deviennent indépendants dans les quelques jours qui suivent. ◕ Sa nourriture est essentiellement composée d'éléments aquatiques : petits poissons, têtards, grenouilles, crustacés, mollusques, insectes aquatiques et larves. Il se nourrit occasionnellement de fragments végétaux.

Protection Le nombre des Martins-pêcheurs d'Europe est peu important et très variable en fonction des conditions climatiques (son nombre diminue à la suite d'un hiver rigoureux). Il peut causer des dégâts sur les étangs d'élevage. Il faut protéger les endroits propices à la nidification. Le Martin-pêcheur adopte volontiers les galeries artificielles.

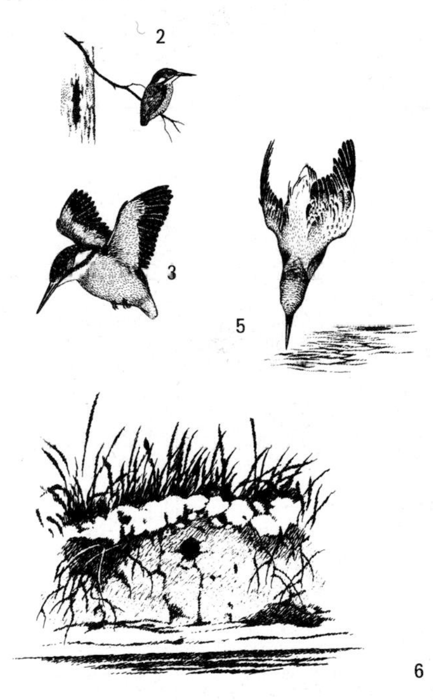

1

Rollier d'Europe
Coracias garrulus

Détermination
✳ De la taille d'une Tourterelle turque (30 cm), le Rollier d'Europe est cependant plus robuste. Il est caractérisé par une grande tête dotée d'un bec droit et puissant. L'oiseau ad. (1) est d'un vert-bleu clair brillant, brun et noir. ♂ = ♀. L'oiseau juv. est plus pâle, plus terne et sa poitrine est brunâtre. ✦ Il se perche, la tête droite, sur les arbres, les poteaux et les fils électriques d'où il fond sur sa proie. Au printemps, sur les aires de nidification, il exécute des vols nuptiaux : il prend de la hauteur, fait des pirouettes et pique en bas, la tête la première, tout en poussant des cris retentissants. ⊙ Il émet assez souvent des «rak rak . . .» sonores. Les oisillons poussent, dans leurs nids, des cris plaintifs. ♋ On ne peut le confondre avec une autre espèce.
Ecologie ◈ Il recherche les régions découvertes (type steppe) des plaines jusqu'au plateau. ∞ Sur les aires de nidification, on le repère surtout grâce à son vol nuptial caractéristique. Pour trouver le nid, il faut surveiller les déplacements des oiseaux, inspecter les lieux qu'il fréquente et se laisser guider par les cris des oisillons pendant leur éducation (à partir de VI.). En dehors de la saison des nids, on ne le rencontre que par hasard.
Vie et mœurs ↔ C'est un oiseau migrateur qui séjourne sur les aires de nidification en IV.—IX. En dehors de la saison des nids, il vit seul. ⌣ Il niche dans les creux et les trous d'arbres (creusés par le Pic noir) parfois dans les terriers ou les cavités d'édifices. La femelle pond 3 à 5 œufs blancs (36,4 × 29,1 mm) en V.—VI. Il niche 1× l'an, séparément ou en colonies, et couve durant 18 jours. Les deux parents prennent soin des petits : 27 jours au nid et 22 autres hors du nid. ◑ Il se nourrit de gros insectes et de menus vertébrés. Il fond sur sa proie d'une branche ou d'un perchoir quelconque.
Protection Le Rollier d'Europe est en forte régression et il a complètement disparu de certaines régions. Les raisons de cette situation et les moyens d'y remédier ne sont pas connus. Les nichoirs artificiels peuvent aisément remplacer les creux des arbres.

1

Huppe fasciée
Upupa epops

Détermination
∗ La Huppe fasciée est de la taille d'une Tourterelle (27 cm). Elle a une petite tête dotée d'un bec long, fin et recourbé vers le bas, une huppe érectile, des pattes courtes, une queue assez longue et des ailes très larges et arrondies (2). L'oiseau ad. (1) est rouge-brun clair, ses ailes sont marbrées de noir et de blanc, ce qui est perceptible en vol tout particulièrement. ♂ = ♀. Certaines femelles se distinguent dans le couple grâce aux taches blanches à la gorge et à la poitrine plus brune. L'oiseau juv. est plus terne, le dessin blanc de ses ailes est jaunâtre, son bec est plus court et plus droit. ✦ Elle se déplace à terre en marchant. Son vol est bas, rappelant quelque peu celui de la chauve-souris. ⊙ Elle émet assez souvent, un «doudoudou» étouffé et répété. ♋ On ne peut la confondre avec une autre espèce.
Ecologie ◈ Elle recherche les régions découvertes à prés, parcs, forêts clairsemées ou végétation éparse, en plaines et sur les plateaux. ∞ Sur les aires de nidification, elle est facile à repérer grâce à sa voix. Les oiseaux peuvent être observés en terrain découvert ou en vol. Pour trouver le nid, il faut surveiller les déplacements des oiseaux pendant la période du nourrissage des petits et inspecter les cavités propices aux nids. En dehors de la période de nidification, on ne la voit que par hasard.
Vie et mœurs ↔ C'est un oiseau migrateur qui séjourne sur les aires de nidification en IV.—IX. Il vit seul. ◎ Le nid est installé dans les creux des arbres (à faible hauteur) parfois dans les terriers ou les anfractuosités des édifices. La femelle pond 5 à 8 œufs blancs (26,0 × 17,9 mm) en IV.—VI. La Huppe fasciée niche 1× l'an, séparément, ♀ couve durant 16 jours et c'est ♂ qui la nourrit. Les deux parents prennent soin des petits : 26 jours au nid et quelques autres jours hors du nid. ◉ Elle se nourrit de gros insectes, parfois de menus vertébrés qu'elle chasse au sol.
Protection L'espèce est actuellement en régression et a complètement disparu de certaines régions. Les raisons de cet état de choses ainsi que les moyens de protection efficaces ne sont pas connus. On peut cependant faciliter sa nidification, en créant des cavités artificielles.

2

1

Torcol
Jynx torquilla

Détermination
✳ Le Torcol est de la taille d'un Moineau (16 cm). Il a un corps élancé, une tête conique, prolongée par un bec robuste et droit, un cou assez long. L'oiseau ad. (1) est d'un gris-brun discret, parsemé de fines taches foncées. ♂ = ♀ = juv. ✦ Son plumage mimétique le fait passer inaperçu. Il se perche sur les branches d'arbres en long et au travers ; à terre, il sautille la queue à demi relevée. Il ne vole que rarement. Son vol est droit et régulier. ⊙ Il émet fréquemment un «kvikvikvi» sonore, répété et bien marqué. Dérangés, les oisillons sifflent. ♋ On ne peut le confondre avec une autre espèce.
Ecologie ◈ Il recherche les régions à bois, parcs et jardins (à arbres creux) qui s'étendent des plaines à la montagne. ∞ Dès son arrivée sur l'aire de nidification (III.—VI.), il se trahit par sa voix. Pour trouver le nid, il faut inspecter les creux et les cavités de l'endroit où il évolue, sinon, il faut l'observer au hasard d'une rencontre.
Vie et mœurs ↔ C'est un oiseau migrateur qui vit seul. Il séjourne sur les aires de nidification en III.—IX. ◡ Le nid est installé dans les creux des arbres, dans les nichoirs, exceptionnellement dans les terriers, sur les bâtiments ou autres lieux. La femelle pond 7 à 11 œufs blancs (20,7 × 15,5 mm) en IV.—VIII. Il niche 1—2 (3) × l'an, séparément, et couve durant 12 jours. Les deux parents prennent soin des petits : 20 jours au nid et 10 autres jours hors du nid. ◑ Il se nourrit essentiellement de fourmis, de leurs chrysalides qu'il cherche à terre ou sur les arbres, mais aussi de coléoptères, d'araignées, et quelquefois de baies de sureau.
Protection C'est une espèce en voie de disparition. Les raisons de cette situation et les moyens réels d'y remédier ne sont pas connus. Lorsqu'il n'y a pas assez de cavités naturelles pour abriter les nids du Torcol, on peut disposer des nichoirs artificiels.

1

Pic vert
Picus viridis

Détermination
✳ Le Pic vert atteint la taille d'un Choucas (30 cm). Il a une grande tête dotée d'un bec robuste et droit, une queue courte et cunéiforme, des ailes larges et arrondies. Le plumage de l'oiseau ad. est vert ; ♂ (1) est caractérisé par des moustaches rouges, bordées de noir ; ♀, par des moustaches noires (2). L'oiseau juv. est plus terne, tacheté et barré (le dessin est foncé sur le bas du corps et clair sur le dos) ; ces indications ne sont valables que jusqu'au mois de novembre de sa première année. ✦ Il grimpe sur les troncs d'arbres, souvent même sur les édifices. A terre, il sautille et ravage les fourmilières. Son vol est bas et très ondulé (4) ; il alterne coups d'ailes sonores et périodes de glisse, les ailes fermées. ⊙ Il émet fréquemment un «glyglygly» très sonore. Au printemps, il tambourine sur les arbres en suivant un rythme très lent. ♋ Une espèce lui ressemble : le Pic cendré *(Picus canus)*. Le dessin de sa tête est cependant plus simple (3).
Ecologie ◆ Il recherche les forêts de feuillus en particulier, qui s'étendent des plaines à la montagne, les parcs et les jardins. ∞ Sur les aires de nidification, on le repère grâce à ses manifestations vocales (II.—VI.), sinon, il faut surveiller les oiseaux qui grimpent et volent. Pour trouver le nid, il faut observer les oiseaux qui creusent ou bien inspecter les trous d'arbres à l'endroit fréquenté.
Vie et mœurs ↔ C'est un oiseau sédentaire qui vit seul. ♉ Il niche dans les trous d'arbres qu'il creuse lui-même chaque année. La femelle pond 5 à 7 œufs blancs (31,2×23,3 mm) en IV.—VI. Il niche 1× l'an, séparément et couve durant 16 jours. Les deux parents prennent soin des petits : 27 jours au nid et 21 autres jours hors du nid. ◉ Il se nourrit de fourmis, de leurs larves et chrysalides, principalement d'espèces qui bâtissent leurs fourmilières sous terre et en surface. Pendant l'été, il mange quelquefois des baies et des graines (des glands, des sorbes), et au printemps, il fait des entailles circulaires dans l'écorce des arbres jusqu'au liber et lèche les gouttes de sève qui surgissent.
Protection L'espèce qui connaît une régression en certains endroits, ne nécessite toutefois aucune protection particulière.

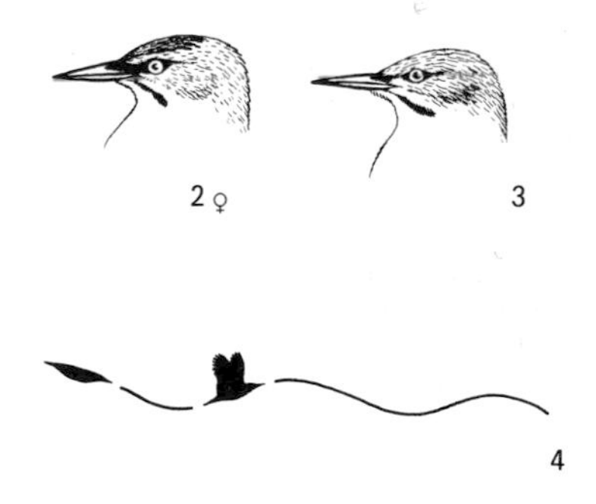

1

Pic noir
Dryocopus martius

Détermination
✳ Le Pic noir est le plus grand grimpeur d'Europe (50 cm). De la taille d'une Corneille, il a cependant un corps plus élancé, une petite tête légèrement huppée, dotée d'un bec droit et robuste, un cou fin. L'oiseau ad. est noir, ♂ (1, 2) porte une calotte rouge et ♀ une bande rouge à l'occiput (3). L'oiseau juv. est plus terne, son menton est clair, et la calotte rouge est plus réduite ou est absente. ✦ Il grimpe sur les troncs d'arbres et hoche la tête ; son vol est assez bas et ondulé. ⊙ Il émet fréquemment un «ru ru ru» sonore et un «klié» long et plaintif. Au printemps, il tambourine vigoureusement sur les arbres mais son rythme est plus lent que celui du Pic épeiche, du Pic épeichette ou du Pic mar. Au nid, les oisillons poussent des cris plaintifs. ♋ On ne peut le confondre avec une autre espèce.
Ecologie ◆ Il recherche les régions boisées qui s'étendent des plaines à la montagne. ∞ Sur les aires de nidification, on le repère grâce à sa voix et à son comportement. Pour trouver le nid, il faut surveiller les déplacements des oiseaux adultes, lors du nourrissage des petits en particulier (ceux-ci sont d'habitude très bruyants) ou bien inspecter les creux des vieux arbres de l'endroit fréquenté. En dehors de la saison des nids, sa présence est signalée par des traces sur les arbres, sinon on le rencontre par hasard.
Vie et mœurs ↔ C'est un oiseau sédentaire qui vit seul. ◡ Les nids sont installés dans les cavités des arbres que les oiseaux creusent chaque année. La femelle pond 3 à 5 œufs blancs (34,4×25,4 mm) en IV.—V. Il niche 1× l'an, séparément, et couve durant 12 jours. Les deux parents prennent soin des oisillons : 26 jours au nid et quelques autres jours hors du nid. ◑ Il se nourrit d'insectes qu'il trouve dans l'écorce et dans le bois, de coléoptères et de fourmis en particulier, et, dans une moindre mesure, de substances végétales : graines de pins, myrtilles et baies de sorbier, sève des arbres taillés par d'autres Pics.
Protection Le nombre des Pics noirs est peu important. On l'accuse à tort de causer des dégâts dans les forêts. L'espèce ne nécessite aucune mesure de protection particulière.

2 ♂

3 ♀

1

Pic épeiche
Dendrocopos major

Détermination
✳ Le Pic épeiche atteint la taille d'une grive (23 cm). Il a une grande tête à dessin caractéristique (2), dotée d'un bec droit et robuste. L'oiseau ad. est rouge-noir-blanc ; ♂ (1) a une bande rouge transversale à la nuque, ♀ a la nuque entièrement noire. Chez les oiseaux juv. le sommet de la tête est d'un rouge sale. ✦ Il grimpe sur les arbres et se suspend même aux cônes. Son vol est bas, ondulé, les battemens d'ailes bien sonores. ⊙ Il émet assez souvent, un «ki ki» sonore et bref. Au printemps, on entend fréquemment son tambourinage sur les troncs d'arbres, long et vif. Au nid, les oisillons poussent des cris sonores et plaintifs. ♋ On citera quelques espèces voisines : le Pic syriaque *(D. syriacus)*, caractérisé par une bande blanche ininterrompue sur les côtés de la tête (3), le Pic à dos blanc (*D. leucotos* — 4) qui est plus blanc, et le Pic tridactyle (*Picoides tridactylus* — 5) dépourvu de rouge.
Ecologie ◆ Il recherche les forêts de tout type, les parcs et les jardins étendus et, en dehors de la saison des nids, des terrains à arbres isolés. ∞ Sur les aires de nidification, on le repère grâce à sa voix, au printemps grâce à son tambourinage typique et au comportement des oiseaux. Pour trouver le nid, il faut inspecter les cavités de l'endroit fréquenté, et se laisser guider par les voix des oisillons. En dehors de la saison des nids, les oiseaux se trahissent par leur voix, par leur tambourinage sur les troncs d'arbres et par les traces qui résultent de leurs activités (débris de bois et cônes tombés).

Vie et mœurs ↔ C'est un oiseau en grande partie sédentaire qui vit seul. ꙮ Le nid est installé dans une cavité d'arbre qu'il creuse lui-même ou dans une cavité abandonnée par le Pic noir ou le Pic mar. Il revient également aux cavités utilisées l'année précédente. La femelle pond 5 à 6 œufs blancs (26,4×19,8 mm) en IV.—VI. Il niche 1× l'an, séparément, et couve durant 12 jours. Les deux parents prennent soin des oisillons : 25 jours au nid et 14 jours hors du nid. ◑ Il se nourrit d'insectes, de leurs larves, de différentes baies et graines. Il débusque les insectes dans l'écorce des arbres, dans le bois ou les attrape à la surface des troncs et au sol.
Protection Le nombre des Pics épeiche est important. L'espèce ne nécessite aucune protection particulière.

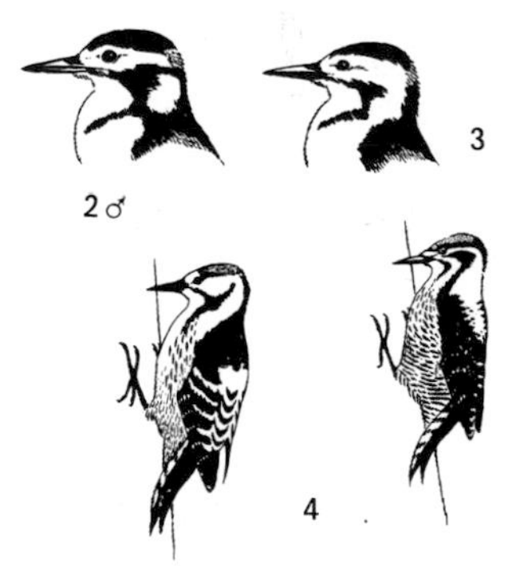

1

Pic mar
Dendrocopos medius

Détermination
✳ Il ressemble et par la taille (21 cm) et par l'aspect au Pic épeiche, mais sa tête est plus petite et son bec plus court et plus fin. L'oiseau ad. (1) est noir, blanc et brun-rose, le sommet de la tête est rouge. ♂ = ♀ ; celle-ci est parfois reconnaissable grâce au plumage plus terne et à une calotte rouge plus courte. L'oiseau juv. est plus terne que l'oiseau ad., la calotte rouge est tachetée de noir. ✦ Il grimpe sur les troncs d'arbre et sur les branches ; il se suspend aux branches des arbres. Son vol est bas et légèrement ondulé. ⊙ Il émet, assez souvent, un appel : «guèk guèk». Au printemps, ♂ pousse des cris bien caractéristiques, plaintifs et sonores : «koé-koé-koé». Son tambourinage est bref et assez rare. ♋ On pourrait le confondre avec les jeunes Pics épeiche et syriaque qui ont cependant un bec plus robuste, des taches blanches moins nombreuses sur l'aile et une tache foncée de forme différente sous les joues.
Ecologie ◆ Il vit en plaine, principalement dans les forêts anciennes de chênes. ∞ Sur les aires de nidification, il se trahit par sa voix bien caractéristique (II.—V.) et par son comportement. Pour trouver le nid, il faut observer les oiseaux adultes et inspecter les cavités. En dehors de la saison des nids, on repère les oiseaux grâce à leurs voix ou bien en surveillant leurs activités : la recherche de la nourriture en particulier.
Vie et mœurs ↔ C'est un oiseau sédentaire qui vit seul. ⩌ Il niche dans les cavités des arbres qu'il creuse dans le bois tendre des troncs, attaqués par des champignons. Il lui arrive de se servir de la même cavité à plusieurs reprises. Exceptionnellement, il niche dans un nichoir artificiel. La femelle pond 5 à 6 œufs blancs (23,8 × 18,2 mm) en IV.—V. Il niche 1× l'an, séparément, et couve durant 12 jours. Les deux parents prennent soin des petits : 20 jours au nid et 15 jours hors du nid. ◉ Il se nourrit d'insectes et de leurs larves, de diverses graines et de baies. Il se procure sa nourriture surtout à la surface ou dans les fissures de l'écorce des arbres, au sol, il creuse parfois le bois mais c'est toujours un bois abîmé ou en putréfaction.
Protection L'espèce est en voie de régression. La disparition progressive des forêts anciennes en est probablement la cause principale. Il est donc nécéssaire de les protéger et de les conserver.

1

Pic épeichette
Dendrocopos minor

Détermination
⁎ De la taille d'un Moineau, le Pic épeichette est le plus petit grimpeur d'Europe (15 cm). Il a une petite tête dotée d'un bec court, des ailes larges et arrondies, une queue courte et cunéiforme. L'oiseau ad. est d'un noir et d'un blanc très contrastés ; ♂ (1) a le sommet de la tête rouge, celui de ♀ est d'un blanc brunâtre. L'oiseau juv. a le bas du corps brunâtre à taches foncées, le sommet de la tête du ♂ est un peu rouge. ✦ Il grimpe sur les troncs et les branches d'arbres, se suspend aux branches même très fines et exécute les mêmes acrobaties sur les plantes herbacées suffisamment robustes. Son vol est bas et ondulé. ⊙ Il émet fréquemment un «kikiki . . .» sonore et répété. Au printemps, il tambourine souvent sur les arbres ; son tambourinage est faible mais long et très rapide. ♋ On ne peut le confondre avec une autre espèce ; sa voix rappelle celle du Faucon crécerelle.
Ecologie ◈ Il recherche les forêts de feuillus et les régions cultivées à basse altitude, y compris les grands parcs et jardins des agglomérations. ∞ Sur les aires de nidification (III.—V.), on le repère grâce à ses manifestations vocales et au comportement des oiseaux lequel permet aussi de découvrir le nid. En dehors de la période de nidification, on ne peut l'entendre ou l'observer que par hasard.
Vie et mœurs ↔ C'est un oiseau sédentaire qui vit seul. ❦ Il niche dans les cavités des arbres qu'il creuse chaque année dans un bois tendre, attaqué par des champignons, et souvent dans les branches latérales. La femelle pond 4 à 6 œufs blancs, (18,8×14,4 mm) en IV.—VI. Il niche 1× l'an, séparément, et couve durant 12 jours. Les deux parents prennent soin des oisillons : 20 jours au nid et 12 jours hors du nid. ◕ Il se nourrit d'insectes et de leurs larves, moins souvent de graines végétales. Il se procure sa nourriture dans les arbres et dans les herbes.
Protection C'est une espèce rare qu'il est indispensable de protéger. Toutefois, on ne connaît pas encore très bien les moyens d'une protection efficace.

Bibliographie

Austin O. L. Jr, Singer A.: Birds of the World. 2e édition, 1970, London, New York, Sydney, Toronto.

Bergmann H.—H., Helb H.—W. : Die Stimmen der Vögel Europas. München 1982.

Bezzel E. : Kompendium der Vögel Mitteleuropas : Nonpasseriformes —Nichtsingvögel. Wiesbaden 1985.

Bruun B., Singer A. : The Hamlyn Guide to Birds of Britain and Europe. London, New York, Sydney, Toronto 1970 (plusieurs rééditions). Traduction allemande de Bruun B., Singer A., König C. : Der Kosmos' Vogelführer. Stuttgart.

Bub H. : Vogelfang und Vogelberingung. Teil I.—IV. Die neue Brehm-Bücherei, Heft 359, 377, 389, 409. Wittenberg-Lutherstadt 1967—72.

Bub H.: Vogelfang und Vogelberingung zur Brutzeit. NBB 470, 1974.

Bub H.: Kennzeichen und Mauser europäischer Singvögel. Teil I.—IV. (suite) NBB 540, 541, 550, 570, 1980.

Bub H., Oelke H. : Markierungsmethoden für Vögel. NBB 535, 1985 (2. édition).

Campbell B., Lack Elizabeth (Eds) : A Dictionnary of Birds. Calton 1985.

Cramp S. (Chief-editor) : Handbook of the Birds of Europe, the Middle East and North Africa (The Birds of the Western Palearctic). Vol. I.—V. (suite), 1977 — Oxford, London, New York.

Glutz von Blotzheim U., Bauer K. u. a. : Handbuch der Vögel Mitteleuropas. Bd. I.—XI. (suite), 1966 — Wiesbaden.

Harrison C. : An Atlas of the Birds of the Western Palearctic. London, 1982.

Harrison C. O. J. : A Field Guide to the Nests, Eggs and Nestlings of British and European Birds. London, 1985. Traduction allemande de E. Herlinger : Jungvögel, Eier und Nester aller Vögel Europas, Nordafrikas und des mittleren Osten. Berlin, Hamburg.

Howard R., Moore A. : A Complete Checklist of the Birds of the World. Rev. ed. 1984, Oxford.

King W. B.: Red Data Books. Vol. 2 : Aves. Morges : IUCN 1978.

Makatsch W. : Die Eier der Vögel Europas, Bd 1—2. Radebeul 1974—76.

Palmer S., Boswall J. : The Peterson Field Guide to the Bird Songs of Britain and Europe. 15 disques microsillons, 16 cassettes.

Parslow J. R. F., Everett M. J. : Birds in Need of Special Protection in Europe. Strasbourg, 1981.

Peterson R. T., Mountfort G., Hollom P. A. D. : A Field Guide to the Birds of Britain and Europe. London, 4. ed. 1984. Traduction allemande de H. E. Wolters : Die Vögel Europas. Berlin, Hamburg.

Svensson L.: Identification Guide to European Passerines. (3e éd.). Stockholm, 1984.

Table

des fiches d'identification des oiseaux présentés dans le livre